Pierre Grimbert

Le secret de Ji

Tome 1

Six héritiers

ÉDITIONS FRANCE LOISIRS

Édition du Club France Loisirs,
avec l'autorisation des Éditions Mnémos

Éditions France Loisirs
123, boulevard de Grenelle, Paris
www.franceloisirs.com

ISBN : 2-7441-9191-4

Remerciements

À Christophe « Jet » Vasseur, pour avoir dessiné la carte d'un monde imaginaire et baptisé nombre de personnages.

À Laurent Vitou, pour son travail de correction aussi efficace que désintéressé.

À Claire, éternelle première lectrice de mes textes, et critique avisée.

À Stéphane et aux guerriers du clan Mnémos, pour leur patience, leur professionnalisme et leurs encouragements.

Et enfin à tous les lecteurs, parents, amis ou inconnus, qui ont accepté d'y croire. Ce monde vous appartient !

À ceux de mon clan.
Vous n'êtes pas dans l'histoire,
mais vous y étiez toujours...

Mer de Cristal
Tolensk
ROYAUME D ARKARIE
(le blanc pays)
CREVASS
ROMINE
Karad
ROYAUME DE ROMINE
Mer de Romine
GRAND'TERRE
Mani
LE BEAU PAYS
Far
LES BA
JEZEBA
SULTANAT DE JEZEBA

Océan des Miroirs
Crek
Work
GRAND EMPIRE
GORAN
DE
Partacle
GORAN
Le Pont
ROYAUME
LORELIEN
Lermian
Kolimine
Leem
ITH
ROYAUME
ITHARE
Maz
Berce
Eza
Benelia
LORELIA
ILE DE JI
MATRIARCAT
DE KAUL
Mer Médiane
ILES DE YÉRIM
Lineh
Yiteh
Griteh
ZUÏA
Ezomine
LES BAS ROYAUMES
Mer de Feu

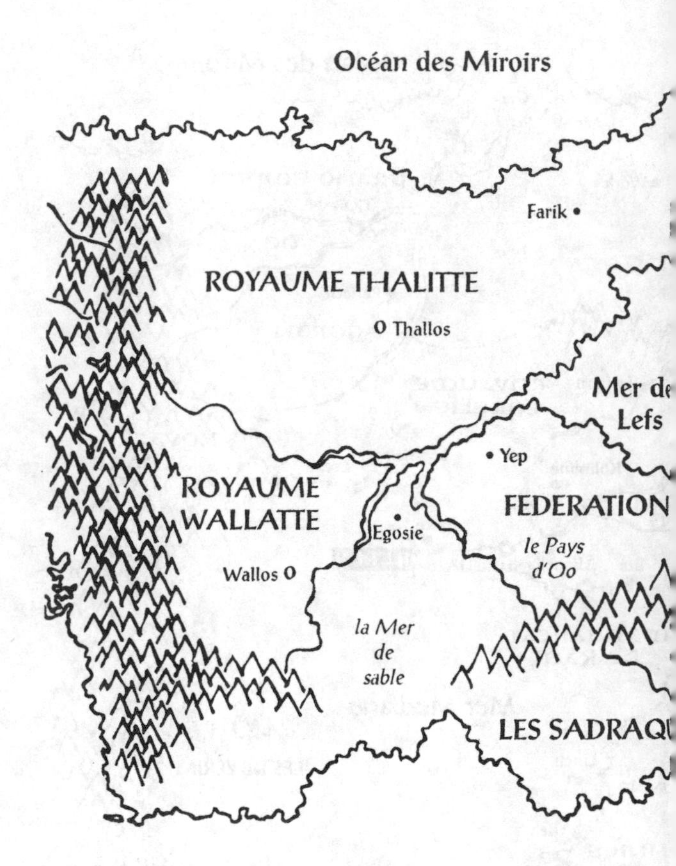
Océan des Miroirs
Farik
ROYAUME THALITTE
Thallos
Mer d
Lefs
Yep
ROYAUME
WALLATTE
FEDERATION
Egosie
le Pays
d'Oo
Wallos
la Mer
de
sable
LES SADRAQ
Mer de Feu

Mer
Plésienne
EMPIRE
TUZEEN
Territoires
Wfal
Tuze
Mer des
Mists
Greloes
SOLENE
Sole
ROYAUME
GRELITTE
DILAT
COVIEN
Ecovie
Océan
Bre'w'an

Le lecteur trouvera en fin de volume un glossaire définissant certains termes utilisés par le narrateur, ainsi que des précisions complémentaires n'apparaissant pas dans le récit... mais ne dévoilant pas l'intrigue, loin s'en faut.
La lecture de la Petite encyclopédie peut donc être faite en même temps que celle de l'histoire, aux moments que le lecteur trouvera opportuns.

Mon nom est Léti. Je fais partie du village d'Eza, le cinquième de la province sud du Matriarcat de Kaul. Cent dix-huit années avant ce jour, un homme inconnu se présenta devant le Conseil des Mères, se disant porteur d'un message de la plus haute importance. Il déclara s'appeler Nol, et n'être l'ambassadeur d'aucune nation connue. Pourtant, nombreuses furent celles qui virent en lui un Estien, Wallatte, Thalitte, Soleno, ou autre habitant du Levant. C'est donc avec suspicion qu'elles s'apprêtèrent à l'écouter.

Nol s'exprima aisément, en respectant l'usage et les règles en cours au Conseil, si bien qu'il semblait avoir passé toute sa vie à Kaul. Les Mères le traitèrent avec le même respect en écoutant son discours sans l'interrompre, comme la Tradition l'exigeait.

Les débats du Conseil n'étaient pas encore mis par écrit à l'époque, c'est pourquoi il est difficile de donner une transcription exacte de ses dires. Voici à peu près ce qu'ils étaient :

« Honorées Mères, je me présente à vous sans mauvaises intentions. La sagesse des membres du Conseil est légendaire, aussi j'espère avoir bientôt l'honneur de votre confiance, même s'il m'est nécessaire de conserver le secret sur un grand nombre de choses.

Je ne puis dire pourquoi je suis là, ni d'où je viens. Je porte mon message à tous les rois du monde connu, et ne puis que souhaiter les convaincre de prêter foi à des propos que je sais étranges.

Voici, enfin, ma déclaration.

Dans un dessein qu'il m'est impossible de révéler, je vous demande de choisir une personne de votre peuple, réputée pour faire partie des plus sages, et digne de vous représenter.

Je la retrouverai sur l'île Ji, à l'aube du jour du Hibou, avec les émissaires des autres nations. La suite sera sans danger, aussi il est inutile de prévoir une escorte trop considérable, celle-ci ne pouvant pas nous accompagner dans notre voyage, de toute façon.

Le sage que vous choisirez ne sera absent que quelques décades. Qu'un bateau attende son retour au même endroit, à compter du jour de la Terre.

Ce qui se passera au retour n'est pas encore écrit. Je puis juste vous dire qu'une décision importante sera prise, et que le résultat vous en sera donné.

J'ai terminé, et je devine vos questions : ne les posez pas en pure perte, honorées Mères, car je ne puis y répondre. »

Bien sûr, Nol fut quand même questionné, et comme il l'avait dit, il conserva le silence. Lorsqu'il se fut retiré, les Mères discutèrent de la conduite à tenir. Quelques-unes parmi les plus jeunes, dont les maris combattaient encore aux côtés des troupes loreliennes, demandèrent qu'on chasse l'étranger, ou qu'on l'engeôle jusqu'à en apprendre davantage. D'autres pensaient avoir été confrontées à un fol inoffensif et qu'il n'y avait pas de suite à donner à l'affaire.

Seules quelques-unes, plus poussées par la curiosité qu'autre chose, estimaient que l'envoi d'un émissaire à Ji ne coûterait pas grand-chose, et que ce serait le meilleur moyen d'élucider le mystère. On procéda au vote et c'est cette sage proposition qui fut finalement retenue, sous réserve que Nol ait effectivement transmis son « message » à d'autres nations.

La confirmation vint de l'ambassadeur de Junine, qui relata quelques jours plus tard une rencontre similaire entre Nol et les barons réunis des Petits Royaumes.

Vint alors le moment du choix de l'émissaire. Il semblait acquis que les personnes les plus sages du Matriarcat étaient membres du Conseil, et désigner l'une d'entre elles permettait en outre d'agir en toute discrétion.

Toutes se tournèrent avec respect vers l'Aïeule, qui était la plus sage entre toutes. Heureusement, elle l'était assez pour se savoir trop âgée pour ce voyage aventureux. Elle demanda alors que des volontaires se manifestent, non pas au titre de la plus grande sagesse, ce qui eût été vaniteux, mais à celui du dévouement. Quatre Mères se proposèrent, et parmi elles Tiramis fut élue.

Tiramis est mon aïeule. C'est la mère de la mère de la mère de ma mère. La grand-mère de ma grand-mère.

Il fut décidé de la faire accompagner d'un homme pour la protéger. On choisit Yon, qui était le troisième fils de l'Aïeule et que l'on savait fort et dévoué. Pour amener Nol à l'accepter comme un second émissaire, il fut dit qu'il représenterait la gent masculine de Kaul, ce qui, après tout, pouvait être vrai. Enfin, on décida qu'une goélette suivrait à distance l'homme étrange et les sages, comme ultime mesure de sécurité.

Au jour du Hibou, Tiramis et Yon abordèrent l'île Ji, près des côtes loreliennes. C'était une petite terre inhabitée, dont on pouvait faire le tour à pied en moins d'une journée. Très peu de végétation, juste des rochers, encore des rochers, et du sable entre eux.

Nol les attendait sur la plage, l'air grave, mais apparemment satisfait du nombre de personnes venues. Tiramis en connaissait quelques-unes de vue ou de réputation, et un chambellan goranais autoproclamé maître de cérémonie se chargea de lui présenter les autres.

Il y avait là le roi Arkane de Junine, représentant des Baronnies ; le jeune prince Vanamel du Grand Empire de Goran, et son conseiller : Son Excellence Saat l'Économe, tous deux représentant bien sûr le Grand Empire ; le chef Ssa-Vez, qui était venu de la lointaine Jezeba ; Son Excellence Rafa Derkel, de Griteh ; le duc Reyan de Kercyan, envoyé par le roi Bondrian, de Lorelia ; Son Excellence Maz Achem, représentant d'Ith ; Son Excellence le sage Moboq, représentant du roi Qarbal d'Arkarie ; et enfin Leurs Excellences l'Honorée Mère Tiramis et Yon de Kaul, représentants du Matriarcat. Chacun de ces hauts personnages était venu en grande pompe – particulièrement le prince Vanamel –, si bien que le petit espace de plage laissé par les rochers était envahi par les tentures et les installations de fortune, rehaussées de bannières colorées qu'évitaient ou piétinaient une fourmilière de serviteurs et de soldats de tous uniformes.

Nol accueillit chacun des émissaires, les remerciant pour leur confiance qui était de bon augure, et les informant qu'ils attendraient jusqu'à la tombée de la nuit l'arrivée d'autres émissaires. Il ne donna aucune information supplémentaire.

Rafa de Griteh émit une objection à propos de la représentation inégale des nations. Pour disperser les malentendus, Nol demanda alors si le Grand Empire de Goran et le Matriarcat de Kaul avaient quelque raison d'envoyer chacun deux émissaires. Tiramis lui servit le petit mensonge à propos de Yon, représentant des hommes de Kaul, et le prince Vanamel objecta que son pays étant bien plus grand que la plupart, il était normal qu'il soit représenté par deux personnes. Son Excellence le sage Moboq, à qui l'on avait traduit les débats, objecta alors à son tour que l'Arkarie était bien plus grande encore que le Grand Empire, et que le roi Qarbal aurait donc pu envoyer trois ou quatre représentants. Nol eut une petite moue découragée et coupa court aux dissensions en précisant qu'un nombre supérieur d'émissaires n'apporterait de toute façon aucun avantage particulier aux nations ; la limitation était simplement une question d'ordre pratique. Rafa de Griteh se déclara alors satisfait. Personne ne voulait vraiment contredire Nol à ce moment-là.

L'homme étrange s'exprimait dans les langues maternelles de chacun avec une aisance déconcertante. Il écoutait tout le monde, mais balayait de façon ferme et polie les objections de ces hauts personnages qui s'accordèrent tous pour lui reconnaître une personnalité hors du commun. Lorsque enfin il eut vu chacun d'eux et déclaré vouloir méditer seul, tous prirent leur mal en patience et l'observèrent avec respect, à la dérobée.

Puis le soir arriva et Nol déclara avec regret que ni le Beau Pays, ni Romine n'avaient envoyé d'émissaire, et que ces deux royaumes ne seraient donc pas représentés. Quelques-uns remarquèrent aussi qu'aucun diplomate estien n'était présent, mais ne surent qu'en conclure.

L'homme étrange invita les sages à le suivre, et s'engagea à pied à travers le labyrinthe rocailleux que formait l'île Ji. Après quelques instants d'étonnement – tous s'étant attendus à prendre la mer –, il fut suivi par Tiramis et Yon, puis le duc de Kercyan, puis tous les autres leur emboîtèrent le pas.

Restés sur la plage, les divers officiels, gardes et serviteurs étaient indécis. Puis plusieurs barques furent mises précipitamment à l'eau, l'idée venant que les sages pourraient embarquer de l'autre côté de l'île.

Au début pratiquement adversaires, les équipages s'organisèrent bientôt pour patrouiller chacun dans un secteur. Mais aucune embarcation inconnue ne fut repérée cette nuit-là...

Au petit matin, des hommes en armes furent envoyés dans l'intérieur de l'île. Les soldats fouillèrent le labyrinthe tout le jour, puis le lendemain, sans autre résultat que la découverte de grottes utilisées comme entrepôts par de quelconques contrebandiers loreliens.

Après le quatrième jour, tout espoir était perdu de retrouver la piste des émissaires. Une par une, les délégations quittèrent l'île à regret, en soupçonnant les autres d'avoir dissimulé des informations sur cette étrange aventure, ou pire, d'en être à l'origine.

Quatre décades passèrent, et aucune demande de rançon n'étant arrivée, la thèse de l'enlèvement que quelques-uns avaient avancée fut peu à peu abandonnée. Le jour de la Terre arriva, des bateaux furent de nouveau envoyés vers l'île, et on se prit dans les palais à espérer en un retour imminent des sages.

À l'aube du jour de l'Ours, une décade et demie après le jour de la Terre, sept personnes émergèrent difficilement d'entre les rochers, par le même chemin qu'elles avaient emprunté deux lunes plus tôt. Les soldats postés là observèrent avec incrédulité le duc Reyan, fatigué, les yeux vides de toute expression, et Rafa de Griteh, les cheveux brûlés et la face noircie, transporter sur une civière de fortune le roi Arkane de Junine, blessé à la tête et pressant un garrot rougi sur le moignon de son bras gauche. Ils virent Son Excellence Yon de Kaul tituber en portant dans ses bras une Honorée Mère Tiramis inconsciente. Enfin ils virent Leurs Excellences Maz Achem d'Ith et Moboq d'Arkarie fermer la marche en traînant les pieds.

Le prince Vanamel, Saat l'Économe et Ssa-Vez de Jezeba manquaient à l'appel.

Nol l'Étrange n'était pas revenu non plus.

Ramur le marchand était content : la journée avait été bonne. On n'était qu'au troisième jour des foires loreliennes, et il avait déjà écoulé plus des deux tiers de sa cargaison d'épices de Lineh, sans même avoir eu besoin de négocier ses prix.

Une bourse bien pleine à son côté, il se dirigeait d'un pas suffisant vers le centre-ville, où il comptait fêter dignement sa réussite... et, pourquoi pas, conclure une ou deux affaires de plus, si l'occasion s'en présentait.

Plus tard dans la nuit, peut-être même descendrait-il jusqu'à des quartiers moins fréquentables, histoire de voir si la jeune femme qu'il y rencontrait tous les ans était toujours aussi peu avare de ses charmes...

Ramur eut une pensée pour Dona, déesse du Plaisir et de l'Opulence, sa divinité préférée bien sûr. Il se promit de faire une offrande à son culte en remerciement de ses bienfaits... prochainement. Peut-être à la prochaine lune, après son retour à Lineh... Ou plutôt dans trois lunes, après la fin des récoltes. Mieux valait honorer Dona en une fois, après plusieurs bonnes aventures, que gaspiller, non, il voulait dire *déranger* ses prêtres avec de petites offrandes régulières mais insignifiantes.

Sans se l'avouer, il savait qu'il ne ferait son offrande qu'au seuil de la mort, pour pouvoir jouir de ses biens le plus longtemps possible. Aussi reconnaissant soit-il, il lui répugnait de *donner* ses terces aux représentants du culte, qui ne manqueraient pas de le voler.

Malgré l'arrivée de la saison du Vent, et de la nuit tombante, le soleil brillait fort et Ramur lui dédia un sourire. Voilà une chose dont il était prodigue : le sourire. Son expérience lui avait appris que les gens sont moins enclins à marchander avec quelqu'un qui présente un visage amical.

Il n'était plus très loin du centre, alors, et la foule, qui s'était éclaircie à la sortie de la foire basée dans le vieux port, était de nouveau de plus en plus dense. Ramur porta la main à sa bourse en un geste coutumier, tout en observant les gens qu'il croisait. Grâce à sa vigilance, il avait jusqu'à présent évité les tire-laine, mais il suffisait de quelques instants d'inattention pour se retrouver plus léger d'une bonne centaine de terces.

Plusieurs fois il avait été témoin de vols à la tire, derrière son étalage, mais il s'était bien gardé d'intervenir. À chacun ses problèmes ! Personne ne lui rendrait non plus sa bourse, si elle venait à disparaître.

La cohue se faisait plus importante, et un bon nombre des badauds qu'il croisait semblaient plus excités que la normale. Il commençait à regretter d'avoir laissé son homme de main au port. S'il prenait l'envie à l'un ou l'autre de ces gagne-petit de se faire quelque argent sur un cadavre, ce pourrait bien être le sien...

Quelqu'un le bouscula, qui venait en sens inverse. Ramur se retourna précipitamment et suivit l'homme du regard sur une bonne distance, tout en faisant un rapide inventaire de sa bourse et de ses bijoux.

L'indélicat s'éloignant portait une robe commune de prêtre, avec le capuchon relevé, si bien qu'on ne pouvait pas même voir la couleur de ses cheveux, ou s'il en avait.

Les terces de Ramur étaient toujours en place, mais l'alerte avait été chaude, aussi renonça-t-il avec regret au plaisir simple de parader avec une grosse bourse à son côté. Il entreprenait de la délier pour la glisser sous ses vêtements lorsqu'il fut de nouveau bousculé, par l'arrière, quelques instants seulement après la première fois. Ses doigts se crispèrent sur le sac de toile décoré quand une piqûre douloureuse lui enflamma le dos.

L'homme qui l'avait heurté, semblable en tout point au premier, lui chuchota simplement à l'oreille : « Mon nom est Zokin. Répète-le à Zuïa. »

Comme paralysé, les yeux écarquillés et les mains toujours cramponnées à la bourse qu'il tenait sur son torse, Ramur le regarda s'éloigner sans le voir, réalisant avec horreur les implications de ce qu'il venait d'entendre. Puis sa vue se troubla, ses jambes fléchirent et il s'écroula.

Il était mort avant d'avoir touché le sol.

Au retour des sages, le premier moment de stupeur passé, chacune des délégations voulut emmener son compatriote pour l'interroger. Rafa de Griteh déclara sur un ton agressif qu'il n'était pas question de les séparer les uns des autres.

Pas tout de suite.

Prenant la tête du groupe, il chemina jusqu'aux tentes ithares, où il s'enferma avec ses compagnons et deux prêtres eurydiens versés dans les arts de la guérison.

Ils furent pansés par ces derniers dans un silence respectueux. Ce n'est que lorsque Rafa fit quelques pas hors de leur retraite qu'il lui fut demandé des nouvelles des sages manquant à l'appel.

Il y répondit simplement qu'ils étaient morts, sans donner aucune précision.

Dans les jours qui suivirent, les survivants ne se mêlèrent que très peu à la foule bigarrée de rois, de barons, de notables et autres personnalités venues pour l'événement. Aux questions qui leur étaient posées, ils gardaient le silence, ou déclaraient ne se souvenir de rien. Puis, seule cette dernière réponse fut donnée.

Les nations en deuil – Goran, Jezeba – plièrent bagage rapidement et quittèrent l'île en mauvais termes avec les autres. On crut même à la possibilité d'une nouvelle guerre entre Goran et Lorelia, mais feu le prince Vanamel semblait trop peu estimé par l'empereur Mazrel pour justifier l'ouverture des hostilités.

Un par un, chacun des sages rentra chez lui. Ils furent de nouveau interrogés, séparément, mais ne répondirent que par le silence. Plusieurs suzerains les prirent alors en grippe...

On enleva à Maz Achem ses responsabilités au Grand Temple. Il abandonna par la suite toute activité religieuse et quitta Ith.

Rafa de Griteh fut interdit de commandement, ce qui, pour celui qui avait été le stratège personnel du roi, était une grande humiliation. Il demeura tout de même dans l'armée, et fit tellement parler de lui par ses exploits que dans ses dernières années son honneur et son titre lui furent rendus.

Arkane de Junine étant roi lui-même, il ne connut que la désapprobation publique de ses pairs des Baronnies. Sachant que la force des Petits Royaumes venait de leur union, il prévint tout désaccord en abdiquant en faveur de son fils.

Le sage Moboq rentra en Arkarie en déclarant simplement qu'il valait mieux que tous ignorent ce qui s'était passé. Comme c'était un sage, tout le monde accepta sa décision et s'empressa d'oublier l'affaire.

Reyan de Kercyan fut le plus lésé. On lui retira son titre de duc, on lui prit ses terres. Il fut publiquement disgracié. Il ne sombra pas dans le désespoir comme on aurait pu s'y attendre, mais vint s'installer à Lorelia même, où il survécut en faisant du commerce.

Tiramis quitta d'elle-même le Conseil des Mères. Elle déclara simplement, une seule fois, que le Matriarcat n'était pas en danger et qu'elle désirait qu'on ne l'interroge plus jamais à ce sujet. L'Aïeule elle-même demanda alors que toutes respectent ce vœu ; il était inutile de raviver des souvenirs apparemment trop terribles.

Tiramis prit Yon en Union l'année suivante. Yon est mon aïeul. Le grand-père de ma grand-mère.

Ils s'installèrent ici, il y a cent dix-huit années, dans ce même petit village de la province sud où j'habite.

Pour tous les autres, Nol et les sages sont oubliés. Les rares personnes qui savent quelque chose ont du mal à faire la différence entre les faits et les histoires que l'on a racontées parfois.

Je n'ai pas oublié. Les héritiers n'ont pas oublié.

Quelque chose n'allait pas. Nort' avait toujours eu une sorte de sixième sens, qui l'avait sauvé à maintes reprises, et ce dernier était en train de carillonner plus fort que les six cents cloches de Leem.

Il se sentait observé depuis l'apogée. Non pas *admiré* : Nort' avait toujours attiré les regards, féminins en général, par son imposante masse musculaire... mais là, c'était autre chose. Quelqu'un le surveillait. Le surveillait, lui !

Debout, la hallebarde bien stable dans la main, le bras tendu sur le côté, dans l'attitude la plus militaire possible, Nort' gardait la porte ouest des jardins du palais impérial de Goran. Il accomplissait d'ordinaire cette tâche avec une patience proverbiale... mais aujourd'hui, il était mal à l'aise.

Il observa les passants un par un, puis examina les fenêtres les plus proches, pour tenter de démasquer son espion. En vain. Il jeta alors un rapide coup d'œil à ses deux subordonnés, figés dans la même posture, espérant que l'un ou l'autre partageait ses pensées. Mais ces derniers n'avaient apparemment en tête que l'arrivée de la relève.

Un vieil homme en haillons s'approcha d'eux en présentant dans ses mains crasseuses une timbale tout aussi souillée. Un étranger, sans doute, se dit le garde, peut-être un Lorelien. L'homme entamait une série de supplications en un mélange d'ithare et de goranais quand Nort', d'un signe, le fit repousser sans ménagement par son subordonné de gauche.

Cet épisode, le ramenant aux tâches quotidiennes, lui fit oublier momentanément ses inquiétudes. Il faisait chaud, porte ouest, en cette fin de journée, et Nort' se mit lui aussi à guetter la relève. Il sentait la fatigue dans son bras droit et aspirait par-dessus tout à lâcher cette maudite hallebarde qui lui déchirait l'épaule. Il avait hâte aussi de faire quelques pas ; ancien troupier, il ne s'était jamais vraiment habitué aux longues heures d'immobilité forcée de la garde.

Enfin, sa patience fut récompensée et il entendit avec soulagement les six coups brefs marquant la fin de la journée et du sixième décan, quelque part derrière lui, dans le palais. Un instant après, la porte s'ouvrait devant trois hommes en tenue réglementaire, habillés plus chaudement pour la garde de nuit. Il y eut le passage orchestré des hallebardes, puis le salut rituel, et la relève prit sa place.

Nort' préféra ne pas parler de ses impressions au gradé responsable du poste de nuit. Il se serait couvert de ridicule en confiant ses craintes de fillette à un guerrier vétéran, et ne voyait de toute façon aucune raison de le faire.

Ayant quartier libre, il décida de ne pas regagner tout de suite les bâtiments réservés aux gardes, et de s'accorder la marche à laquelle il aspirait depuis un bon moment. Et puis, quelque chose au fond de lui l'empêchait de se casaner maintenant : il ne serait pas tranquille tant que ce maudit pressentiment qui le tenait comme une gueule de bois ne serait pas passé.

S'il le fallait, Nort' était prêt à déclencher une petite bagarre avec quelques inconnus, pour faire taire son malaise...

De fait, il s'aperçut qu'il marchait un peu vite, en grommelant, la main serrée sur la poignée de son glaive et en dévisageant d'un œil noir tous les passants qu'il croisait. Il s'arrêta, prit une longue inspiration et repartit d'un pas plus modéré.

Il était rare qu'il perde ainsi son sang-froid. « Par Mishra, si quelque chose doit arriver, alors que ça arrive, sangdieu ! » maugréa-t-il.

Des éclats de voix se firent alors entendre derrière lui. Se retournant, Nort' vit la foule bigarrée de Goran fuir devant quelque chose d'encore indiscernable. Puis la masse humaine se sépara en son milieu pour céder le passage à deux tueurs züu.

Des tueurs züu !

Ici, à Goran, où leur influence et leur réputation étaient grandes, ils ne faisaient aucun effort de discrétion. Nort' vit la tunique écarlate, le bandeau vermillon enserrant un crâne rasé, la maudite dague longue et fine comme une aiguille jetant des éclats de lumière dans leurs mains... et surtout *leurs yeux*. Des yeux de fanatiques prêts à tout pour parvenir à leur fin : *abattre leur proie*.

Ils venaient dans sa direction, mais Nort' étant au milieu de la rue, cela ne signifiait rien. Il tira son glaive tout en reculant doucement à main gauche... et sut aussitôt qu'ils étaient là pour lui.

Les deux tueurs l'avaient en effet observé tout au long de son déplacement. Nort' se rappelait ces regards, à présent : il les avait surpris, sans pouvoir y mettre un visage, toute la journée...

Ils n'étaient plus qu'à quelques pas, maintenant, et avançaient vite, courant presque. Nort' vit en un éclair les dagues, les regards meurtriers, et la foule curieuse qui n'interviendrait pour rien au monde. Une colère sauvage monta en lui et il se rua sur les deux hommes en hurlant, résolu à vendre chèrement sa peau.

C'était sans compter avec le troisième assassin qui arrivait dans son dos et qu'il n'avait pas vu.

Son cri mourut dans sa gorge quand l'aiguille empoisonnée la transperça, et c'est en silence qu'il s'écroula devant ses meurtriers.

Quelques lunes après leur retour, les sages survivants ressentirent le besoin de se réunir. L'ancien roi Arkane de Junine donna corps le premier à cette envie en conviant chacun d'eux au plus beau des Petits Royaumes. La date choisie fut celle du jour du Hibou : on commémorerait ainsi ce jour où ils étaient tous partis, l'un derrière l'autre, à la suite de Nol l'Étrange.

Arkane, bien que manchot, vieillissant et plus ou moins mis au ban par ses pairs, était toujours un puissant personnage, et faire retrouver ses anciens compagnons ne fut pas une difficulté. Tous répondirent à son appel, même Moboq qui était le plus éloigné de tous et voyagea pendant deux décades.

Ils furent accueillis chaleureusement. Dans son palais personnel, l'ancien roi, les voyant ainsi tous réunis et heureux de l'être, déclara que cette aventure avait au moins eu l'heureuse issue de l'amitié.

Ils parlèrent de leurs destins personnels, des événements qui avaient fait suite au « voyage ». Chacun compatit aux malheurs des autres, particulièrement à ceux de Rafa, Maz Achem ou Reyan de Kercyan. Mais personne ne s'apitoyait sur son propre sort, tous énonçant simplement les faits, sans apparemment regretter le mutisme qui en était la cause.

Plus tard, à l'abri des regards indiscrets des espions de tout acabit envoyés à cette occasion, chacun des émissaires renouvela son serment de garder le secret quoi qu'il advienne, au-delà de la souffrance, du déshonneur et de la solitude qu'ils pourraient ressentir.

Ils se quittèrent en se promettant de se réunir encore, ce qu'ils firent l'année suivante, puis deux ans après, puis régulièrement tous les deux ans. À leur quatrième rencontre, le roi Arkane n'était plus ; il fut le premier d'entre eux à disparaître. Mais trois nouvelles personnes participèrent : Tiramis et Yon avaient eu une fille, et Maz Achem, bien que vieillissant lui aussi, avait pris en Union l'une de ses anciennes élèves, qui lui avait rapidement donné un fils. Il vint avec sa jeune épouse et personne n'émit d'objection.

Thomé de Junine, en faveur de qui Arkane avait abdiqué, demanda à représenter son père ; il ne savait rien du secret, mais désirait rendre hommage à ce qui représentait la chose la plus importante du monde aux yeux d'Arkane. Sa proposition fut bien sûr acceptée.

L'arrivée de ces nouveaux personnages dans le groupe changea le style des réunions ; du ton grave qu'elles avaient auparavant, elles s'orientèrent peu à peu vers des fêtes familiales. Les nations cessèrent d'envoyer des espions tenter de démasquer le secret ; celui-ci n'était même plus évoqué.

À leur tour, le sage Moboq, Rafa de Griteh et Reyan de Kercyan eurent une femme et des enfants. Les retrouvailles, avec l'agrandissement du groupe, se firent alors plus organisées. Comme tous venaient de contrées lointaines, on décida de fixer la rencontre tous les trois ans, à Berce en Lorelia, qui est le point de la côte le plus proche de l'île Ji et qui se trouve approximativement au milieu des lieux de résidence de chacun.

Au fil des ans les anciens disparurent. La plupart de leurs descendants continuèrent à se réunir pour célébrer un événement dont ils ignoraient presque tout... Parfois, lorsque la nuit est assez noire, les anciens emmènent les aînés des enfants jusqu'à l'île. Là, ils leur font partager une partie de leur savoir, puis prêter un serment solennel de silence. Peut-être ne devraient-ils pas...

Mais un secret peut-il toujours le rester ?

Cette année est celle de la réunion. Le jour du Hibou n'est que dans trois décades. Cette année sera ma quinzième, et on m'emmènera sur l'île.

Ceux qui y sont allés reviennent différents. Plus graves, plus sérieux.

Plus tristes.

Je n'ai pas vraiment envie de savoir. Mais je veux faire partie des héritiers. Revoir mes cousins, oncles et tantes adoptifs. Rendre hommage à Tiramis, à Yon, et à tous mes ancêtres depuis eux, jusqu'à ma mère disparue.

Dans trois décades aura lieu la réunion des héritiers, et j'irai sur l'île.

Livre I

Les chemins de Berce

Bowbaq se réveilla sans bruit. Il garda les yeux fermés encore quelques instants, puis les ouvrit à regret. Il faisait sombre ; le matin était encore loin. Il ramena ses couvertures et peaux sur lui et s'allongea confortablement, les mains derrière la tête.

Wos semblait tourmenté. Bowbaq entendait l'animal s'agiter dans son enclos. Sans doute, une fois de plus, les loups s'aventuraient-ils trop près de la petite chaumière. L'homme hésita à se lever, puis décida de rester au chaud. Wos avait toujours été trop nerveux, et les loups pas assez téméraires ni affamés pour s'attaquer à un poney des steppes en pleine possession de ses moyens.

Bowbaq se tourna puis se tourna encore. Sa femme lui manquait. Ispen avait comme d'habitude rejoint son clan d'origine, avec leurs deux enfants, pour passer la saison des Neiges. Chaque fois, les premiers temps, il était heureux de cette liberté retrouvée. Mais après quelques décades, la solitude commençait à lui peser. Peut-être pourrait-il, lui aussi, faire une visite chez les siens ? Il était trop tard, maintenant, pour rejoindre Ispen. Mais son propre village natal n'était qu'à quelques jours de voyage...

Wos hennit. Quel casse-pieds, ce poney ! Quand Bowbaq pensait à toutes les fois où *Maître* Wos faisait le fier, se trouvait trop noble pour tirer une luge, et n'avait en tête que de grandes chevauchées aventureuses ! Il était beau, l'aventurier !

Lâchant un soupir, Bowbaq se résolut à s'enquérir de sa monture. Il rejeta les couvertures avec regret et s'approcha de la cheminée.

Les braises du foyer étaient encore rouges ; il en conclut qu'il ne dormait que depuis quelques décans. Malgré cela, le froid était déjà mordant dans la petite maison, et les quelques courants d'air passant par les jours minuscules des parois laissaient deviner une température encore plus basse au-dehors.

Il empila quelques bûches et ranima le feu. Puis il s'apprêta à sortir, enfilant grossièrement toutes ses fourrures mais sans en serrer les attaches. Enfin, il s'équipa de son bâton de marche et entrouvrit la porte.

Le froid le mordit aussitôt au visage. La nuit semblait calme, épargnée par le blizzard et les fréquentes chutes de neige de ces derniers jours. Il referma soigneusement et fit quelques pas vers l'arrière de la maison, où se trouvait l'enclos. On y voyait presque comme en plein jour ; la lune était reine, et sa clarté se réfléchissait sur le paysage immaculé.

Malgré sa grande taille, Bowbaq était gêné dans sa marche par l'épaisse couche poudreuse qui recouvrait le sol, et cela lui prit plusieurs décilles pour parvenir à la clôture. Le poney l'y attendait en trépignant d'impatience, et commença à lui parler dès qu'ils furent en vue l'un de l'autre :

— Étranger chasser nous. Étranger venir. Chasser nous. Étranger. Plusieurs. Venir chasser nous. Étranger. Plusieurs.

Bowbaq se massa les yeux quelques instants, en faisant les derniers pas. Les facultés de Wos étaient vraiment étonnantes pour un animal de troupeau. Il était rare qu'un poney communique avec autant de facilité. Mais il lui manquait la réserve et le calme qui étaient le privilège des prédateurs, aussi ses mots arrivaient dans l'esprit de l'homme en un désordre et un vacarme mental indescriptibles.

Redressant la tête, il planta son regard dans celui de l'animal et atteignit son esprit, comme il le faisait souvent. Puis il lui parla sans prononcer un mot, simplement de pensée à pensée, en s'appliquant à choisir des mots simples et des concepts accessibles pour le poney.

— Sécurité. Étranger faible. Peur nous.

Puis il forma l'image mentale d'un loup et l'envoya dans l'esprit de l'animal.

— Étranger petit. Nous grand.

Wos se cabra, puis envoya quelques ruades nerveuses dans le vide. Il n'était rassuré ni par les caresses, ni par les belles paroles de Bowbaq.

— Non. Non. Non. Pas lui. Lui petit. Pas lui. Pas danger. Non. Étranger grand. Danger. Plusieurs. Chasser nous. Venir. Non. Pas lui. Danger.

La panique gagnait visiblement l'animal devant l'ignorance de son maître. Malgré ses facultés, Wos était incapable de décrire le véritable objet de sa peur : seul son instinct l'avertissait.

Bowbaq tenta pour la forme d'atteindre *l'esprit profond* du poney, mais sans succès. Pas des loups ? Quoi donc, alors ? Un ours insomniaque, en retard sur l'hibernation ? Mais Wos parlait de plusieurs. Bowbaq regretta que les animaux ne sachent pas compter. *Plusieurs*, ça pouvait être *beaucoup*.

Des renards ? Des anators ? Et pourquoi pas, une harde de lions tachetés ? Si Mir était là, Wos – et lui-même – seraient beaucoup moins inquiets. Bowbaq avait élevé le lionceau depuis sa naissance, et c'était sa fierté, et celle de son clan, que d'être l'ami d'un véritable fauve adulte. Seulement Mir servait cette année d'escorte à Ispen et aux enfants dans leur voyage, et devait être à des dizaines de lieues d'ici.

La nuit allait être moins agréable que prévu. Fermant son esprit au babil exalté du poney, Bowbaq revint sur ses pas. Il n'était pas vraiment inquiet, les prédateurs pouvant simplement être de passage, ou rôder à proximité de la maison sans oser s'y aventurer... surtout lorsqu'il aurait allumé quelques bûchers, et se serait posté avec son arc en vue de tous les mangeurs de viande malintentionnés ! Mais c'était très contrariant de se retrouver ainsi à faire une garde de nuit, alors qu'il avait pris la précaution de bâtir la chaumière à l'écart des grandes concentrations animales connues.

Revenu à l'intérieur, Bowbaq rassembla ce dont il aurait besoin pour sa veille : un briquet à silex, des brindilles et quelques bûches sèches, son arc et son carquois, un petit couteau en ivoire qu'il passa dans sa ceinture, et enfin une bouteille de fruits fermentés accompagnée d'un morceau consistant de lard fumé. Il mit l'ensemble dans une peau épaisse dont il comptait se couvrir, serra les attaches de ses vêtements et ressortit.

En refermant la porte, il remarqua que les hennissements de Wos, loin de se calmer, s'étaient amplifiés.

Il entendit aussi un petit claquement sec, en même temps qu'il sentit une vibration près de sa tête.

Il se colla par réflexe dans l'embrasure en se protégeant le visage. Puis son regard tomba sur l'origine du bruit...

Un carreau d'arbalète était planté dans le bois à un pied à peine de ses yeux ! Bowbaq pensait le voir encore trembler.

Lâchant son sac improvisé, il se jeta face contre terre, juste assez tard pour sentir un second projectile frôler le haut de son bonnet et se ficher violemment dans la porte. Il rampa ensuite aussi vite que possible, jusqu'à un petit monticule blanc qu'il savait être une souche morte recouverte par la neige, à quelques pas de la maison. Il s'y adossa et empoigna immédiatement son petit couteau d'ivoire.

Les seuls bruits audibles étaient ceux que faisait Wos, et sa propre respiration haletante. Bowbaq s'appliqua à la calmer tout en concentrant son attention sur son agresseur. Où était-il ? Qui était-il ? *Combien* étaient-ils ?

Une arbalète ne se réarme pas en quelques instants, ce qui laissait deux possibilités : soit l'homme en possédait deux – au moins –, soit il était accompagné. Malheureusement, après la discussion avec Wos, la balance penchait plutôt en faveur de la seconde possibilité. Des pillards ? Des guerriers d'un clan ennemi ? Des voyageurs ?

Les réflexions de Bowbaq partaient dans toutes les directions. Il se concentra pour ne penser qu'à une chose : se sortir de là. Le reste serait éclairci plus tard... ou pas.

S'il parvenait à revenir jusqu'à la maison, à ouvrir la porte, à entrer et à s'enfermer, il pourrait mieux se défendre... Les armes n'y manquaient pas, et il pourrait tenir ses ennemis à distance au moins jusqu'au matin... sauf s'ils y provoquaient un incendie. De toute façon, la maison semblait à des lieues de distance, et Bowbaq se mordit les lèvres de ne pas avoir eu plutôt le réflexe de bondir à l'intérieur dès la première flèche !

Les instants filaient comme l'eau d'une rivière et il savait que chaque moment perdu avantageait un peu plus ses ennemis, qui ne tarderaient pas à le contourner, s'ils n'étaient déjà en train de le faire. S'il pouvait au moins récupérer son arc, il pourrait peut-être empêcher toute agression de ce côté... Mais il suffirait aux autres de s'installer près d'un feu avec un homme de garde, et d'attendre quelques heures que leur proie soit complètement gelée.

Bowbaq réalisa alors avec horreur que s'il n'avait pas été réveillé par Wos, il serait déjà mort. Ses agresseurs n'avaient apparemment aucune hésitation, et ils l'auraient certainement surpris et lâchement tué dans son sommeil.

Wos... Si le poney n'était pas enfermé, il pourrait l'appeler et s'enfuir. Il retraça mentalement le chemin qu'il avait parcouru jusqu'à l'enclos, mais ce dernier était encore plus loin que l'entrée de la maison. Que faire ?

Peut-être... Le long du mur sud – l'autre direction possible –, courait une fosse qui servait à l'écoulement de l'eau, pendant la fonte des neiges... Elle était certainement remplie elle-même de neige gelée, à cette époque, mais le fond devait être au moins un pied en dessous du niveau du sol...

Bien sûr, elle n'était pas large... En se débarrassant de ses fourrures les plus encombrantes, il devait pouvoir y ramper – sur une douzaine de pas, tout au plus – hors de portée des carreaux et assez vite pour que ses agresseurs n'aient pas le temps de s'approcher.

Il ne prit pas le temps de chercher d'autres solutions et enleva sans même les dénouer les premières épaisseurs de fourrure. Une brise glacée le traversa aussitôt cruellement, et il espéra qu'il n'échapperait pas à ses agresseurs pour mourir gelé sur la route de son plus proche voisin.

Le plus difficile allait être les quelques pas qui le séparaient de la fosse. Il glissa son poignard dans sa botte, s'accroupit, muscles bandés, prit une grande inspiration et se projeta plus qu'il ne courut dans le petit dénivellement le long du mur. Ses mains et ses genoux s'enfoncèrent dans un pied et demi de neige ; il les dégagea promptement et rampa avec toute son énergie vers l'arrière de la maison, s'attendant à tout moment à sentir la piqûre douloureuse d'une flèche.

Il n'en était pas certain, mais il lui semblait bien avoir entendu au moins un claquement pendant son saut. Il ne prit pas la peine de vérifier si un nouveau bois empenné dépassait de ses murs. Par contre, il percevait maintenant clairement des éclats de voix : un homme, qui devait se trouver à une trentaine de pas environ, lançait des ordres dans une langue inconnue.

Il arrivait au bout de la petite tranchée. Ses coudes et ses genoux étaient trempés et déjà transis, et le reste de son corps ne valait guère mieux. Il releva un peu la tête et lança un rapide regard circulaire. Deux hommes accouraient vers lui, de directions différentes. L'un tenait une petite lance et l'autre une lame courbe. Ils étaient couverts de fourrures des pieds à la tête mais ne semblaient nullement gênés par ce surplus de vêtements. À leurs pieds étaient fixés de grands tamis tressés, comme ceux qu'utilisent les Arques de Tolensk, qui leur permettaient de courir presque normalement malgré l'épaisseur de la neige.

Bowbaq sentit ses chances diminuer un peu plus encore. Il décida de tenter le tout pour le tout et se redressa brusquement dans le fossé, puis parcourut à toute allure la petite distance qui lui restait jusqu'à l'enclos.

La douleur éclata sur le côté de son épaule gauche où un carreau tiré par un troisième homme venait de se ficher. Avec l'énergie du désespoir, il escalada les poutres, se laissa tomber de l'autre côté et traversa le champ jusqu'à la barrière. Wos s'y trouvait déjà, impatient.

Bowbaq s'attendait à chaque instant à encaisser un nouveau dard ou à voir un de ses ennemis lui couper la route. Il ouvrit précipitamment la porte et s'approcha du poney pour y grimper.

Wos ne l'entendait pas de cette oreille. À peine le passage fut-il assez grand pour lui qu'il s'y engouffra, laissant Bowbaq seul et impuissant.

Il regarda, incrédule, l'animal galoper de l'autre côté, sourd à ses appels désespérés et furieux.

Cet idiot n'allait même pas dans la bonne direction...

Wos sembla croiser l'homme à la lance, lorsque au dernier moment il changea de cap et le chargea violemment. L'agresseur surpris fut projeté à terre en deux coups portés des lourds sabots du poney géant. Wos le piétina consciencieusement quelques instants encore, puis releva la tête et fonça vers le second.

Bowbaq, après un moment de surprise, se mit à son tour en action. Il retraversa le champ, escalada à nouveau la clôture et bondit dans la neige où il s'enfonça jusqu'aux genoux. Puis il progressa tant bien que mal jusqu'au corps de l'homme à la lance.

La partie semblait moins facile pour Wos avec son second adversaire. Celui-ci faisait des moulinets impressionnants avec son épée, empêchant ainsi le poney de s'approcher assez près pour être dangereux. Au moins, pensa Bowbaq, il serait occupé pendant un moment. Le troisième homme était maintenant visible et utilisait toute son énergie à réarmer une arbalète.

Le cadavre de l'homme à la lance n'était pas beau à voir. Wos avait plusieurs fois frappé au visage et au cou, si bien que la tête était presque détachée. Haletant, Bowbaq retint un haut-le-cœur. Il s'emparait de la longue arme lorsqu'un rugissement se fit entendre, qu'il reconnut aussitôt.

Mir le lion était là. À une centaine de pas, à l'orée de la forêt enneigée, il trônait, comme posant pour une gravure.

Son rugissement finit en un grondement grave et continu, audible même à cette distance. Sa crinière était gonflée comme si elle avait doublé de volume, et dressée de l'échine à la queue tout le long de l'épine dorsale. Ses taches jaunâtres étaient quasi estompées, à cette époque, et tout son corps n'était que blanc d'albâtre où seuls tranchaient deux yeux flamboyants et une gueule de sang et d'ivoire.

Mir avança de deux pas gracieux. Puis son grondement se tut, et après un instant d'immobilité il entama une série de bonds rapides vers les lieux de la bataille.

Aussi vite qu'ils s'étaient figés à l'arrivée du lion, tous reprirent leurs activités. Wos préféra prendre un peu de distance avec Mir, qui se dirigea tout droit sur l'homme à l'épée. Le fauve le plaqua à terre et Bowbaq comprit à ses cris, sans même voir la scène, qu'il avait un ennemi de moins.

Lui-même se dirigeait à grandes enjambées vers le troisième homme, qui ne semblait pas vouloir renoncer à ses projets malgré les retournements de situation en sa défaveur. Bowbaq n'avait jamais armé d'arbalète, et il se demandait s'il aurait le temps de rejoindre son ennemi avant que ce dernier ne lui colle un carreau en plein front !

S'il s'arrêtait maintenant et projetait sa lance...

Non.

Pourtant, il était sûr de l'atteindre... Il pouvait toucher n'importe quoi à cette distance...

Non. Il ne tuerait pas.

Pourtant... Il sauverait sa vie, pourrait revoir Ispen, ses enfants, ses amis...

Non. Jamais Bowbaq n'ôterait volontairement la vie d'un homme. *Il s'en était fait le serment.*

Son temps de réflexion avait de toute façon scellé son destin : avec un cri de joie, l'homme engagea la petite flèche dans la rainure et leva l'arme à quelques pas seulement de la cible qui courait vers lui.

Bowbaq ferma les yeux et plongea en poussant de toute la force de ses jambes. Il entendit le claquement fatal de l'arbalète, en même temps qu'il sentit le manche de la lance heurter quelque chose avec violence.

Allongé dans la neige, il guettait l'arrivée de la douleur causée par le carreau qu'il n'avait pu manquer d'encaisser. Mais seul celui fiché dans son épaule gauche le persécutait.

Il releva la tête juste assez vite pour voir son ennemi s'apprêter à le frapper de l'arme désormais inutile. Il roula sur lui-même, lâcha un cri de douleur lorsque son épaule frôla le sol, s'agenouilla et balaya l'air d'un mouvement latéral de la lance. Le bois rencontra une tête et l'étranger s'écroula à son tour.

Bowbaq se redressa, furibond, et tint la lance pointée vers la poitrine de son agresseur. L'homme assis par terre fit glisser son capuchon, enleva une cagoule et découvrit son crâne chauve. Il était assez jeune, plus que Bowbaq en tout cas, dans sa trentième année peut-être. Ce n'était pas un Arque ; il ne semblait pas être des Hauts-Royaumes non plus.

L'homme massa sa tempe douloureuse et y découvrit du sang. Il jeta un regard mauvais à Bowbaq, qui eut un petit pincement au cœur en découvrant la réalité de la blessure qu'il avait infligée. Si le coup avait été plus fort, il aurait peut-être rompu son serment...

Mir vint se placer à côté de lui et Bowbaq lui flatta le flanc d'une main. L'étranger se leva, sans brusquerie, mais le lion lança tout de même un grondement menaçant. Bowbaq lui interdit d'une pression de la main de la mettre à exécution.

— Qui êtes-vous ? demanda-t-il.

L'homme dédaigna de répondre et entreprit d'ôter ses fourrures, sans se hâter. La question fut répétée mais de nouveau ignorée. Lorsque l'étranger s'arrêta, il ne lui restait qu'une tunique légère entièrement rouge et un fin bandeau de même couleur, qu'il se noua autour du front. Il s'était aussi mis pieds nus.

— Je n'ai pas l'intention de vous tuer. Je veux seulement savoir qui vous êtes, essaya de nouveau Bowbaq, en ithare cette fois.

L'homme plaça calmement ses bras le long du corps, leva la tête en fermant les yeux, dans une attitude recueillie.

— Mais enfin, qu'est-ce que vous voulez ? Mourir maintenant, là, ici, comme ça ?

Soudain, plus rapide que la foudre, l'étranger détourna la lance et bondit sur Bowbaq en brandissant une dague fine et longue d'un pied au moins. Mir fut encore plus vif et le projeta à cinq pas d'un seul coup d'une patte monstrueuse. Puis il fut sur lui en deux bonds et lui trancha négligemment la jugulaire, sans tenir compte des rappels de Bowbaq.

Cela faisait beaucoup d'émotions pour l'Arque, qui avait toujours abhorré la violence. Il se laissa tomber assis dans la neige, et passa un moment le visage enfoui dans la paume de ses mains.

Une langue râpeuse lui lécha les doigts et l'odeur d'une haleine chargée s'installa fermement dans ses narines. Bowbaq caressa Mir distraitement, une main toujours sur les yeux, lorsque les scènes passées s'imposèrent à sa mémoire. Avec un réflexe de recul, il détailla la face paisible du lion à un pied de la sienne... Sa crinière immaculée, ses yeux interrogateurs... Sa gueule rougie du sang de ses victimes.

Bowbaq se releva. Même s'il était reconnaissant à Mir et à Wos de leur intervention, même s'il leur devait la vie, il avait indirectement contribué à la mort de trois hommes et il n'était pas obligé d'aimer ça.

Les mots du grand lion glissèrent dans son esprit :

— L'homme être sauf? L'homme blessé.

Bowbaq s'aperçut qu'il avait presque oublié le carreau fiché dans son épaule. La douleur s'était faite maintenant moins cuisante, et la blessure saignait beaucoup moins. Il tira doucement sur l'empennage pour sonder la profondeur de la perforation et grimaça lorsque son corps protesta contre ce mauvais traitement. C'était égal, s'il ne l'enlevait pas rapidement, ce serait encore plus douloureux plus tard.

— Je guéris. Suis heureux voir Mir.

Le lion approuva d'un claquement de mâchoires et disparut sans un mot supplémentaire dans la forêt. Bowbaq savait qu'il n'avait plus rien à craindre cette nuit : rien ni personne ne franchirait le barrage du fauve. Il s'assura que Wos allait bien et regagna la maison.

La chaleur du feu l'accueillit avec bienveillance. Il enleva délicatement ses vêtements trempés en faisant attention d'effleurer le moins possible le dard agressif. Lorsque enfin la blessure fut dégagée, il prit l'un de ses gants à pleines dents, bloqua une grande respiration et retira d'un geste brusque le corps étranger.

Il ne mordit pas le gant, mais le laissa tomber en lâchant un cri. Haletant, la main pressant un linge sur la blessure, il observa le carreau posé devant lui et nota avec soulagement qu'il était ressorti entier.

Quand le saignement eut diminué, il arrosa abondamment la plaie d'alcool et y attacha une compresse. Puis, après un instant de réflexion, il s'arrosa aussi abondamment la gorge.

Ainsi soigné et réchauffé, il se sentit beaucoup mieux et chercha enfin des réponses aux questions qu'il se posait depuis le début des événements.

Qui étaient ces hommes ?

Que voulaient-ils ? À part le tuer, bien sûr...

Bowbaq ne connaissait pas grand-chose en dehors de l'Arkarie centrale. Pour autant qu'il s'en souvienne, il n'avait jamais causé de tort assez grand à quiconque pour qu'on lui envoie trois assassins. Ou alors ces hommes agissaient pour leur propre compte, mais ils étaient très mal informés, l'Arque ne possédant aucune richesse digne de ce nom. Des fous, peut-être ? Des fanatiques en quête d'un sacrifice ?

Ou alors...

La curiosité fut la plus forte, et il décida de ne pas attendre le matin comme il l'avait d'abord prévu pour examiner les cadavres. Il se rhabilla avec des vêtements secs et sortit.

Surmontant son appréhension, il s'approcha d'abord de l'homme tué par Wos. Sa peau avait blanchi et une fine couche de givre commençait à le recouvrir. Bowbaq glissa ses mains sous le cadavre et le souleva pour le retourner. Des craquements écœurants se firent entendre quand le corps gelé et raidi fut arraché à son carcan de neige ; l'Arque ne voulut surtout pas savoir d'où ils provenaient.

Sa fouille rapide – il avait hâte d'y mettre fin – ne fut pas très fructueuse. L'homme semblait ne rien posséder de particulier, hormis une tunique rouge et une dague similaires à celles de l'homme à l'arbalète. Bowbaq passa à ce dernier.

Mir y avait apparemment pris sa part de gibier. Cette fois, l'Arque ne put retenir sa nausée et rendit tout ce qu'il avait dans l'estomac. Il manquait au corps un bras entier et la plupart de ses côtes étaient mises à nu. Bowbaq se discipline tant bien que mal et fouilla les poches intactes de la tunique déchiquetée.

Il eut plus de résultat. Sa main trouva un parchemin couvert de sang qu'il extirpa avec délicatesse. Il était plié au moins six fois sur lui-même et, une fois grand ouvert, ne présentait plus grand-chose de compréhensible. Bowbaq ne reconnaissait pas les quelques signes épargnés par l'énorme tache vermillon ; mais il devait aussi admettre qu'il ne savait pas lire... Il abandonna et reprit son inspection.

Il trouva en secouant les chausses un petit flacon en bois, à demi rempli d'un liquide à l'odeur âcre. Une drogue ?

Du poison ?

Il frémit à cette idée. Et si le carreau avait été empoisonné ?

Il devrait être mort, déjà. Ou alors, l'effet était lent... Ou ses vêtements avaient absorbé une partie du suc mortel...

Eh bien ! S'il ne mourait pas d'ici quelques jours, il n'aurait jamais la réponse à ces questions. Il renversa le liquide dans la neige et rassembla les vêtements de l'homme sur son cadavre.

L'examen du troisième corps ne lui apprit pas grand-chose de plus ; il y trouva une autre dague et la même tunique écarlate que sur les autres. Ces hommes appartenaient de toute évidence à une organisation quelconque, groupe militaire, secte religieuse ou autre.

À contrecœur, Bowbaq admit enfin la conclusion à laquelle il était arrivé depuis longtemps.

Ces hommes étaient venus dans un but unique et évident : le tuer. Lui, et peut-être sa famille.

Deux choses seulement faisaient de lui quelqu'un d'un peu particulier : d'abord, sa *conscience* de l'esprit animal. Il était *erjak*. Mais des dizaines d'Arques possédaient ce don, et il avait aussi été décelé chez quelques étrangers.

La seconde chose, et non la moindre, était son appartenance aux héritiers de Ji.

Bowbaq était le descendant à la quatrième génération du sage Moboq. Ayant écarté toutes les autres suppositions, il ne restait que celle-là : on avait tenté de le tuer parce que son arrière-arrière-grand-père avait pris part à l'étrange aventure du siècle dernier, oubliée ou inconnue de presque tout le monde aujourd'hui.

Aucune hésitation n'était permise : Bowbaq devait mettre sa famille à l'abri et prévenir les autres héritiers du sort qui les menaçait certainement !

Il se mit aussitôt aux préparatifs de son départ en se demandant comment il pourrait bien rejoindre Ispen, alors que le glacier devait lui couper la route depuis deux décades, au moins... Puis il réalisa que cet obstacle n'en était pas un pour Mir.

Une fois son paquetage fini, il prit son courage à deux mains et rassembla les cadavres et les effets de ses trois agresseurs. Il arrosa le tout d'huile en abondance et y mit le feu. Après un instant d'incertitude, il jeta aussi dans les flammes le parchemin maculé de sang. Le « trophée » était un peu trop souillé à son goût.

Mir réapparut à ce moment. Il avait trouvé, plus loin, quatre poneys attachés à un arbre. Bowbaq l'y suivit en ruminant de noires pensées sur le chiffre *quatre*, mais une fois sur place, il s'avéra que l'une des bêtes n'était qu'un animal de bât.

L'examen des fontes et des sacs trouvés là se révéla stérile. Rien que des vêtements et équipements nécessaires à une chevauchée dans un pays froid. Bowbaq détacha les poneys et les guida jusqu'à son enclos en leur prodiguant tout le long du chemin des paroles apaisantes, pour calmer la nervosité qu'ils ressentaient à la proximité du grand lion. Puis il les débarrassa de leur chargement, qu'il tria rapidement ; une bonne moitié partit dans les flammes ; il conserva l'autre, qui était sans signes distinctifs.

Après avoir harnaché Wos, il s'approcha du fauve et lui fit ses recommandations.

— Ma compagne et mes petits sont en danger. Je dois les protéger. Mais je ne peux les rejoindre. Mir comprend ?

— Comprend. Harde en danger.

— C'est ça. Mir peut les protéger. Mir le fait-il ?

— Humains avec femme et petits de l'homme me craignent. Veulent me tuer. Ispen dire venir ici. Pas sauf de partir.

— Mir est sage, mais s'il ne part pas, la famille... la harde est perdue. Mir doit partir.

Le lion fit deux tours sur lui-même, visiblement embarrassé. Bowbaq savait combien la situation était désarmante pour lui, les animaux ne comprenant pas le concept de choix, et très succinctement celui de futur. Puis Mir lâcha un court rugissement et parla. Il avait pris sa décision.

— Je partir protéger la harde parce l'homme dire.

Et il se mit aussitôt en route. Soulagé, Bowbaq se mit en selle et, les quatre poneys à sa suite, prit la direction du sud en espérant se tromper sur la gravité de la situation...

Mais le feu qui brûla jusqu'au matin était la preuve du contraire.

Cette réunion du Conseil s'annonçait très longue. Comme de coutume, on procédait d'abord à l'expédition des affaires courantes intérieures, et il semblait que chacune des vingt-huit Mères représentantes d'autant de villages avait son lot de propositions, de réclamations et d'interrogations à formuler. Même les trois Mères chargées du bien-être de Kaul, la capitale, et qui monopolisaient en temps normal cette phase des débats, semblaient dépassées par les événements.

Corenn s'enfonça dans son fauteuil avec résignation. Depuis dix-neuf ans qu'elle siégeait au Conseil, elle avait appris la patience. Elle aussi avait défendu ardemment les intérêts locaux d'une bourgade du Matriarcat, quinze ans plus tôt ; maintenant elle œuvrait pour l'État tout entier.

Elle était *Mère chargée de la Tradition* ; entendez gardienne des institutions. La tâche de Corenn depuis quelques années – depuis le décès de son prédécesseur – était d'assurer l'intégrité de l'État et son respect par les citoyens. Malgré l'aide de ses subordonnés, elle était souvent obligée de prendre la route elle même pour calmer les esprits échauffés à tel endroit, organiser des élections à tel autre, ou s'assurer du bon usage du pouvoir encore ailleurs.

Son autorité dans le Matriarcat était si grande qu'elle pouvait à cet instant même, ici au Conseil, ordonner le silence à l'une ou l'autre des élues... pour non-respect du droit d'aînesse, par exemple.

Sa nomination par l'Aïeule avait à l'époque soulevé nombre de protestations, surtout de la part des femmes plus âgées qu'elle et qui pensaient mériter de droit ce siège permanent. Mais Corenn avait su faire preuve d'efficacité dans son travail et n'user qu'à bon escient des moyens judiciaires dont elle disposait, réglant la majorité des affaires qu'on lui soumettait par la seule diplomatie. Elle gagna ainsi peu à peu la confiance et souvent l'amitié de ses pairs, surtout après que l'Aïeule eut placé l'une après l'autre des Mères plus âgées à des postes aussi importants que la Justice, le Trésor ou les Ressources. Toutes admirent alors qu'elle avait su faire le bon choix.

Une seconde tâche, non officielle et connue exclusivement des membres permanents, lui avait été confiée.

Corenn était chargée de repérer, parmi les nombreux Kauliens qu'elle rencontrait au cours de ses voyages, ceux qui semblaient présenter des facultés à l'utilisation de la *magie*. Elle-même était mage, bien que ne faisant que très rarement appel à ses capacités, qu'elle estimait assez faibles.

Chaque fois qu'on signalait un fait extraordinaire dans telle ou telle province, qu'une chose en apparence impossible s'était produite, Corenn se rendait sur place, questionnait, observait, et, trop peu souvent à son goût, trouvait un individu qui avait peut-être le *talent*.

Sans rien lui dévoiler, elle demandait alors à cette personne son opinion sur la magie, le Matriarcat, l'éventualité de changer de vie. Lorsque les réponses la satisfaisaient – ce qui était généralement le cas –, elle proposait un essai, en demandant la plus grande discrétion. Deux fois seulement, sur la vingtaine de personnes qu'elle avait vues jusqu'à présent, l'épreuve avait été couronnée de succès.

Corenn avait chaque fois transmis son savoir à ses recrues, deux femmes. Elles étaient maintenant employées par la Mère chargée des Relations mondiales, autant dire comme espionnes. Le dessein du Conseil permanent avait été de réunir assez de mages pour faire renaître la grandeur légendaire des Mères d'antan ; mais l'objectif semblait encore bien loin aujourd'hui.

Les débats se poursuivaient. Corenn était obligée par la Tradition dont elle était gardienne d'assister à toutes les réunions. Mais son intervention était rarement nécessaire, la plupart des sujets abordés pendant les conseils des villages tournant essentiellement autour de la nourriture, du commerce, de la sécurité ou autres thèmes domestiques. Toujours les mêmes problèmes depuis quinze ans.

Elle attendit donc patiemment, votant lorsqu'une consultation était demandée, fronçant les sourcils lorsqu'une jeune élue élevait un peu trop la voix en présence de ses aînées – ce qui suffisait en général à ramener l'indélicate à une attitude plus respectueuse. Enfin, la Mère chargée de la Mémoire relut les décisions qui avaient été prises ce jour et rappela les sujets dont il faudrait encore débattre. Les représentantes des villages quittèrent alors l'immense salle de réunion.

Ne restaient que seize personnes : le Conseil permanent, qui devait maintenant débattre des questions importantes soulevées auparavant, ainsi que des affaires du pays et de ses voisins.

Autrefois, on demandait à Corenn un compte rendu de ses recherches de magiciens... Mais depuis longtemps, cela n'intéressait plus grand-monde. C'est donc directement par les affaires étrangères que l'on commença.

Les discours sur le commerce, les taxes, la concurrence internationale l'ennuyaient plus encore que les querelles villageoises. Cette partie fut malheureusement la plus longue.

Puis la Mère chargée des Relations mondiales annonça avec fierté la ratification définitive du traité de paix avec Romine. Toutes applaudirent et la félicitèrent ; même si Romine ne méritait plus depuis longtemps son titre de Haut-Royaume et n'avait qu'une très faible force militaire, mieux valait s'assurer son bon voisinage.

On discuta ensuite du trafic portuaire croissant, problème posé juste avant au conseil des villages et qui n'avait pas été résolu. Les Mères tentèrent de formuler une ébauche de législation, mais finirent rapidement par reconnaître qu'aucune ne connaissait bien le sujet. Il fut décidé de mener une étude et de consulter un expert, tâche confiée à la Mémoire. On reverrait alors la question.

La journée étant déjà bien avancée, et les principaux sujets passés en revue, l'Aïeule proposa de reporter les autres à la prochaine décade. Toutes acceptèrent avec soulagement car les réunions s'étaient étendues du troisième au sixième décan et elles étaient lasses.

Corenn rassemblait ses affaires lorsque Wyrmandis, Mère chargée de la Justice, s'approcha d'elle.

— Tu connais un certain Xan, sculpteur à Partacle, je crois ?

Elle le connaissait bien, oui. C'était lui qui avait pris en charge l'organisation de la réunion des héritiers, cette fois-ci. Corenn et lui correspondaient régulièrement ; elle appréciait cet homme doux et sensé, un des rares qui ne considéraient pas le don de magie comme une difformité monstrueuse, mais comme un talent à perfectionner.

— Oui, en effet. Comment le sais-tu ?

— Je suis désolée d'avoir à te l'apprendre, mais il est mort.

Corenn accusa le coup pendant quelques instants. Wyrmandis patientait, gênée, et semblait avoir hâte d'en finir avec les questions que Corenn allait obligatoirement poser.

— Que lui est-il arrivé ?

— Il a été tué, avec sa femme et ses trois enfants, chez lui. Je suis désolée, répéta-t-elle.

Ermeil aussi. Richa. Garolfo. Et comment s'appelait le plus jeune, déjà ? Elle ne s'en souvenait plus. Morts Tous morts.

— Ils n'ont pas souffert. Je crois qu'ils dormaient quand c'est arrivé. D'après les informations que j'ai de Goran, ils ont été empoisonnés.

Corenn déglutit péniblement. Sous l'effet de la surprise, sa voix ne fut qu'un murmure.

— Empoisonnés ? Ils ont été *assassinés* ?

— Oui. En fait...

Wyrmandis l'attira un peu à l'écart et baissa le ton.

— Il est à peu près certain qu'il s'agit de Züu. C'est pour cela que j'ai eu l'information.

Corenn comprenait. Les Züu n'avaient pas mis les pieds à Kaul depuis des décennies ; et chacun faisait des vœux pour que cela continue. La Justice était donc chargée de suivre de près les actions de ces tueurs de par le monde.

— Pourquoi ? Mais *pourquoi* des Züu auraient-ils supprimé Xan et sa famille ? Qui aurait *voulu* ça ?

— Je l'ignore. J'espérais que tu pourrais me l'apprendre. Les Goranais aussi s'interrogent. Ces derniers temps les Züu se sont attaqués à un tas de gens qui n'ont rien en commun avec les nobles, les prêtres et les bourgeois qui composent leurs cibles habituelles.

Corenn eut soudain une intuition qui la glaça d'horreur.

— Tu as les noms de ces gens ? Je veux dire, les victimes inhabituelles ?

— Oui, bien sûr, dans mon étude. Je peux t'en citer quelques-uns de mémoire : il y a un soldat goranais, un noble lorelien, un marin de Lineh, ou de Yiteh, je crois, une herboriste du Pont...

La terre sembla s'ouvrir sous les pieds de Corenn. Toutes ces personnes, elle les connaissait, personnellement ou de nom. Nort', Kercyan, Ramur, Sofi... Tous des héritiers de Ji. Presque tous des amis.

Wyrmandis s'était arrêtée dans son morbide inventaire en voyant pâlir son auditrice. Elle se balançait d'un pied sur l'autre lorsque Corenn reprit ses esprits et lui demanda gravement :

— Dis-moi... Ne me réponds que si tu es sûre... Aucune n'a été tuée par les Züu ? Personne du nom de Léti ?

— Aucune Kaulienne, non, heureusement ! Pas jusqu'à hier soir, en tout cas. Qu'y a-t-il ?

La magicienne poussa un soupir de soulagement, en ignorant la question. Sa petite Léti était indemne ; Léti, sa seule famille ; sa meilleure raison de vivre ; Léti, la fille de sa cousine, mais qu'elle considérait comme la sienne depuis la disparition de cette dernière.

— Je dois partir tout de suite. Ma nièce est en danger et... et moi aussi, réalisa-t-elle soudain. Wyrmandis, j'ai *besoin* de cette liste, et au plus vite. Peux-tu me la faire apporter chez moi ?

L'intéressée fronça les sourcils en dévisageant son amie. L'affaire semblait grave.

— Les Züu en auraient après toi ? Les *Züu* ? Je pense que tu ferais mieux de tout me raconter. Je ferai ce qu'il faut pour te protéger.

— Je ne peux pas, lança Corenn en s'éloignant à grands pas. J'arriverai peut-être déjà trop tard.

Elle se retourna de nouveau l'instant d'après, sans cesser de marcher.

— Quant à nous protéger...

Elle jeta un regard circulaire sur l'immense salle. Quelques soldats ventripotents gardaient les issues : les vétérans méritants de la petite armée du Matriarcat.

— ... tu sais bien que c'est impossible.

Elle parcourut presque en courant les longs couloirs du bâtiment l'amenant à ses appartements personnels de Grand'Maison.

Pour la première fois depuis longtemps, la magicienne avait peur.

— Par tous les dieux et leurs putains !

Reyan était vraiment furibond. La donzelle pour laquelle il avait déployé toute sa panoplie de séducteur, qu'il avait emmenée dans les endroits en vogue toute la soirée, à qui il avait offert le repas, les gobelets, et surtout les entrées dans les meilleurs établissements de Lorelia ; eh bien cette ingrate lui avait refusé l'hospitalité – et un peu de tendresse – pour la nuit, et lui avait proprement claqué la porte au nez.

Les choses avaient pourtant été prometteuses. À la fin de la représentation d'aujourd'hui, il avait utilisé une fois de plus son *truc* de charmeur. Au lieu de la réplique « Je ne peux car j'en aime une autre, oubliez-moi ! », originellement écrite par Barle, il citait « Je ne peux car j'en aime une autre ; c'est celle-là ! », et faisait monter sur scène l'une ou l'autre fille repérée auparavant comme étant seule, et bien sûr d'un physique agréable.

Barle, le chef de la troupe, avait poussé des hauts cris quand son jeune acteur avait eu cette inspiration pour la première fois. Mais il s'était fait plus tolérant devant le succès comique de cette entorse au texte. Barle avait le sens du spectacle, heureusement.

La séance terminée, Reyan avait comme d'habitude offert à sa proie de prendre un gobelet. Cette étape décisive passée, il lui avait fait visiter la roulotte, présenté chacun de ses compagnons, mentionné l'air de rien ses nombreux voyages et ses – souvent prétendus – triomphes devant des cours royales. À ce moment, le sort de sa victime était scellé.

De nouveau attablé devant un gobelet, Reyan était alors passé à une séance de flatterie en règle, vantant la beauté, la prestance, le naturel et autres qualités réelles ou imaginaires de sa compagne. Peut-être pourrait-elle jouer la comédie ? Elle deviendrait sûrement une grande artiste...

Avait suivi, enfin, la balade nocturne ponctuée de visites dans les bars et tavernes, jusqu'au moment où il avait cru pouvoir conquérir le lit de la belle.

Seulement voilà, ce soir c'était raté, et il se retrouvait seul à marcher dans la nuit, et un orage approchait, pour couronner le tout !

Il flanqua un violent coup de pied dans une flaque profonde, projetant de l'eau sur plusieurs pas. Il était déjà trempé, de toute façon.

Il n'avait pas toujours besoin d'utiliser tous ces stratagèmes. Le plus souvent sa jeunesse, son charme et quelques mots d'esprit renversaient la plupart des citadelles féminines. Il en était d'autant plus contrarié d'avoir déployé tellement d'efforts en vain. Cette femme n'était qu'une *égoïste*, jugea-t-il, amusé en même temps par sa propre mauvaise foi. Aucune autre femme, quelque peu sensible, ne l'aurait laissé ainsi à la recherche d'un lit !

Il était hors de question de « dormir » chez une catin : ce temps où il était *vraiment* débauché était bel et bien révolu, même s'il gardait quelques amies dans la guilde des Trois-Pas.

Barle avait sûrement bouclé la roulotte, et il était meilleur pour la santé de coucher à la belle étoile que de réveiller un Barle toujours plus ronchon avec l'âge. Restaient les auberges, mais Reyan trouvait qu'il avait assez dépensé pour la soirée, d'autant plus qu'il avait une autre idée en tête.

Malgré leurs petits désaccords, Mess ne pourrait refuser à son cousin l'hospitalité pour la nuit. Surtout s'il voulait bien se rappeler que *sa* maison était après tout *leur* maison, héritée à parts égales de leur grand-mère. Sous cette pluie battante, il voulait bien *pour une fois* se reconnaître comme un de Kercyan. Il voulait bien se reconnaître comme n'importe quoi !

Il s'arrêta à un carrefour. Était-ce à gauche ou en face ? Malgré toute son enfance passée à Lorelia, il n'était plus tout à fait sûr du chemin. Il faut dire aussi qu'il tentait de rallier au plus court, s'engouffrant dans les étroites ruelles des vieux quartiers, et il avait peut-être surestimé sa connaissance de la plus grande ville du monde connu.

Il prit en face par instinct et s'en félicita en débouchant dans la cour des Fromagers. La vieille maison familiale n'était plus très éloignée, dans la rue du Changeur, après la cour du Petit-Cheval à main gauche.

Un immense éclair zébra le ciel, et le tonnerre salua peu de temps après son passage. Reyan pressa encore le pas.

Il fut enfin à proximité de la bâtisse. Elle était grande, certes, mais vieille, très vieille. Son arrière-arrière-grand-père, celui dont il portait le nom, l'avait acquise plus d'un siècle auparavant, et elle était déjà ancienne à cette époque. Pour le jeune acteur, elle symbolisait la déchéance de la famille Kercyan, dont on lui avait rebattu les oreilles toute son enfance... Mais ce soir, elle représentait surtout un toit protecteur et un lit accueillant.

La partie amusante allait être d'entrer sans « déranger » Mess – ce dernier serait bien capable de le laisser dehors, et Reyan avait vu assez de portes se claquer pour cette nuit. Il se passerait donc de la permission de son cousin pour séjourner dans sa propre maison.

Il lui suffisait d'emprunter le même chemin qu'autrefois, lorsqu'il faisait le mur à l'insu de sa grand-mère pour aller traîner dans les bouges, les tavernes peu recommandables ou autres hauts lieux des nuits loreliennes. Oui, à une époque il avait été *vraiment* débauché.

Il se hissa sur le mur peu élevé de la cour intérieure, accessible rue des Tisons. Dans le temps, leur chien Baron gardait cette cour, et Reyan devait prévoir chaque fois de se munir d'une friandise pour acheter son silence. Maintenant n'importe qui pouvait entrer ; il fut un peu gêné de l'imprudence de Mess – bien qu'elle lui facilite les choses.

La plus grande difficulté était de grimper, comme un funambule, tout le long du faîte du mur dont la hauteur allait s'accentuant, jusqu'à la petite terrasse de la salle commune. Quelques barres métalliques et gargouilles miniatures étaient incrustées au sommet pour décourager ce genre de tentative, mais elles n'étaient pas vraiment un obstacle en temps normal. Seulement aujourd'hui il pleuvait, et la pierre était glissante.

Reyan n'était tombé qu'une fois, un jour où, en plus de s'être enivré comme à son habitude, il avait mâché des racines séchées d'une certaine plante importée des Bas-Royaumes. Il s'était réveillé peu avant l'aube, allongé sur le pavé, Baron lui léchant le visage, et avait eu tout juste le temps de regagner sa chambre sans se faire prendre par sa grand-mère. Plus jamais il n'avait fumé, respiré ou ingéré quelque plante ou poudre douteuse que ce soit.

La nuit fut illuminée par la foudre et il s'accroupit en lâchant un juron dans le tonnerre. Il ne faudrait pas qu'en plus il se fasse ramasser par les vigiles, à qui il aurait bien du mal à expliquer qu'il rentrait *chez lui* par effraction ! D'autant plus que Mess ne validerait pas forcément ses dires...

Il atteignit enfin la petite terrasse. La partie était maintenant pratiquement gagnée ; seul un petit doute subsistait encore. Il escalada la façade jusqu'à la petite corniche, deux pas au-dessus de lui, en s'agrippant aux reliefs décoratifs. Ça semblait plus difficile qu'autrefois. Le manque de pratique, sans doute... Puis, une fois perché sur le petit rebord, il tira sur le volet de bois masquant la fenêtre du couloir du second étage, en priant tous les dieux et leurs putains que Mess ne l'ait pas condamnée ou fermée.

Le bois frotta sur la pierre et un gond grinça, mais le volet s'ouvrit. Reyan espéra que le bruit, bien que couvert par celui de l'orage, n'avait pas réveillé son cousin. Il attendit un autre grondement de tonnerre pour se glisser à l'intérieur et refermer.

Il se délecta un instant du plaisir simple de ne plus prendre d'eau sur la tête, puis passa le suivant à guetter des bruits de pas, mais ne perçut que le flic-floc des gouttes ruisselant de ses vêtements.

Il ôta sa cape et ses chaussons trempés et enroula les uns dans l'autre. Son paquetage sous le bras, il se dirigea ensuite à pas furtifs vers son ancienne chambre. Nul doute que son cousin l'avait conservée telle quelle ; elle était comme ça depuis un siècle, et il était trop attaché aux traditions, au patrimoine historique de leurs ancêtres et autres bêtises du même acabit pour déplacer ne serait-ce qu'un seul meuble.

Il passa devant deux portes donnant sur des pièces vides, puis parvint à destination, derrière l'angle du couloir.

Une drôle d'odeur flottait à cet endroit ; Reyan jeta un coup d'œil vers la chambre de Mess à quelques pas de là.

Sa porte n'était pas fermée.

Peut-être son cousin était-il absent ? Ce serait vraiment dommage d'avoir fait tous ces efforts de discrétion dans une maison vide ! Il voulut en avoir le cœur net et s'approcha.

L'odeur se fit immédiatement plus forte et Reyan se sentit mal à l'aise ; il commençait à lui venir une intuition morbide.

Il poussa la porte du dos de la main et recula précipitamment en se pinçant le nez.

Un corps gisait là... celui de Mess !

Il en fut certain lorsque la lumière d'un éclair éclata dans la chambre du défunt. L'odeur était horrible, forte, et c'est avec beaucoup de volonté qu'il put s'approcher du lit.

Rien ne laissait dire de quoi il était mort. Son visage ne semblait pas crispé, et il portait des vêtements de nuit ; il en conclut seulement que c'était arrivé pendant son sommeil. Et aussi, que *quelqu'un* avait touché le corps.

Quelqu'un l'avait allongé au-dessus des draps. Quelqu'un l'avait placé les jambes jointes, les bras étendus, la tête légèrement penchée en arrière. Quelqu'un avait tiré ses vêtements sur ses membres. Alors pourquoi avait-on laissé le corps à l'abandon ?

L'odeur se fit insupportable et Reyan se retourna pour s'éloigner.

La foudre claqua et *quelqu'un* était dans l'embrasure de la porte.

Quelqu'un, ou *quelque chose*.

Reyan allait conserver chaque détail de cet instant à jamais dans sa mémoire. Un homme en tunique écarlate, et qui tenait une dague, l'observait silencieusement. Il était chauve et son visage était peint : des orbites noires, un nez noir, des oreilles noires jurant sur un maquillage blanc, donnaient à l'ensemble l'allure morbide d'un crâne humain. Un crâne monstrueux, sans expression, où rien ne vivait, que deux foyers ardents : les yeux d'un dément.

L'acteur avait voyagé et il sut reconnaître ce qu'il avait en face de lui. Un des *messagers* de Zuïa, un fou furieux de Zü, un maudit tueur zü.

La chose parla dans la pénombre. Sa voix était gutturale et sa prononciation du lorelien vraiment particulière. Reyan se demanda, en se reprochant le détachement qu'il éprouvait à l'heure de sa mort, si cela faisait partie de la mise en scène habituelle des assassins.

— Es-tu prêt à paraître devant Zuïa ?

L'acteur ne perdit pas de temps à répondre et chargea l'intrus, lui projetant sa cape et ses chaussons à la figure. Il poussa d'un coup de pied l'homme déséquilibré et se retrouva à courir dans le couloir.

Sa dague. Sa dague *empoisonnée*.

Avait-il été touché ? Non, il ne croyait pas.

Il passa devant l'ancienne chambre de sa grand-mère puis dévala les escaliers jusqu'au premier. Le Zü était déjà sur ses talons, à trois pas, moins peut-être. Reyan s'attendait à tout moment à sentir l'acier mortel pénétrer sa chair, et cette idée lui donnait des ailes. Il parcourut le long couloir en dix enjambées à peine et, parvenu au bord du premier escalier menant au rez-de-chaussée, se jeta à terre.

Le Zü buta violemment dans son corps et fut projeté par-dessus, directement vers les marches. Reyan ne perdit pas de temps à juger du résultat et se releva pour courir vers l'autre escalier qu'il dévala jusqu'à moitié. Il sauta au-dessus de la rampe et atterrit sur le sol au moment où le Zü se relevait, apparemment indemne. Il se mit lui aussi à descendre en grinçant quelques mots – des menaces et des injures, à n'en pas douter.

L'acteur se dirigeait déjà vers une porte éloignée, qu'il ouvrit et franchit à toute vitesse. La bibliothèque ; il y avait des armes dans la bibliothèque. Il décrocha la première venue, et le Zü déboulant dans la pièce quelques instants après esquiva de justesse un coup de hache malheureusement trop vite donné.

Les deux hommes étaient maintenant en garde, chacun étudiant l'autre avec l'espoir de le surprendre dans la pénombre séparant deux éclairs. Reyan aurait normalement eu l'avantage avec son arme, dans un combat conventionnel, mais il suffisait ici au Zü de le toucher une fois seulement pour le terrasser... avec l'aide du poison.

L'acteur n'avait jamais beaucoup pratiqué les armes ; il n'en portait même pas. L'enseignement qu'il avait reçu dans sa jeunesse se limitait aux épées classiques de la noblesse lorelienne : des lames de trente-cinq livres qu'on avait bien du mal à manier. Ce savoir ne lui servait que pendant les représentations.

Avant de jouer avec Barle, il avait aussi fait partie d'une petite troupe de cirque, où il présentait un numéro – plutôt minable, il est vrai – de lancer de couteaux. Mais les armes accrochées ici aux murs n'avaient rien à voir avec les objets parfaitement équilibrés d'alors. Peut-être pourrait-il tout de même essayer ?

La foudre révéla que le Zü s'était déplacé sur la gauche, et Reyan, surpris, le repoussa avec quelques moulinets accompagnés de cris. Heureusement, l'orage était maintenant à son point culminant, et les éclairs se succédaient assez rapidement pour que chacun des protagonistes ne perde pas trop longtemps son adversaire de vue.

N'empêche qu'à ce petit jeu, l'assassin aurait le dessus tôt ou tard...

La pénombre revint et l'acteur frappa de tous côtés, au hasard, comme il l'avait fait jusqu'à maintenant, espérant blesser le Zü – ou tout au moins l'empêcher d'approcher. Puis la scène fut éclairée, puis cachée encore.

Le tueur semblait prendre plaisir à la situation, taquinant l'acteur à droite, à gauche, de plus en plus près chaque fois, Reyan réalisa soudainement qu'il n'était qu'une proie anonyme pour le Zü, et il eut horreur de ça.

Il prit sa décision et l'appliqua en un instant.

La lueur d'un éclair passée, il projeta sa hache dans la direction supposée de l'assassin et se plaqua contre un mur. Ses doigts rencontrèrent un objet en métal ; il le décrocha aussitôt et se retrouva avec une épée bâtarde en main.

Le bruit du tonnerre avait couvert tous les autres : il n'avait entendu ni choc, ni cri, ni hache tomber à terre. Le calme revenu, il écouta, haletant dans la pénombre.

Les intervalles se faisaient plus longs, aussi cette attente silencieuse lui parut durer une éternité.

La lumière revint pour découvrir un cadavre. Le Zü avait reçu l'arme en plein front.

Reyan s'approcha et lui enfonça sans remords la pointe de son épée dans la gorge, *juste au cas où*. Il détestait *vraiment* qu'on tue ses cousins et qu'on le pourchasse dans la maison même de ses ancêtres.

Armé d'une arbalète, il fit ensuite avec précaution le tour de la maison, fermant toutes les issues et vérifiant chaque coin sombre. Rassuré sur ce point, il revint au cadavre de l'assassin et le fouilla des pieds à la tête.

Il y trouva un passe-partout, qu'il glissa aussitôt dans sa propre poche, un petit flacon en bois, une bobine de fil, une petite boîte contenant une pâte marron légèrement humide, un bandeau rouge, et, surtout, un parchemin. Le petit flacon et la boîte devaient contenir le poison et l'antidote... ou l'antidote et le poison. Il éclaircirait cela plus tard. Le reste était anodin, mis à part le papier qu'il déplia avec soin.

Comme il le craignait, il fut incapable de le déchiffrer. Reyan connaissait et lisait plusieurs langues, mais cela n'était ni du lorelien, ni de l'ithare, ni du goranais, encore moins du romin. Probablement du ramzü, vu la nationalité du porteur.

Il reconnut pourtant certains mots, qui s'écrivaient toujours de la même manière tant qu'on utilisait l'alphabet ithare.

Mess de Kercyan.

Reyan de Kercyan.

Et d'autres noms de personnes dont il connaissait l'existence, avec leurs adresses présumées. Il sut tout de suite quels étaient leurs points communs : d'abord, tous étaient loreliens.

Ensuite, tous étaient des maudits héritiers de cette maudite île Ji.

Il semblait qu'il n'en avait pas fini avec cette histoire qui lui pourrissait la vie. Toute son enfance, on lui avait parlé de Reyan l'Ancien, qui préféra tout perdre plutôt que de rompre un serment. Mais il n'avait rien demandé, lui ! La famille était-elle vraiment plus heureuse, en étant *humble* mais *honorable* ?

Maintenant, quelqu'un organisait une chasse. Avait-il demandé à en être le gibier ?

Il flanqua deux coups de pied dans le cadavre. Ça ne servait à rien, mais ça lui faisait du bien.

Il rumina encore un moment et prit une décision.

Si les Züu voulaient sa peau, sa seule chance était de s'évanouir dans la nature. S'exiler pendant quelques années, jusqu'à ce que les choses se tassent. Au Vieux Pays, peut-être.

— Maudit !

Il flanqua un autre coup de pied dans le corps. Puis parcourut de nouveau le parchemin.

Il connaissait un peu certains de ces gens... Il les avait rencontrés au cours d'une de ces réunions ridicules où les emmenait leur grand-mère, Mess et lui... Vraisemblablement, ils étaient tous en danger... ou déjà morts.

Ça n'était pas son problème ! C'était le leur !

Il soupira bruyamment. Il avait vraiment connu de meilleurs moments. Sa conscience n'avait pas fini de le tourmenter...

Il ramassa ses prises de guerre, puis passa de pièce en pièce pour rassembler un petit paquetage. Il monta le tout jusqu'à la fenêtre du second et se prépara à ressortir ; mieux valait éviter la porte d'entrée, qui pouvait être surveillée.

Il se ravisa, revint à la bibliothèque et choisit deux couteaux qu'il glissa l'un dans sa botte, l'autre dans sa ceinture. Puis il ramassa avec précaution la dague du Zü et l'épée ensanglantée pour laquelle il prit aussi un fourreau. Ainsi chargé, il embrassa une dernière fois la pièce du regard quand il eut une ultime inspiration. Il retourna près du cadavre et le dépouilla de ses vêtements. Une panoplie officielle de tueur, ça pourrait sûrement servir à quelque chose.

Et Reyan ignorait ce que lui réservait l'avenir.

Ce matin avait commencé le jour du Faucon.

Le jour de la Promesse n'était plus que dans une décade : la décade des Incertains.

Yan, quinze ans, humble pêcheur d'un petit village kaulien, réalisa que jamais ces dix jours n'auraient aussi bien mérité leur nom.

Il avait beau retourner le problème dans tous les sens, il ne savait pas comment il oserait faire sa demande à Léti.

Il avait vu assez de fêtes de la Promesse pour savoir ce qui l'attendait. Les prétendants à une Union devaient obtenir l'accord de leur aimée avant le soir – moment où tout le village célébrait les engagements décidés.

Bien sûr, on pouvait échanger des vœux à n'importe quelle période de l'année, mais Yan savait combien Léti était attachée aux traditions, et qu'elle serait très certainement furieuse s'il osait seulement *aborder* le sujet en un autre jour que ceux prévus par le culte d'Eurydis.

Non, il fallait vraiment qu'il prenne son courage à deux mains, qu'il lui fasse sa demande la décade prochaine, sous peine de voir son projet remis à l'année suivante.

Maudit, maudit...

Il ne s'était jamais rendu compte à quel point tous ces rituels – qui l'amusaient plutôt en temps normal – étaient contraignants lorsqu'on y était réellement confronté. Demande, Promesse, Témoignage, Union, tant d'étapes à franchir devant le village tout entier, pour simplement pouvoir vivre avec Léti ! Et cela sans compter les railleries et les sarcasmes graveleux des jours de la Vierge, du Champignon et des Enfants, auxquels Yan ne pouvait penser qu'avec beaucoup d'appréhension.

La décade des Incertains... Non, il était *certain* de vouloir s'unir avec Léti, mais absolument pas de vouloir affronter tous ces moments difficiles !

Et encore, ces problèmes n'étaient rien comparés à l'angoisse majeure qui le travaillait.

Est-ce qu'elle accepterait ?

C'est vrai, tout le monde les avait toujours considérés comme promis l'un à l'autre, depuis leur enfance. Yan, orphelin très jeune, avait été recueilli et élevé par Norine, la mère de Léti, jusqu'à ce qu'il fût jugé trop grand pour habiter en toute décence avec les deux femmes. Il était alors retourné habiter dans la petite maison de ses parents, mais passait toujours la majeure partie de son temps avec sa famille adoptive, pêchant pour elle, travaillant pour elle, préférant même entretenir son habitation que la sienne propre, qui tombait un peu en ruine plus chaque jour. Lorsque Norine avait disparu, il s'était occupé de Léti tombée malade, jusqu'à sa guérison. Ils étaient maintenant orphelins tous les deux. Oui, aux yeux de tout le monde, ils étaient promis l'un à l'autre.

Aux yeux de tout le monde, mais à ses yeux à *elle* ?

Yan se savait un pêcheur plutôt médiocre, ne possédait presque rien, et ne se trouvait pas particulièrement beau ou charmant. Il n'avait aucun talent particulier – à part peut-être celui de savoir lire *un peu* –, aucune famille sur qui compter, et passait auprès des autres pour un rêveur un tantinet paresseux.

Léti était à ses yeux la plus belle fille du monde connu. Il aimait sa volonté, son rire, son goût de la vie. Les femmes de sa famille avaient souvent été des Mères ; sa tante était membre du Conseil permanent ; et il était probable qu'elle-même serait élue Mère à son tour dans quelques années. Sa maison était la plus grande du village, et meublée plus richement que toutes les autres réunies. Oui, Léti était sûrement trop bien pour lui.

Yan aurait fait n'importe quoi pour être, par exemple, plus beau, plus drôle, plus riche, plus talentueux, plus intéressant.

Il avait tenté par exemple d'améliorer les techniques traditionnelles de pêche en plongée, en utilisant une vieille carcasse d'arbalète qu'il avait bricolée à la place de l'habituel harpon. Mais les résultats avaient été médiocres, faute de mise au point, et les villageois s'étaient désintéressés de la chose, la jugeant dangereuse et bonne pour les paresseux.

Il avait aussi passé plusieurs jours avec un voyageur érudit, s'abreuvant de son savoir théorique sur les oiseaux marins, alors qu'il lui servait de guide vers les criques et les plages intéressantes. Mais quand il avait annoncé à Léti que les corioles migraient jusqu'au nord de l'Arkarie, au début de la saison du Feu, elle lui avait demandé à quoi cela pouvait bien lui servir de le savoir. Il cherchait encore quelque chose à lui répondre.

Il avait cessé de pêcher pendant un moment et était tour à tour devenu l'apprenti du forgeron, du menuisier, d'un paysan, du meunier et même du brasseur. Mais il avait dû abandonner chaque fois, conscient de l'agacement croissant de chacun des maîtres-artisans devant ses suggestions, qui ne visaient – d'après eux – qu'à en faire le moins possible. Seul le prêtre du village proposait encore de le prendre en charge, mais Yan déclinait l'offre poliment. Il respectait Eurydis et Brosda, mais de là à leur consacrer sa vie...

Bref, il se trouvait maintenant sans autre projet d'avenir que celui de prendre Léti en Union.

Sa vie serait différente alors. Peut-être changeraient-ils de village, ou tout au moins voyageraient-ils... Tout d'abord, il pourrait enfin l'accompagner à cette mystérieuse fête où elle se rendait tous les trois ans avec sa mère et sa tante. Rien que cela serait une expérience enthousiasmante. Voir de nouveaux endroits, rencontrer des inconnus... Mieux que ça, des étrangers ! Ça allait être vraiment passionnant.

Oui, ça allait être passionnant, s'il trouvait le courage de faire sa demande, et qu'elle soit acceptée.

Yan décida qu'il s'était fait assez de mauvais sang pour la journée et se releva. Au vu du soleil, ça devait faire presque un décan qu'il était allongé sur la plage à ruminer, et il fallait aussi penser au présent : qu'allaient-ils manger ce soir ?

Il s'approcha des trous qu'il avait creusés dans le sable et où il avait placé, dans la matinée, un panier tressé en labyrinthe. La marée était montée puis redescendue, laissant dans le piège un certain nombre de crabes et de coquilles. Il appréciait de moins en moins le crabe avec le temps, mais devrait bien s'en contenter, puisqu'il n'était pas sorti avec les pêcheurs ! D'ailleurs, Léti avait sûrement prévu l'un ou l'autre plat, elle aussi.

Il mit ses prises dans un panier et reprit le chemin du village. Bien qu'ayant cherché à s'isoler, Yan ne s'était pas beaucoup éloigné et n'avait qu'une demi-lieue à parcourir.

Il était parti depuis ce matin seulement, mais il lui tardait déjà de revoir Léti. Il n'avait jamais réalisé, avant d'y réfléchir, à quel point elle comptait pour lui.

D'aussi loin qu'il s'en souvienne, ils n'avaient jamais passé plus de quelques jours séparés l'un de l'autre. Et maintenant il avait l'étrange sentiment qu'il pourrait la perdre à jamais.

C'est avec cette idée qu'il approcha du hameau. Une bande d'enfants galopa dans sa direction dès qu'ils l'aperçurent. Yan leur offrit un sourire, qui se crispa bientôt.

— Léti est partie ! Léti est partie !

Les gamins l'entouraient en tirant sur ses vêtements ; chacun voulait lui livrer un secret, mais c'était toujours le même.

— Léti est partie ! Léti est partie !

Les oreilles de Yan bourdonnaient. Partie ? Comment ça, partie ? Jusqu'à ce soir, oui, peut-être. Elle ne pouvait pas être *vraiment* partie...

Il aperçut la Mère du village qui progressait à petits pas dans sa direction. Il fut auprès d'elle en un instant. Elle lui dit tout en une fois, sur un ton qui se voulait rassurant, mais la main compatissante posée sur son épaule semblait plus sincère.

— Elle est partie à l'apogée. Elle t'a cherché partout pour te prévenir, mais personne ne savait où tu étais. C'est sa tante Corenn, celle du Conseil, qui l'a emmenée. Elle était arrivée dans la matinée ; j'ai l'impression qu'il s'est passé quelque chose de grave, parce qu'elles sont parties très vite.

— Léti, elle pleurait ! dit un des gamins d'une voix innocente.

— Par où sont-elles parties ?

— Mon garçon, Corenn a demandé que personne

ne les suive, et c'est sûrement un sage conseil. Il vaut mieux pour...

— Où est partie Léti ? demanda-t-il aux enfants.

Quinze doigts se levèrent en direction de l'est tandis que retentissait un chœur de « Par là » et de « Léti, elle est partie par là ! »

— Yan, attends ! ordonna la Mère.

Mais il ne l'écoutait déjà plus, gagnant à grandes enjambées sa maison. Il renversa le contenu d'un sac de toile, y fourra une gourde, deux tuniques, une ligne et quelques hameçons, son vieux couteau de pêche et quelques fruits séchés. Puis il ramassa un harpon et ressortit aussi vite qu'il était entré, courant déjà dans la direction indiquée par les gamins.

— Ça ne sert à rien, tu ne les rattraperas jamais ! Elles sont parties à l'apogée, elles sont à cheval ! lui cria l'élue.

Yan était déjà hors du village.

Léti se refusait à y croire, tout en sachant que c'était pourtant la vérité. Tous ses amis, tous les héritiers, ses faux cousins, cousines, oncles, tantes, grands-mères, grands-pères, tous étaient morts. Elle pensait à tous les noms, voyait chaque visage, et s'attristait un peu plus encore en pensant qu'elle n'aurait jamais assez de larmes pour tous.

Sa tante Corenn semblait aussi très ébranlée, bien que plus réservée. Elle n'avait pas prononcé un mot depuis leur départ ; Léti savait aussi qu'elle n'avait pas dormi la nuit précédente, ayant voyagé tout le temps. Elle devait être morte de fatigue ; d'ailleurs ça se lisait sur son visage.

Toutes deux marchaient lentement en traînant leurs chevaux par la longe. Les deux bêtes aussi étaient exténuées ; elles non plus n'avaient pas pris de repos depuis la veille.

Léti se força à demander, entre deux sanglots :

— On doit aller jusqu'où ?

Corenn sembla émerger un peu. Son regard quitta le sol pour se porter à l'horizon. Elle s'éclaircit la voix avant de répondre.

— Je ne sais pas. Le plus loin possible, en tout cas. On s'écartera du chemin pour dormir un moment, tout à l'heure, mais je voudrais continuer encore un peu.

Elle se tourna vers sa nièce en esquissant un sourire forcé.

— Ça va aller ?

— Oui, oui, assura-t-elle.

En y réfléchissant, elle préférait encore marcher et marcher toujours. Ça lui donnait l'impression de fuir sa tristesse ; nul doute qu'en s'arrêtant, tous ses tourments la rattraperaient. C'était peut-être la même chose pour sa tante ?

Mêlée au chagrin de toutes ces disparitions, l'image de Yan venait la hanter continuellement. Elle regrettait de ne pas avoir pu lui parler... Peut-être ne le reverrait-elle plus jamais ?

Une nouvelle crise de larmes l'envahit et elle s'y abandonna complètement. Elle était si heureuse, hier encore... *Pourquoi* ? Mais pourquoi tout ça ?

Elles cheminaient ainsi en silence, l'une et l'autre plongées dans leurs pensées...

Il était trop tard lorsqu'elles entendirent les chevaux venant à leur rencontre. Corenn affolée pressa sa nièce et leurs montures vers les taillis du bas-côté, comme elle l'avait fait chaque fois, mais pas assez vite pour échapper au regard des trois hommes qui surgirent au détour du chemin.

Ils ralentirent dans un bel ensemble leur course rapide, puis s'arrêtèrent avant de dévisager silencieusement les deux femmes. Léti comprit, sans savoir pourquoi, qu'elle avait devant elle les *assassins*. Sa tante le savait aussi ; sa main se crispa sur son épaule. Puis Corenn vint se placer devant sa nièce, et fit face aux étrangers avec résolution.

Ils portaient tous les trois la même tunique de couleur rouge, et avaient le crâne rasé. On aurait pu les prendre pour de jeunes prêtres inoffensifs d'un culte anodin. Ainsi, voilà donc les fameux tueurs züu... Ils n'avaient pas l'air bien terribles, à première vue. Ils n'en avaient pas l'air, si l'on ne tenait pas compte de l'horrible réputation qui les précédait, et de leur regard de fanatique qui semblait plus détailler l'âme que l'apparence. Si l'on ne tenait pas compte, non plus, des armes diverses qui pendaient de part et d'autre de leur monture, et de la dague tristement célèbre qui trônait dans son fourreau à leur ceinture.

Le plus grand fit un signe dans leur direction en lâchant un ordre bref. Ses acolytes descendirent aussitôt de cheval. Léti les vit, incrédule, impuissante, empoigner leurs lames et s'approcher sereinement, l'un de face, l'autre s'écartant un peu de côté pour leur couper la route.

Ce n'était pas possible. Elle n'allait pas mourir là, comme ça, poignardée sur un chemin de terre, et *maintenant*. Ce n'était pas possible.

Elle voulut courir, mais ses jambes étaient paralysées, comme le reste de son corps. Elle voulait que sa tante s'enfuie mais elle la savait trop fatiguée. Ce n'était pas possible. Pas comme ça. Elles n'allaient pas mourir comme ça.

Le plus grand des tueurs eut soudain un hoquet et Léti trouva la force de lever les yeux vers lui.

Du sang coulait de sa bouche. La pointe d'une flèche sortait de sa poitrine.

L'homme y porta les mains gauchement, comme s'il était ivre. Une seconde flèche émergea de son corps comme par magie, un demi-pied au-dessus de l'autre. Les yeux du Zü se révulsèrent et il glissa en bas de son cheval.

Un homme en noir levait un arc à une trentaine de pas. Les deux tueurs restants réagirent aussitôt et se ruèrent vers les taillis. L'un d'eux manqua de rapidité et lâcha un gargouillement lorsqu'un trait traversa sa gorge. Il s'écroula en s'étouffant dans son sang.

Les deux femmes n'avaient pas bougé d'un pouce. Léti se sentait *incapable* de bouger. Ses yeux allaient de l'homme en noir aux cadavres, des cadavres à l'homme en noir, et elle ne pouvait rien faire d'autre qu'observer, fascinée, le combat qui se déroulait pour son salut.

L'inconnu empoigna son épée et la planta dans le sol. Calmement, consciencieusement, il visa ensuite avec son arc les buissons répartis devant lui. Le Zü en déboula comme une furie et courut à sa rencontre ; la flèche lui passa à deux doigts de la tête. L'inconnu lâcha l'arme désormais inutile et s'empara précipitamment de sa lame.

Les deux hommes se faisaient face, l'assassin prêt à bondir, les genoux fléchis et la main crispée sur sa dague, l'homme en noir marquant la distance avec son épée tendue devant lui. Puis tout fut joué en un instant.

Le Zü s'élança si vite que Léti, bien que s'y attendant, fut surprise. Mais l'inconnu réagit aussitôt, comme s'il *avait su* ce qu'allait tenter son adversaire. Sa lame jeta un éclair et le Zü eut la main tranchée et le ventre ouvert dans la même danse d'acier.

Léti vit les entrailles de l'homme se déverser sur ses jambes et le sol, malgré ses efforts désespérés pour les retenir avec un bras ensanglanté.

Sa volonté céda et elle s'évanouit pesamment.

Yan sentait le désespoir le gagner peu à peu. La nuit était tombée depuis longtemps, et l'idée qu'il avait eue tout à l'heure de couper à travers la garrigue du Sud kaulien, pour aller plus vite, semblait beaucoup moins bonne maintenant.

Il s'était trompé ; la clarté de la lune était insuffisante pour l'éclairer, parce que ne traversant pas l'épaisse couche de feuillage qui le surplombait la plupart du temps. Ses membres et son visage étaient irrités, griffés et même coupés parfois par les multiples ronces et autres plantes qui formaient les taillis, et il était tombé à plusieurs reprises. Quelques décans de voyage seulement, et il était déjà blessé de partout, couvert de terre, les vêtements déchirés et les cheveux emmêlés.

Le plus grave était qu'il commençait à douter de son chemin. Était-il toujours dans la bonne direction ? Bon, est-ce qu'il n'était pas tout simplement perdu ?

Par deux fois il avait eu l'impression de passer au même endroit. Se repérer aux étoiles, oui... Mais c'était plus facile quand on les voyait ! En plus du feuillage parfois très fourni qui réduisait son champ de vision, s'était levée depuis peu une brume qui présageait un brouillard mémorable.

Son pied se prit dans une racine et il faillit chuter une fois de plus, se rattrapant de justesse à une branche basse que rencontra sa main. Il avait eu un peu de chance, cette fois-ci : ce n'était pas une branche épineuse.

Une famille de margolins détala sous ses pieds quelques pas plus loin. Ça devait être la sixième fois. Il fallait vraiment que ces bestioles soient sourdes pour ne pas l'avoir entendu arriver avant. Quand il pensait au mal qu'il avait d'habitude pour en piéger !

Yan se maudissait de ne pas avoir pensé à prendre au moins de quoi faire du feu. Ç'aurait dû être une priorité lors de ses préparatifs précipités, plutôt que des fruits ou une ligne à pêche. Les autres avaient raison : il n'était vraiment qu'un rêveur bon à rien.

Il ne manquait plus, pour compléter le tableau, qu'il tombe nez à nez avec un ours ou un loup errant. Il aurait l'air fin avec son couteau de pêche et son harpon rouillé !

Il aurait mieux fait d'aller d'abord au village voisin et se débrouiller pour récupérer leur cheval. Il aurait mieux fait de trouver une arme digne de ce nom. Il aurait mieux fait de prendre le temps de réfléchir, comme il le conseillait si bien aux autres.

Mais Léti serait sûrement loin alors... Morte, peut-être...

Il flanqua un grand coup rageur de son harpon dans un amas de ronces de séda qui lui barrait le passage. Une nuée de grosses mouches argentées s'en envola en bourdonnant. Une chauve-souris sauta sur l'aubaine et plana jusqu'à elles pour en faire son repas ; Yan la chassa en criant et en gesticulant comme un fou. C'était injuste, mais elle lui avait fait peur.

Il se permit une pause de quelques instants. Une pensée amusante le traversa, malgré la situation : peut-être que Léti était finalement rentrée au village, et qu'elle s'inquiétait pour lui. C'est alors qu'il passerait vraiment pour le roi des nigauds... Mais même cette idée était plaisante, car elle sous-entendait un retour à la vie normale.

Malheureusement, pour l'instant, il ne pouvait qu'avancer en essayant de retrouver le chemin.

Il découvrit celui-ci deux décimes plus tard, derrière un épais bosquet de feuillus. Soulagé, il scruta aussitôt les deux horizons, espérant discerner dans la pénombre et la brume la silhouette des cavalières. Mais il ne vit rien, bien sûr.

Il lui fallait maintenant prendre une décision : retourner vers le village, en priant pour qu'elles ne soient pas encore arrivées jusqu'ici, ou continuer vers l'est en faisant des vœux pour qu'elles se soient arrêtées pour la nuit. Si elles obliquaient avant qu'il ne les rejoigne, il était probable qu'il ne les reverrait jamais.

Cette idée le glaça d'effroi et il se mit en route à bonne allure vers la frontière lorelienne. La fatigue de sa marche difficile commençait à se faire cruellement sentir, mais il prit sur lui de l'ignorer. Et puis avancer ainsi, sans trébucher sur des racines ou traverser des buissons épineux, était beaucoup moins désagréable.

La seule difficulté était de ne pas *perdre* le chemin.

Peu fréquenté, son tracé n'était pas toujours régulier ; avec le brouillard, Yan avait parfois beaucoup de mal à faire la différence entre la piste et la garrigue. À une occasion, il crut même s'être perdu de nouveau.

Il finit par limiter son attention à quelques pas devant lui, exclusivement, marchant le regard pratiquement vissé sur ses pieds.

Il progressa ainsi presque une lieue, quand un détail, qui avait failli lui échapper, le sortit de sa rêverie.

Il allait marcher sur une empreinte toute fraîche laissée par le sabot d'un cheval.

L'étonnant n'était pas l'empreinte, bien sûr, sur une route fréquentée par des cavaliers. Mais sa *direction*.

Il en trouva rapidement d'autres, un certain nombre même, ce qui ne laissait aucun doute : deux chevaux, trois peut-être, s'étaient récemment enfoncés sous les bosquets.

Submergé par une vague d'espoir, Yan se lança sur cette nouvelle piste, s'appliquant à repérer de nouveaux indices du passage des animaux. Ce fut plus difficile qu'il ne l'avait pensé, et il dut plus d'une fois revenir sur ses pas pour corriger sa direction, la pénombre ne favorisant pas les choses.

C'est à une de ces occasions qu'il réalisa qu'il avait peut-être commis une erreur.

Une branche basse, quelconque, qu'il avait simplement repoussée comme il l'avait fait tant de fois cette nuit, ne s'était pas remise en place, mais était *tombée*.

Un végétal vivant de cette taille ne casse pas comme ça.

Il découvrit en l'étudiant de plus près une mince ficelle fixée à son extrémité, plus ou moins tendue, et qui s'enfonçait dans les broussailles.

Ingénieux. L'autre bout devait actionner une alarme quelconque. Yan avait imaginé assez de pièges de chasse pour qu'on n'ait pas besoin de lui faire un dessin.

Il courut se cacher à quelques pas. Qui pouvait bien mettre en place une telle installation, à part des brigands ? À part des types qui n'avaient pas la conscience tranquille ? Ce n'était ni Léti, ni Corenn, en tout cas. Alors qui ?

Yan décida qu'il vivrait très bien sans la réponse, et entreprit de faire un large détour pour regagner le chemin. Il consacra toute son attention à préserver le silence de sa progression et avança, se retournant fréquemment.

Un frisson glacé le parcourut soudain. Et si elles avaient été attaquées ? Enlevées ? Par ces types à la mauvaise conscience ?

Il fallait qu'il s'en assure. Il était venu jusque-là pour *ça*.

Il dissimula son sac sous un feuillu, après toutefois y avoir pris son couteau. Il abandonna aussi le harpon, pas assez maniable. Puis il retourna auprès de la corde, qu'il entreprit de remonter jusqu'à son extrémité, tout en conservant entre elle et lui une certaine distance prudente.

Il avança ainsi sur une quinzaine de pas. Ces *gens* à l'autre bout s'étaient installés plutôt loin ; cela ne faisait que confirmer sa théorie. Puis il entendit, de plus en plus distinctement, les craquements caractéristiques d'un feu de bois.

Il abandonna la piste de la ficelle et se glissa en direction du foyer. Il parcourut les derniers pas en rampant pratiquement, avec une seule chose en tête : ne pas faire de bruit, surtout, ne pas faire de bruit.

Le feu était allumé au fond d'une dénivellation du terrain, entourée d'arbustes et de buissons de séda, si bien qu'il était *impossible* de le voir en passant simplement à vingt pas. Trois chevaux étaient attachés non loin ; et deux formes allongées tournaient le dos à Yan.

Son cœur bondit dans sa poitrine : il n'en était pas sûr, mais... Oui, ce corps, là... C'était Léti !

Quelque chose de froid se plaqua contre sa gorge. Il aperçut du coin de l'œil le reflet terne d'une lame calée dans une main d'homme.

— Lâche ce couteau. Et allonge les bras devant toi. Doucement, lui susurra une voix calme à l'oreille.

Yan obtempéra en se maudissant. Comment faisait-il pour toujours tout rater ?

La lame quitta sa gorge. Il se demanda un instant s'il ne devrait pas en profiter. Pas facile, dans cette position...

Quelque chose le frappa à la nuque et il sombra dans l'inconscience.

— Maz Lana ? Ça va aller ?

La prêtresse leva la tête vers Rimon, le jeune novice, qui venait avec compassion tenter de la réconforter. Il avait toujours été son meilleur élève, ainsi qu'un ami fidèle, et Lana savait qu'elle lui transmettrait son titre de Maz un jour ou l'autre... si Eurydis le permettait.

— Oui, oui. Je te remercie.

— Je peux faire quelque chose pour vous ?

— Non, merci. Pas pour l'instant. J'ai juste besoin d'être seule pendant un moment. De réfléchir un peu.

— D'accord. Je vais rester dans l'entrée. N'hésitez pas à m'appeler, si vous avez besoin de quelque chose.

Il ajouta, sur le seuil de la porte :

— Le Temple a envoyé quelques officiers. Ils montent la garde autour du bâtiment. Vous êtes en sécurité.

— Tant mieux, tant mieux. Allez, sauve-toi.

Rimon s'exécuta docilement, avec un dernier regard apitoyé pour son professeur. Parfois, Lana se disait qu'il y avait plus que du respect, plus que de l'amitié dans les yeux du jeune novice. Mais tous deux savaient que *jamais* les choses n'iraient plus loin.

Elle se leva et fit quelques pas dans la petite cellule qui lui servait d'habitation. Bien qu'austère, peu décorée et meublée dans un but uniquement fonctionnel, sa chambre lui avait toujours paru très confortable. Le principal attrait en était la vue magnifique qu'on avait de la fenêtre... Le soleil de l'apogée miroitant sur les eaux libres de l'Alt, étincelant sur la myriade de dômes et de crêtes des temples de la Sainte-Cité, réchauffant les premières pentes des hautes montagnes du Rideau... Ith était une si belle ville. Paisible, pacifiste, épargnée par la barbarie du reste du monde connu.

Lana ferma les yeux pour une prière muette. *Sage Eurydis*, pourquoi cette nouvelle épreuve ? N'avait-elle point assez souffert de ses peines récentes ?

Les événements de la matinée revinrent malgré elle s'imposer à sa mémoire. Elle avait commencé avec ses disciples une réflexion sur la vanité de la richesse, sujet qui lui tenait particulièrement à cœur, tant la vénalité est difficile à ignorer même par le plus sage des sages. Ils s'étaient comme à leur habitude installés dans les jardins au pied du mont Fleuri, et débattaient paisiblement des nombreux exemples fournis par la littérature religieuse.

Ce type d'enseignement étant ouvert à tous, il n'était pas rare de voir des étrangers s'asseoir dans le cercle avec les membres du culte, par curiosité ou intérêt intellectuel. Aussi personne ne fit-il d'objection quand un jeune homme sans masque et portant une robe commune de novice vint se joindre à eux.

L'inconnu conserva le silence, mais mit beaucoup d'application à écouter chacun des orateurs, et tout particulièrement les femmes. Cela n'avait pas échappé à Lana qui, seulement intriguée alors, comprenait maintenant parfaitement...

Quand l'étranger fut certain de savoir qui dirigeait la classe, il bondit sur ses pieds comme un félin et se précipita en brandissant une dague.

Vers elle.

Elle était la cible de ce jeune homme au regard de dément et à la volonté farouche.

Lana n'avait fait aucun geste pour se défendre, et n'arriverait jamais à comprendre pourquoi. Elle voyait l'assassin se rapprocher d'elle, très distinctement, comme si elle percevait le temps d'une autre façon. Et se dit simplement que c'était la fin de sa vie terrestre.

Heureusement, ou malheureusement, plutôt... quelques-uns de ses disciples réagirent assez vite pour la sauver.

Elle sentit les larmes lui couler sur les joues, enfin. Personne, personne ne méritait un tel sacrifice.

Quatre étaient morts, simplement effleurés par la dague monstrueuse. Quatre jeunes gens qui réprouvaient depuis toujours la violence. Quatre enfants qui n'aspiraient qu'à servir Eurydis toute leur vie.

Lopan, Vascal, Durenn...

Orphaëlle...

Lana s'abandonna complètement à sa douleur. Pauvre Orphaëlle. Si jeune, si innocente...

Dramatiquement, l'assassin avait réalisé son échec quelques instants après avoir poignardé la jeune novice qui s'était placée en travers de son chemin.

Entravé, immobilisé par plusieurs paires de mains et de bras, il s'était plongé en plein cœur l'arme terrifiante qu'on tentait de lui arracher.

Lana s'était réveillée dans sa cellule, Rimon à ses côtés. Elle ne se rappelait même pas s'être évanouie. Il lui avait raconté le peu de choses qu'il y avait à dire : des officiers du Temple avaient dispersé les curieux, puis escorté toutes les personnes impliquées jusque chez elles. Chacun allait être interrogé et placé sous protection pendant quelque temps.

On prenait la justice très au sérieux, à Ith.

Trois coups résonnèrent à sa porte, et Lana alla ouvrir en s'efforçant de retrouver une attitude digne.

L'apitoiement sur soi-même était loin d'être une valeur morale du culte d'Eurydis.

Un vieil homme la dévisageait avec compassion. Petit et maigre, sans masque, vêtu d'une simple robe usée et pieds nus. Emaz Drékin.

— Votre Excellence, salua-t-elle en l'invitant à entrer.

— Allons, allons, Lana. L'heure n'est pas au protocole, la gronda-t-il gentiment en la serrant dans ses bras malingres.

Elle lui rendit son étreinte en sanglotant, sa volonté cédant à l'émotion.

Ils se séparèrent après quelques instants, et Lana referma la porte sur eux.

— Vous voulez une infusion ? proposa-t-elle en essayant de retrouver un ton naturel.

— Une autre fois, mon enfant, une autre fois. Avant tout, nous avons à parler de choses importantes.

Lana acquiesça et vint s'asseoir sur le petit banc placé devant sa table, invitant l'Emaz à faire de même. Elle s'était douté que Drékin n'était pas venu seulement en ami, mais aussi en tant que haut dirigeant du Temple.

Il soupira un instant, cherchant ses mots, puis lança une discussion qui, bien que sur un ton calme, n'était rien d'autre qu'un interrogatoire.

— Lana, savez-vous qui était cet homme ?

— Non. Pas du tout.

Lana faisait des efforts pour ne plus éclater en sanglots...

— Vous l'aviez déjà vu, auparavant ?

— Non, je ne crois pas. Pas à mon cours, en tout cas. Sauf s'il portait un masque, bien sûr.

L'Emaz marqua un silence. Il hésitait encore à parler de certaines choses.

— Savez-vous ce que sont les Züu ? osa-t-il enfin.

Lana ouvrit de grands yeux effrayés. Oui, bien sûr, elle le savait ! Une secte de *tueurs*, qui commettaient leurs crimes au nom d'une déesse justicière, voilà ce qu'ils étaient. Dans les siècles passés, les Züu avaient systématiquement massacré tous les Eurydiens débarquant sur leur île. Comment aurait-elle pu ignorer cela, elle qui avait étudié l'histoire d'Ith ?

— Vous croyez que...

Elle ne finit pas sa phrase.

— Malheureusement, oui. Les officiers ont trouvé sur son corps un parchemin où étaient clairement indiqués votre nom, et d'autres renseignements vous concernant. Il était rédigé en ramzü.

Lana accusa le coup. Elle avait simplement pensé avoir eu affaire à un dément. Elle apprenait maintenant que la tentative était *préméditée*.

Et qu'elle était loin d'être hors de danger.

— Lana, ce que je vais vous demander maintenant est très important. Le Temple ne peut se permettre de nouvelles frictions avec les Züu, de nouveaux martyrs, une nouvelle croisade. Alors, dites-moi pourquoi ils en ont après vous.

Lana réfléchit pendant un instant, qui parut une éternité à l'Emaz.

— Je ne sais pas, malheureusement. Je n'en ai aucune idée.

Le vieil homme parut déçu.

— Tant pis. On n'aurait pas pu les faire changer d'idée, de toute façon, mais on aurait au moins su comment vous protéger...

— Ce que vous dites est horrible ! Cela signifie qu'ils vont essayer, et essayer encore jusqu'à réussir !

— Peut-être pas, mon enfant, peut-être pas. C'est l'autre chose dont je dois vous parler. Le Temple peut s'arranger pour vous mettre à l'abri, mais au prix d'un gros sacrifice, que vous n'êtes pas obligée d'accepter.

Lana se prépara au pire.

— Dites-moi toujours.

— À part le jeune Rimon, tous vos disciples se demandent si vous avez survécu. Le Temple garde pour l'instant cette information secrète...

Lana fut horrifiée.

— Vous n'êtes pas en train de suggérer que...

— C'est la meilleure chose à faire, mon enfant. Réfléchissez. Par malheur, la jeune Orphaëlle a péri sous les coups du meurtrier. Ne rendez pas son sacrifice vain en mourant à la prochaine décade.

Lana se demandait comment de telles idées pouvaient venir aux Emaz. *Tirer profit* du malheur de la jeune fille...

— Les témoins seront incapables de dire *qui* a été tué, continua le Grand Prêtre. Pour eux, au moins une femme masquée figure au nombre des victimes. Si nous annonçons en plus votre décès, il n'en faudra pas plus pour tromper les Züu...

— J'ai bien compris, Votre Excellence. Il me faut juste un peu de temps pour réfléchir. Parce que ce stratagème m'oblige à quitter Ith, n'est-ce pas ?

— Malheureusement, pour quelque temps. Votre salut en dépend.

— Mon salut...

Lana se leva et admira de nouveau le paysage par sa fenêtre. Il lui semblait déjà que c'était la dernière fois qu'elle en jouissait.

— Bien. Puisqu'il le faut, j'abandonnerai tout ce que j'ai. Tout ce qui fait ma vie. Qu'Eurydis m'en donne la force.

— Sages paroles, conclut l'Emaz soulagé, en se levant. J'aurais eu beaucoup de peine de vous perdre. Nous mettrons au point les détails plus tard ; d'ici là, je vais prendre les dispositions qui s'imposent pour... pour ce que nous avons décidé.

Il prit congé en l'étreignant une nouvelle fois, brièvement.

De nouveau seule, Lana se débattit un moment avec sa conscience. Elle avait *menti* à un Emaz. Effrontément.

Elle savait pourquoi les Züu la recherchaient. Du moins, elle savait *à cause de* quoi.

Son ancêtre Maz Achem, et son voyage mystérieux sur une petite île lorelienne. L'île Ji.

Les Züu venaient de lui donner le départ d'un voyage qu'elle projetait depuis des années.

Mais le Grand Temple ne devait rien en savoir.

Yan émergeait lentement des ténèbres, luttant contre l'élancement sourd au bas de son crâne qui tentait de l'y ramener. Il était allongé sur le dos, et en ouvrant les yeux ne vit que le ciel du petit matin au-dessus des feuillages le surplombant.

« Il se réveille » annonça une voix chevrotante. Le cœur de Yan bondit dans sa poitrine : c'était celle de Léti, sans erreur possible. Il se redressa, trop brusquement, et la douleur ravivée le ramena aussitôt dans l'inconscience.

Il s'en échappa de nouveau un moment plus tard. Le soleil était monté ; on devait être au début du troisième décan. Yan se hissa sur les coudes, avec précaution cette fois.

Il remarqua avec un immense soulagement qu'il ne s'était pas trompé : Léti se trouvait là, assise non loin de lui, et semblait en bonne santé si l'on exceptait son visage et ses yeux rougis par les larmes. Sa tante était là aussi et le fixait d'un air désapprobateur ; ainsi qu'un étranger habillé tout en noir, debout, qui lui présentait une expression franchement hostile.

Bien qu'il n'en ait pas rencontré beaucoup, Yan était presque sûr que l'inconnu était un natif des Bas-Royaumes. Il était plutôt petit – plus petit que lui, du moins – mais le premier adjectif qui venait à l'esprit en le voyant était *impressionnant.*

Le second, certainement, *dangereux.*

Il devait avoir quarante ans au moins. En tout cas, c'est ce que laissaient penser sa peau profondément tannée, déjà parcourue de petites rides, son profond regard bleu nuit, ses cheveux sombres grisonnant par endroits. Une moustache épaisse et une vilaine cicatrice sur la joue droite lui barraient le visage dans deux directions. Il était vêtu de toute évidence pour le combat : des pièces de cuir solidement attachées les unes aux autres, où brillaient çà et là des morceaux de métal fixés dessus ou en dessous selon les cas ; et cela des pieds à la tête. Ce costume original n'était plus tout neuf : usé aux articulations, griffé de partout, rapiécé à certains endroits. L'homme portait, sans sembler en être gêné, une lame courbe dénudée, ainsi qu'un poignard à sa ceinture. Yan se dit qu'il devait manier ces armes aussi naturellement que lui enfilait sa tunique en se levant. Et cet homme *impressionnant* et *dangereux* le fixait avec un regard de braise.

— Est-ce qu'on ne t'a pas dit de rester dans ton village ? Hein ? Est-ce qu'on te l'a dit, ou pas ? lui cracha-t-il au visage.

Son accent prononcé était typique des Bas-Royaumes.

Yan encore hébété regarda en direction de Léti et de sa tante, à la recherche d'un soutien. Mais l'une sanglotait le visage dans les mains, tandis que l'autre semblait plutôt de l'avis de l'étranger. Sa tête lui paraissait lourde ; il se demanda s'il n'allait pas s'évanouir de nouveau.

— Qui êtes-vous ? parvint-il à articuler. Sa gorge était sèche et ses propres paroles sonnaient bizarrement dans ses oreilles.

— Je te présente Grigán, répondit Corenn pour l'homme en noir. C'est... un cousin. Un cousin fort éloigné.

Yan ramena son regard vers l'homme singulier, qui faisait nerveusement les cent pas en se lissant la moustache. Ce type serait apparenté à Léti ?

— Sans lui, nous serions déjà mortes, reprit Corenn sur un ton conciliateur. Il nous a sauvé la vie, hier. Et il ne va *rien* te faire, conclut-elle haut et fort en se tournant vers le guerrier.

— Ça reste à voir, grinça l'intéressé. Est-ce que tu es venu seul ? Quelqu'un sait où tu es allé ? Est-ce qu'on t'a suivi ?

L'esprit embrumé par la douleur, Yan mit un certain temps à assimiler toutes ces questions et à y répondre, ce qui eut l'air d'agacer encore plus le nommé Grigán.

— Non, je suis tout seul... Et personne ne m'a suivi, j'ai traversé la garrigue... Qu'est-ce qui s'est passé ?

L'homme en noir le fixa pendant quelques instants.

— Tu es *sûr* ?

— S'il le dit, c'est que c'est vrai, c'est tout. Yan n'est pas du genre à mentir, et n'a aucune raison de le faire.

Le Kaulien lança un regard reconnaissant à Corenn pour son intervention inespérée. L'homme en noir n'allait pas en rester là pour autant.

— Comment nous as-tu retrouvés ?

— J'ai vu les empreintes des chevaux sur le bord du chemin. Comme il y avait du brouillard, j'avais le nez pratiquement sur mes pieds...

— Je crois que ça suffit, Grigán.

— D'accord, d'accord. De toute façon, on ne peut pas perdre encore du temps. Il faut se remettre en route au plus vite, c'est-à-dire maintenant.

Il fit mine de s'éloigner vers les chevaux.

— Et moi, qu'est-ce que je fais ?

Yan n'aimait pas du tout les sous-entendus de la dernière réplique du guerrier.

— Toi ? Tu te reposes un peu si tu veux, puis tu retournes dans ton village. Tu ne parles de ça à personne. C'est bien compris ?

Ça n'était pas vraiment une question.

Yan regarda Léti qui pleurait en silence. Le jour de la Promesse était pour bientôt. Ce type leur avait sauvé la vie ? Pourquoi étaient-elles en danger ?

— Non, je reste. Je vais avec vous, répondit-il d'une voix qu'il aurait voulue plus forte.

Grigán émit un soupir las et s'éloigna de quelques pas. Yan comprenait bien que, sans la présence des deux femmes, le guerrier ne perdrait pas son temps avec un gamin qui lui tenait tête, et emploierait des moyens plus *convaincants*.

— Yan, je te connais bien, essaya Corenn. Mieux que tu ne le penses, peut-être. Je t'ai vu grandir toutes ces années, en même temps que Léti. Et je sais que tu fais ça pour elle.

Il ne répondit rien, mais guetta avidement la réaction de l'intéressée.

Elle n'en eut aucune... À part, peut-être, un sanglot un peu plus fort que les autres. Léti semblait vraiment choquée, bouleversée, complètement fermée au reste du monde. Yan l'avait déjà connue ainsi, après la disparition de Norine.

— C'est en restant avec nous que tu la mets en danger, poursuivit Corenn sur un ton doux. Ainsi que moi, et Grigán, et d'autres personnes encore, que tu ne connais pas mais dont la survie est incertaine, et dépend en partie de la nôtre. Sans compter, bien sûr, ta propre vie. Tu réalises que tu aurais pu te faire tuer par

Grigán, cette nuit ? Tu imagines ? Tu crois que Léti ne pleure pas assez comme ça ?

Tous ces arguments étaient irréfutables, mais Yan ne voulait l'admettre. Il savait que Corenn, grande diplomate, essayait de l'abuser comme lui le ferait avec un gamin. La douleur dans son crâne revenait de plus en plus forte, et, gêné dans sa réflexion, il se bloqua sur cette idée : rester avec Léti, rester avec Léti.

— Je *dois* venir avec vous. Désolé, ajouta-t-il moins fermement.

Corenn eut une petite moue déçue et chercha autre chose. Malgré toute sa volonté, Yan comprit qu'il finirait par céder à la raison... ou à la force. Il devait lui aussi chercher à convaincre, plutôt qu'à s'imposer.

— Les hommes qui vous cherchent ne me connaissent pas. Ils ne savent même pas que je suis avec vous. Je pourrais sûrement vous aider. Alors, je viens.

Le silence tomba sur cette dernière réplique. Puis Grigán quitta l'arbre auquel il s'était adossé et s'approcha à grands pas. Yan eut une furieuse envie de se protéger le visage pour prévenir d'éventuels coups, mais c'était sûrement la dernière chose à faire s'il voulait les accompagner.

Le guerrier s'accroupit devant lui et lui parla les yeux fixés dans les siens, un index pointé sur son visage :

— D'accord, tu viens. Mais fais un pas de travers, désobéis-moi une seule fois et je te botte le cul. Et j'espère que tu n'y resteras pas.

Yan se demanda si cette remarque concernait les dangers probables du voyage ou la correction promise. Peu lui importait : il restait avec Léti.

Il acquiesça en y mettant toute sa sincérité, et Grigán le libéra du fardeau de son regard pesant pour aller échanger quelques mots avec Corenn.

Léti n'avait toujours pas bougé et continuait à sangloter, le visage enfoui dans ses mains. La dernière fois, ça avait duré plus d'une décade. Les prochains jours promettaient d'être gais.

Il s'aperçut qu'il ne lui avait même pas encore adressé la parole. Il se leva très doucement, tituba jusqu'à elle, puis se laissa tomber plus qu'il ne s'assit. Elle parut se réveiller un peu, lui jeta les bras autour du cou et sanglota sur son épaule. Il la serra contre lui. Allons, il avait au moins gagné ça...

— Tu monteras avec elle, vint lui dire Grigán. On achètera un autre cheval dès que possible.

— D'accord.

Yan n'était monté que deux fois dans sa vie mais ne voulait pas être *déjà* considéré comme un fardeau.

— On part tout de suite. Il faut avoir dépassé Bénélia avant demain soir.

Léti se leva et commença à rassembler ses affaires. Corenn fit de même. Ça le gênait un peu de voir une Mère du Conseil permanent, l'une des plus hautes autorités de Kaul, obéir ainsi sans discuter à cet étranger un peu inquiétant. C'était elle qui devrait diriger le groupe, à son avis. Mais peut-être partageait-elle tout simplement son opinion, ou était-elle trop fatiguée pour prendre la direction des opérations.

Yan se leva à son tour et découvrit son propre sac, son harpon et son couteau de pêche au pied d'un arbre. Il se souvenait d'avoir laissé son bagage dans les broussailles avant d'approcher du camp ; ce Grigán avait dû en fait le suivre tout le temps. Comme espion, il avait vraiment échoué sur toute la ligne !

Il s'approcha des chevaux et attendit patiemment qu'on lui dise quoi faire. L'homme en noir, en train d'équilibrer les charges, lui prit son bagage dont il retira le harpon long de deux pas.

— Si tu viens, tu laisses ce machin-là. Trop encombrant, trop voyant, inutile.

Yan prit l'objet qu'on lui tendait et l'abandonna docilement dans un buisson épineux. Grigán parut satisfait. Il décrocha un des deux arcs qu'il avait sur son cheval et le tendit au pêcheur.

— Tu sais t'en servir ?

— Oui, mentit-il.

Il n'en avait jamais tenu de sa vie. Mais si ça pouvait rassurer le guerrier... Et avec une telle arme, il pourrait vraiment protéger Léti.

— Bien. Voilà les flèches. Tu ne tires *que* si je te le demande. Et tu restes à distance. Tu n'approches *jamais* de ta cible. C'est bien compris ?

— Oui.

Yan essayait d'avoir l'air à l'aise, le carquois dans une main, l'arc dans l'autre. Maudit, c'était plus lourd qu'il ne le pensait. Est-ce qu'il pourrait vraiment se servir de *ça* ?

— Tu as déjà tué quelqu'un ?

— Non.

Par Eurydis, non, jamais, non ! Est-ce que ce type s'imaginait qu'il passait son temps à embrocher des gens au harpon ? Yan ne put mentir sur ce point. Il ne s'était même jamais battu.

— Bon.

La discussion semblait close pour Grigán, qui se retourna pour charger les derniers sacs.

— Je voudrais une arme, aussi.

Léti se tenait devant eux, les bras ballants. Elle ne pleurait plus, mais son visage et ses yeux rougis lui donnaient une allure de folle. Elle n'avait pas beaucoup dormi, non plus.

Grigán lui tourna le dos. Il ne semblait pas enclin à accéder à ses désirs.

— Les femmes ne se battent pas, répondit-il simplement d'une voix ferme.

Léti restait immobile, incomprise. Yan sentait une nouvelle crise de larmes venir ; il lui tendit son couteau de pêche.

— Tiens. Juste au cas *où*. Mais reste hors des combats.

L'homme en noir les fixa un instant tous les deux. Léti prit la lame avant qu'il n'intervienne et s'éloigna. Yan se demanda s'il ne venait pas déjà de mettre fin à sa carrière de chevalier protecteur, mais le guerrier se détourna en hochant la tête, entraînant les chevaux par la bride.

Corenn poussa les deux jeunes Kauliens à la suite de Grigán, vérifia d'un dernier regard qu'ils n'avaient rien oublié, et prit la direction du chemin à son tour.

Elle avait la forte impression que c'était le départ d'un *long* voyage.

Un gros margolin un peu téméraire était en train de se faufiler vers sa réserve de provisions. Bowbaq, faussement assoupi, l'avait repéré depuis un bon moment.

Ce n'est que lorsque le petit glouton se jeta sur le sac, déchirant la toile à coups frénétiques de dents et de griffes, qu'il se décida à intervenir.

— Hé ! Si j'en faisais autant à ton terrier !

Le rongeur se figea tout droit puis détala plus vite encore que s'il avait été encerclé par une meute de loups. Il n'avait pas dû comprendre grand-chose à la menace, mais cette intrusion dans son esprit l'avait complètement affolé.

Ça se passait toujours ainsi, la première fois. Bowbaq se souvenait de la réaction très agressive de Mir à la première tentative. Heureusement qu'il avait pris la précaution de l'attacher *avant*.

Pour Wos, ç'avait été autre chose. Bowbaq avait pu atteindre son esprit *avant même* qu'il ne vienne au monde. Le lien fut ensuite beaucoup plus facile à maintenir...

Pauvre Wos. Il avait dû l'abandonner aux environs de Cyr-la-Haute. Le poney géant, à l'aise dans les grandes étendues glacées de l'Arkarie centrale, souffrait déjà cruellement du climat doux du Nord lorelien. Jamais il n'aurait pu tenir jusqu'à Berce.

Bowbaq l'avait donc renvoyé en pays arque, lui expliquant qu'il le rejoindrait bientôt, ce qui n'avait pas été une mince affaire puisque l'animal ne comprenait que la notion de futur proche. Il avait donc dû tricher, inventant quelque chose du genre « Si Wos va là-bas, il voit Bowbaq. » Pour le poney à la perception particulière du temps, ça ne ferait pas de différence qu'il y soit tout de suite, ou une lune après.

L'*erjak* voyageait donc à pied depuis la frontière lorelienne. Ça ne le dérangeait pas beaucoup ; il l'avait souvent fait, sa grande taille et sa masse en rapport l'empêchant de monter un cheval de la race commune. Il reconnaissait, aussi, craindre le ridicule qu'il y aurait à se présenter sur un aussi petit animal.

Le jour du Hibou se rapprochait ; Bowbaq avait compté qu'il viendrait après la huitième nuit. Par le Grand Ours, pourvu qu'il ne se soit pas trompé dans ses calculs ! Il lui faudrait bien six jours pour parvenir à destination, et la possibilité d'arriver *trop tard* le persécutait. Aussi quittait-il de temps à autre son allure tranquille pour se lancer dans une longue course à grandes enjambées, qu'il ne ralentissait qu'en croisant d'autres personnes.

Bien qu'il mette beaucoup d'application à prendre les chemins les plus petits, les sentes à peine discernables et les pistes plus tracées par les animaux que par les humains, Bowbaq rencontrait beaucoup trop d'étrangers à son goût. C'était vrai qu'il était maintenant dans les Hauts-Royaumes, et qu'il devait s'attendre à en voir beaucoup plus qu'en Arkarie, où son plus proche voisin n'était pas à moins de six lieues... Mais, en plus du besoin inconscient de discrétion qu'il ressentait et qui l'incitait à la solitude, Bowbaq *détestait* la foule. Pour lui, rencontrer plus de cinq inconnus dans une journée était une expérience extrêmement éprouvante. Aussi avait-il dû prendre beaucoup sur lui pour participer à chacune des réunions des héritiers de Ji.

Il avait même traversé une sorte de crise. Sa route l'avait amené la veille aux environs de Lermian, qu'il avait bien sûr contournée de très loin. Mais la simple proximité de la grande ville du royaume marchand et la recrudescence des voyageurs qui y était liée avaient suffi à le déstabiliser pendant un moment. Il avait connu un instant d'hésitation, se demandant ce qu'il faisait là, à des décades de voyage d'Ispen et des enfants, et courant à la rencontre de dangers probables.

C'était heureusement passé aussi vite que c'était venu, son sens du devoir ayant repris le dessus. Il fallait qu'il voie les héritiers, qu'il les prévienne. Ils étaient... ses seuls amis.

Il rassembla ses affaires, vérifia les attaches de son bagage et se lança dans une nouvelle course.

Yan n'en menait pas large avec Léti comme passagère, son chargement et son arc au côté, lui qui n'était monté sur un cheval que deux fois dans sa vie. Corenn s'en aperçut et lui donna quelques conseils pour s'installer, pendant que Grigán, excédé, faisait trépigner sa monture sur place. Lui avait pratiquement *vécu* à cheval, et était un cavalier accompli. Il avait du mal à comprendre qu'on puisse être aussi gauche.

Ils se mirent en route à un petit trot monotone. Au cours de leur progression, l'homme en noir se séparait souvent du groupe pour observer l'horizon en éclaireur, derrière chaque relief important du chemin. Léti appuya sa joue sur le dos de son ami et finit par s'assoupir. Yan ressentait une fierté qu'il savait imméritée et infantile, de voyager ainsi en pays inconnu avec son aimée, tel un chevalier protecteur avec sa princesse.

Mais c'était loin d'être une balade d'agrément, et il y avait plus d'une ombre au tableau.

Il entama une conversation à voix basse avec Corenn.

— Vous avez bien dit que Grigán vous avait sauvé la vie ? Qu'est-ce qui s'est passé ?

Corenn soupira et réfléchit un instant avant de répondre.

— Des hommes cherchent à nous supprimer. Pas juste une bande isolée, mais un groupe organisé. On les appelle les tueurs züu. Tu en as entendu parler ?

— Non.

— Bon. Ils font partie d'une secte religieuse, la Main de Zuïa. Tu as entendu parler de Zuïa ?

Yan se souvenait d'avoir lu quelque chose qui y ressemblait, dans l'un des quelques livres qui lui étaient passés entre les mains, mais il n'était pas certain de la prononciation.

— C'est une île de la mer de Feu, non ?

— C'est ça. C'est aussi la déesse principale de ses habitants. Une déesse justicière, devant qui l'on est censé comparaître après que ses *messagers* ont appliqué sa *sentence*...

Corenn s'arrêta, les yeux troubles. Elle se remémorait certainement des épisodes très pénibles. Yan était prêt à respecter son recueillement, mais elle reprit son explication, faisant visiblement des efforts pour se dominer.

— En fait, ces messagers ne sont jamais que des assassins, que n'importe qui peut engager en faisant une offrande au culte. Les Züu l'expliquent en invoquant la prédestination et la volonté divine : si quelqu'un paye pour la mort d'un autre, c'est Zuïa qui condamne le second par la voix du premier. Je suis sûre qu'ils en sont persuadés...

Yan resta songeur quelques instants.

— Pourquoi quelqu'un voudrait-il tuer Léti ? Et vous, je veux dire ?

— La *vraie* raison, nous l'ignorons. Il semble, seulement, que quelqu'un cherche à supprimer tous les héritiers.

Yan n'ajouta rien.

— Tu sais ce que sont les héritiers, n'est-ce pas ? Léti t'en a sûrement parlé ?

— À vrai dire, c'est une sorte de secret, *sacré* à ses yeux, alors on n'en parle jamais. Je sais que ça a un rapport avec vos ancêtres, c'est tout.

— Vu la situation je pense qu'il est préférable que tu saches tout...

Et Corenn lui raconta l'histoire de Nol et des émissaires, de leurs descendants, des réunions du jour du Hibou, du mystère toujours entier de cette aventure oubliée de presque tous. Cela lui fit du bien de parler de ces choses qu'elle n'abordait que très rarement avec des étrangers.

Yan, fasciné par le récit, comprenait maintenant mieux Léti et son respect des traditions. Il se sentit plus proche d'elle encore, mais en même temps plus éloigné. Lui n'était *pas* un de ces fameux héritiers.

Corenn conclut son histoire par la nouvelle des morts brutales de ses amis, sa course effrénée jusqu'à Eza, et leur voyage jusqu'à la rencontre avec les assassins et Grigán.

— Grigán est un descendant de Rafa Derkel. Les trois Züu qui nous ont attaquées avaient d'abord cherché à le tuer à Bénélia. Mais ils ne l'ont pas trouvé, et finalement c'est lui qui les a suivis jusqu'à leur cible suivante...

Elle marqua un silence.

— Nous serions mortes hier.

Elle semblait vouloir clore là la conversation. Yan patienta silencieusement un moment à ses côtés, puis fit avancer son cheval jusqu'à celui du guerrier.

— Corenn vient de me raconter ce qui s'est passé. Comment avez-vous pu échapper aux Züu à Bénélia ?

Grigán le dévisagea étrangement pendant quelques instants, au point d'embarrasser Yan.

— Tu me soupçonnes de quelque chose ?

— Non, bien sûr que non ! s'exclama-t-il. Je suis curieux, c'est tout !

Le guerrier prit un instant pour juger de la sincérité du pêcheur.

— Les Züu ne sont pas les seuls à vouloir ma peau. Si je ne gardais pas constamment un œil dans le dos, on m'aurait mis en terre depuis longtemps.

Il le planta là et lança son cheval au galop jusqu'au sommet de la prochaine colline.

C'était vraiment un drôle de personnage. Ils avaient de la chance de l'avoir avec eux, pensa Yan.

Corenn le rejoignit en souriant :

— Je ne sais pas ce que tu lui as dit, mais si tu l'agaces, *il va te botter le cul!* lança-t-elle avec une petite grimace, en imitant l'accent de Grigán.

Yan lui rendit son sourire. Heureusement que ses compagnons n'étaient pas comme le guerrier taciturne, sinon le voyage aurait paru bien long!

Il réalisa soudain qu'il ne savait même pas *où* ils allaient.

— On fuit au hasard, ou bien on a un but précis?

— Non, on ne fuit pas. Si on fuyait, on irait plutôt de l'autre côté, fit la Mère en indiquant l'ouest. Nous devons essayer de rencontrer d'autres héritiers; peut-être que l'un d'eux a des informations importantes. Et là, on avisera.

— Comment va-t-on en trouver d'autres?

Puis il comprit.

— À Berce, bien sûr. Votre lieu de réunion habituel. C'est là que tous les survivants iront.

Corenn acquiesça. Yan poursuivit :

— Je suppose que vous y avez pensé, mais... Si les tueurs sont aussi bien renseignés et efficaces que vous le dites, ils vont arriver à la même conclusion et nous attendre là-bas.

— Oui, certainement. Malheureusement, c'est la meilleure solution que nous ayons. On avisera.

Yan s'assombrit. On allait quand même beaucoup aviser dans les jours prochains. S'il n'était pas contre un peu d'aventure, plonger tout droit dans la gueule du loup était très loin de l'emballer.

— Vous pensez qu'on en rencontrera beaucoup?

— Je l'espère. Je n'aimerais pas avoir à me dire

que nous ne sommes plus que trois. Mais au vu de ma liste...

Elle ne finit pas sa phrase, et ils restèrent silencieux pendant un moment.

— Combien êtes-vous, normalement ? Je veux dire, combien étiez-vous avant ?

— Je ne sais pas exactement. Peut-être soixante-dix, ou quatre-vingts, mais il a dû y avoir des naissances depuis trois ans. Et tous ne venaient pas aux réunions, loin de là. Je ne connais pas les visages de la moitié d'entre eux. Et je suis sûre que certains *ignorent* même toute l'histoire. Xan avait le projet, cette année, de rassembler tout le monde. Ça n'avait pas été fait depuis très longtemps.

Yan fit un rapide calcul mental.

— Vous n'êtes pas nombreux, encore. Si l'on compte une moyenne de deux enfants par génération, depuis plus d'un siècle, votre nombre devrait dépasser largement la centaine

— Oui, c'est vrai. Peut-être est-ce mieux ainsi, vu les circonstances...

— Et... Combien sont morts ?

— D'après ma liste, trente et un adultes et enfants.

Corenn déglutit péniblement, puis détourna son regard.

— Elle est sûrement incomplète.

Yan cessa de la questionner. Malgré ses efforts pour se dominer, la Mère était visiblement de nouveau au bord des larmes.

Et lui-même mit un peu de temps à réaliser.

Ils s'arrêtèrent pour déjeuner en haut d'une colline, d'où l'on pouvait surveiller les allées et venues. Grigán s'installa un peu à l'écart, sous le couvert des arbres, et passa tout le temps de la halte à scruter l'horizon. Léti avait de meilleures couleurs ; dormir un moment, même sur un cheval, lui avait fait beaucoup de bien. Ils parlèrent peu et se remirent rapidement en route, l'anxiété de Grigán les ayant tous gagnés.

Léti s'installa derrière Corenn. Bien que plus à l'aise, Yan regrettait de ne plus chevaucher avec son aimée serrée contre son dos. Mais il leur fallait alterner, afin de ne pas fatiguer toujours la même monture.

Le reste de la journée allait être très monotone ; il en fut tout à fait sûr après quelques lieues franchies sans histoires. Comme aucun de ses compagnons ne parlait – tous absorbés par leurs pensées –, Yan décida de prendre son mal en patience et d'observer le paysage. Mais il fut rapidement lassé des végétaux de toutes tailles cachant l'horizon, et qu'on trouvait également près d'Eza. Aussi c'est presque avec plaisir qu'il vit Grigán revenir contrarié d'une de ses patrouilles de reconnaissance.

— Un cavalier nous rattrape, au grand galop. Il porte une robe de prêtre.

— Une robe *rouge* ? demanda Léti sur un ton assassin.

— Non. Mais ça ne signifie rien.

— Vous pensez que c'est un Zü ?

— Non, je ne crois pas. Ils agissent en groupe, le plus souvent. Mais je ne parierais pas ma vie là-dessus.

— Vous êtes certain que les trois qui vous ont attaqués hier sont morts ? intervint Yan.

— *Plus morts que les rois de Lermian*, répondit le guerrier avec un rictus inquiétant. Si je n'attaque jamais en premier, je ne laisse en tout cas aucun survivant chez mes ennemis intimes. C'est une règle de survie de base.

Yan eut la vision d'un Grigán tranchant sadiquement les gorges d'hommes blessés, râlant et suppliant. Il chassa cette idée avec effroi. Il voulait certainement dire qu'il frappait pour tuer, au cours des combats.

— Quelles sont vos suggestions ? demanda Corenn.

— On se cache. Il faut toujours éviter le combat, lorsqu'on peut le faire.

— On va devoir se cacher, comme ça, chaque fois qu'on rencontrera quelqu'un ?

Trois regards étonnés se tournèrent vers Léti. Elle avait parlé presque avec colère.

— Non, bien sûr que non, répondit sa tante sur un ton apaisant. Mais pour l'instant, c'est la meilleure chose à faire. Nous ne devons prendre aucun risque ; car nous miserions notre vie ! Tu comprends ?

— C'est juste un cavalier qui passe, rétorqua Léti boudeuse. Même si c'est un Zü, il est seul. Grigán le tuera facilement.

— Est-ce que tu te rends bien compte de ce que tu dis ?

La jeune fille ne répondit pas. Elle était peut-être allée trop loin, effectivement.

Grigán secoua la tête d'un air incompris, en menant le groupe assez loin sous le couvert des arbres où ils mirent pied à terre. Corenn tenta de ramener sa nièce à des pensées plus raisonnables.

— Le chemin que nous empruntons est le plus rapide de Kaul en Lorelia ; en fait c'est presque le seul. Les Züu vont forcément y patrouiller, s'ils se doutent que nous allons à Berce. Tu comprends ?

— Oui, oui, lâcha la jeune fille, excédée mais pas convaincue.

— On ne va pas se cacher tout le temps ; on le fait seulement parce qu'il existe une *possibilité* que le cavalier soit un assassin à notre recherche. Quand nous aurons passé Bénélia, nous serons beaucoup plus tranquilles. Ils ne peuvent pas surveiller toutes les routes loreliennes, à moins de disposer de centaines d'hommes.

— Dame Corenn, vous avez admirablement compris la situation ; je n'en attendais pas moins de vous.

— Merci, maître Grigán.

Yan s'était bien abstenu de participer à la discussion ; et surtout de donner raison à l'une ou l'autre des Kauliennes. Ce dont il n'avait surtout pas besoin, c'était d'être mêlé à une dispute. Et il sentait malheureusement que l'une ou l'autre allait bientôt le prendre à témoin.

Il fut tiré d'affaire involontairement par Grigán.

— Prends ton arc et suis-moi. Léti, si tu as fini ton caprice, essaie de faire taire ce cheval, s'il te plaît.

— Où allez-vous ? Je veux venir avec vous.

Le guerrier ne répondit pas et prit la direction du chemin. Yan fit une moue désolée et impuissante à l'attention de son amie, et s'éloigna à la suite de Grigán.

Jamais Léti n'avait été aussi humiliée. Elle se sentait assez de rage pour abattre un arbre rien qu'avec ses mains.

Elle alla voir le cheval rebelle, à qui elle imposa le silence par la seule force du regard. La pauvre bête eut la bonne idée d'obéir.

Léti passa ensuite un moment à faire les cent pas, puis n'y tint plus et laissa libre cours à sa colère.

— Tante Corenn ! J'estime Grigán, je suis contente de l'avoir à nos côtés, et je sais que nous lui devons la vie. Mais cela lui donne-t-il le droit de nous traiter comme des incapables, des fardeaux inutiles ?

Elle marqua un temps avant de continuer.

— Comment peux-tu le supporter, toi, une *femme*, une Mère du Conseil permanent ?

Elle regretta cette ultime réplique avant même de l'avoir achevée. Mais il était trop tard : Corenn, d'humeur toujours égale, reine de la diplomatie, sachant pardonner beaucoup de choses, la fixa avec gravité. Puis vint le sermon...

— Léti, est-ce que tu as déjà été traquée ?

— Non, répondit la jeune fille embarrassée.

— Est-ce que tu as déjà endossé la responsabilité de la vie de plusieurs personnes ?

— Non, non.

— Qu'est-ce que tu connais de la clandestinité ? Quelle expérience as-tu du danger ? Est-ce que tu sais seulement te battre ?

— Non, je ne sais pas me battre, je n'ai jamais tué personne, et je n'ai jamais mangé de méduse crue non plus. Voilà.

— Grigán, pour son malheur, a connu et connaît toutes ces horreurs. Aussi agit-il de son mieux pour notre bien, et nous devons lui faire confiance.

— Je ne dis pas le contraire ! Simplement : pourquoi demande-t-il à Yan de l'aider et pas à moi ?

— Ça n'a rien à voir avec toi. Ça vient de son éducation, de ses convictions. Pour lui – comme pour n'importe quel natif des Bas-Royaumes –, les femmes ne doivent pas se battre. Et à ta place, je renoncerais tout de suite à le faire changer d'avis.

— Mais c'est stupide ! Dans l'armée du Matriarcat, il y a des femmes, au même titre que les hommes, et qui font aussi bien qu'eux !

— Tu crois ? Il y a quelques capitaines, oui, peut-être, et un bon nombre de guerrières. Mais sont-elles vraiment aussi efficaces ?

Léti était atterrée. Toute son éducation était basée sur l'égalité entre les sexes, voire sur une certaine suprématie des femmes. Et voilà que la Gardienne des Traditions en personne lui disait le contraire.

— En quelque sorte, tu es de son avis, comprit-elle enfin.

— En quelque sorte. Je connais Grigán depuis longtemps, et je lui fais confiance. Je lui laisse avec joie la responsabilité de notre sécurité.

Léti n'en avait pas fini.

— Eh bien moi, je trouve qu'il a tort. Une femme peut sûrement faire aussi bien qu'un homme pour ce qui est de donner stupidement des coups d'épée.

Corenn préféra abandonner le sujet. La tournure que prenait cette conversation ne lui plaisait pas du tout. Ce dont elle n'avait surtout pas besoin, c'était que sa seule famille restante se mette en tête d'affronter en duel des assassins de profession.

Yan et Grigán s'installèrent à la lisière de la forêt, en un endroit où ils avaient une vue très profonde du chemin. Le cavalier s'était rapproché et ne serait plus long à les dépasser.

C'était un homme d'âge moyen, vêtu comme un prêtre, sans extravagance. Son comportement n'était pas spécialement suspect, mis à part sa précipitation. Yan était sûr qu'il n'avait rien à voir avec eux.

Encoche une flèche et prépare-toi.

Grigán avait planté sa lame courbe dans le sol devant lui et faisait de grands efforts pour tendre la corde d'un arc plus grand encore que celui de Yan. Le pêcheur aurait bien aimé attendre pour observer le guerrier, mais ç'aurait semblé trop louche. Il tira une flèche de son carquois, s'allongea sur le ventre et fit son possible pour l'encocher.

L'homme en noir l'observait avec incrédulité.

— Pas à terre ! Mais qu'est-ce que tu fais !

Yan se releva rapidement et affecta une attitude dégagée. Il ne fallait pas que Grigán s'aperçoive qu'il n'avait jamais touché un arc de sa vie...

Il espionna du coin de l'œil son compagnon et l'imita de son mieux. Tenir la flèche entre deux doigts, garder un bras tendu... Ça avait l'air facile.

— Tu tires uniquement si je le fais. Puis tu encoches aussitôt et tu attends mes ordres.

Grigán tint en joue le cavalier sur cent vingt pas au moins, jusqu'à ce qu'il échappe à leurs regards derrière un tournant du chemin. Mais ce ne fut que lorsque le bruit des sabots du cheval fut presque inaudible qu'il relâcha sa tension. Yan fit de même en tout point.

— Là-bas, à côté, tire ! lui cria le guerrier pratiquement dans l'oreille.

Yan pivota en bandant l'arc, chercha la cible du regard, crut la voir et lâcha tout. La corde lui râpa tout l'intérieur du bras tandis que la flèche glissait ridiculement sur le sol. Il fouilla fiévreusement les buissons du regard sans rien trouver.

Il sentit très bien, par contre, la tape un peu forte que Grigán lui donna sur la tête.

— Tu n'as jamais vu d'arc de ta vie ! Ose me dire le contraire !

Yan se tendit, furieux et vexé. Il sentait son visage rougir comme un lubillier et fut plus vexé encore d'être aussi transparent.

— Vous êtes fou ! Vous m'avez fait peur ! C'est dangereux, vous savez, j'aurais pu *tuer* quelqu'un !

— Ça ne l'est pas si l'on *sait* tenir son arme, rétorqua le guerrier sans se démonter. Tu n'aurais pas dû me mentir sur ce point.

La colère de Yan fondit comme neige au soleil, devant le ton calme et les arguments sensés de Grigán. Mais pas sa honte. Il se sentait maintenant comme un gamin pris en faute.

— Je préfère nettement savoir où on en est réellement. Si on avait vraiment dû se battre, ça aurait été dangereux pour toi, pour moi et donc pour les autres.

— C'est bon, c'est bon. J'admets que j'ai eu tort.

— Bien. Pour moi, la discussion est close. Maintenant, voyons ce que l'on peut faire de toi.

Il alla ramasser la flèche et expliqua en quelques phrases, et une démonstration par la pratique, quelle était la bonne position de l'archer. Yan écouta attentivement, puis tira de nouveau à la demande du guerrier. Le résultat obtenu fut satisfaisant : la flèche partit bien droit, et sans que la corde lui brûle le bras.

— Bien. C'est toujours ça. Il ne te reste plus qu'à apprendre à viser; là je ne peux rien pour toi.

— Je vais tellement m'entraîner que vous n'oserez même plus tirer, plaisanta-t-il pour montrer sa bonne volonté.

Ils regagnèrent leur petit campement improvisé. Yan se sentait toujours un peu honteux et stupide, mais plus confiant envers Grigán. Après tout, le guerrier taciturne n'avait qu'un souci en tête : leur éviter des ennuis.

Ils furent violemment apostrophés par Léti dès leur retour.

— Vous avez été longs ! Qu'est-ce qui s'est passé ?

— Rien. Tout va bien.

Le guerrier n'avait aucune envie de s'éterniser sur des explications inutiles.

— Grigán m'a montré comment tirer à l'arc. C'est plus difficile que je ne le croyais, mais ça va une fois qu'on a compris le truc.

— Contente de l'apprendre. J'espère que tu t'amuseras bien avec ton jouet pour *hommes*.

Et elle le planta là.

Yan était stupéfait. Il s'était déjà disputé avec Léti, mais jusqu'à présent il avait toujours au moins su pourquoi. Qu'est-ce qui lui prenait ?

Peut-être était-elle en colère parce qu'il montrait de l'intérêt pour une arme. Un objet fait pour *tuer*. C'était ça, elle méprisait les hommes parce qu'ils ne pensaient qu'à se détruire entre eux.

Non, ça ne tenait pas debout non plus. Tout à l'heure, elle avait fortement suggéré que Grigán les débarrasse du cavalier sans autre forme de procès.

Il s'avança pour lui parler puis changea d'avis. Que pourrait-il bien lui raconter ? Quand elle était dans cet état, tous les efforts de réconciliation étaient inutiles. Mieux valait attendre que les choses se tassent. Léti était encore sous le choc de ses émotions récentes, et son équilibre en avait pris un coup.

Ne restait qu'à espérer que ça lui passerait au plus vite...

— Rey ! Hé, Rey, c'est toi ? Rey !

Reyan lança l'un de ses jurons les plus grossiers. Alors qu'il avait réussi à quitter Lorelia sans faire de vagues, alors qu'il était remonté tout le long du Gisle jusqu'à la ville du Pont, alors enfin qu'il avait presque quitté le royaume en toute discrétion, voilà qu'un stupide type de sa connaissance hurlait son nom à tue-tête en pleine rue.

Il lui fit un petit signe de la main et alla à sa rencontre. Puisqu'il était découvert, autant ne pas se faire remarquer plus encore en réagissant bizarrement, comme en faisant le sourd ou en s'enfuyant à toutes jambes.

Ça le vexait *beaucoup* de se faire reconnaître comme ça, si facilement. Il avait passé un bon moment à concevoir un déguisement discret, mettant en œuvre tout son talent d'acteur pour choisir des vêtements lui donnant l'air plus vieux, plus grand, et moins lorelien. Mais bon, c'est vrai qu'il n'était pas allé jusqu'au maquillage, aucun postiche ni teinte ne pouvant tenir pendant tout un voyage. Il ferait mieux la prochaine fois !

C'était déjà heureux qu'il ait pu prendre ces défroques. Quand il avait réveillé Barle, trois nuits plus tôt, Reyan avait eu peur pendant un moment que son chef de troupe ne finisse le travail commencé par le Zü. Mais après une longue séance de critique sur les bons-à-rien-sauf-attirer-des-ennuis, les amuseurs, les rigolos, les plaisants, les fêtards qu'il s'était pourtant *juré* de ne plus prendre dans sa roulotte, tout cela sur un ton de voix bien au-dessus de la normale, Barle avait consenti à aider son jeune acteur. Il lui avait donné des vêtements, de la nourriture, et même, *sans qu'il l'ait demandé* – Reyan n'en était pas encore remis –, une bourse pleine de terces d'or, à l'unique condition qu'il revienne un jour jouer avec eux pour les rembourser.

Il avait ensuite immédiatement plié bagage avec toute la troupe, prenant la direction de Partacle en espérant traîner derrière lui les éventuels – probables, même – poursuivants de Reyan.

Mais tous ces efforts seraient stériles s'il se faisait repérer à cause de l'abruti qui continuait à faire de grands signes dans sa direction. Quel était son nom, déjà ? Tiric ? Iryc ? Rey pressa le pas et fut enfin à ses côtés.

— T'as pas besoin de hurler mon nom dans la rue, comme ça. Je ne suis pas sourd, lui dit-il en guise de salut.

— B'zoin de discrétion, hein ? J'suis au courant.

Rey observa son interlocuteur sans répondre. Celui-ci était visiblement très satisfait de son petit effet. Il arborait un sourire goguenard découvrant une dentition jaunâtre et très accidentée. Ses habits étaient crasseux, ses cheveux sales, et son haleine empestait la vinasse à un tic le gobelet.

D'où le connaissait-il, déjà ? Rey se souvenait avoir trinqué quelquefois avec lui et d'autres soûlards, mais ne se rappelait plus à quelle occasion – c'est-à-dire dans quel cabaret – il l'avait rencontré pour la première fois. Il est vrai qu'il connaissait ainsi des centaines de noms et des milliers de visages... C'était quoi son boulot à lui, déjà ?

L'affreux se dandinait ridiculement, très sûr de lui, les mains dans les poches.

— Mon vieux, je n'sais pas c'que t'as fait, mais t'es sûrement le type le plus demandé du coin, reprit-il. La Guilde offre deux cents terces pour ta tête. Mais tu l'savais déjà, non ?

La Guilde. Alors là, c'était vraiment la fin. Si les Züu étaient prêts à louer les services du crime organisé pour le retrouver, il fallait *vraiment* qu'il quitte le royaume au plus tôt. Il ne serait en sécurité nulle part en Lorelia.

— Darlane a même fait dire que si on n'te retrouvait pas avant les hommes à Safrost, il y aurait d'la purge dans les bandes. Les gars chuchotent que Darlane aurait tell'ment la trouille de louper c'contrat qu'y s'rait même prêt à envoyer péter les accords de la Grande Guilde. Mon vieux, y'a des types qui t'en veulent à mort, ça c'est sûr.

Safrost ? Rey en avait déjà entendu parler... Ça n'était pas le chef présumé de la Guilde goranaise ?

Pour ça, oui, il avait des ennuis... des ennuis qui le poursuivraient dans tous les Hauts-Royaumes.

— M'enfin, t'as pas à t'inquiéter, nous on est potes, comme frères. C'est pas moi qui t'balancerais, même pour tout c't'or. Tu m'connais.

Pas assez, justement. J'te connais pas assez, face de rat. Tu bosses pour la Guilde.

Rey lança des coups d'œil pressés autour de lui. Apparemment, personne n'était en train de s'approcher sournoisement pour lui planter une lame dans le dos. Mieux valait ne pas tenter la chance plus longtemps.

— Bon, eh bien tu comprends que je doive te laisser. Merci pour tes renseignements. On se reverra peut-être un de ces jours, lança-t-il à Iryc en espérant s'en débarrasser.

— Attends. J'peux p't'êt' t'aider. Dis-moi où tu vas, j'leur dirai qu't'es parti ailleurs.

Rey réfléchit un court instant, et prit sa décision.

— Je vais à Romine. Essaie de les envoyer vers Goran. Et si tu veux vraiment me rendre service...

Il empoigna une douzaine de terces dans sa bourse.

— ... ça m'arrangerait si tu pouvais m'acheter un cheval et un peu de bouffe. Maintenant que je sais tout ça, je vais essayer de ne plus me montrer. Tu n'as qu'à m'amener le tout à l'*Auberge du Pont*, tu connais ? Je t'attendrai là-bas ce soir.

Iryc sourit jusqu'aux oreilles en empochant les pièces.

— J'le f'rai. À c'soir, alors.

— C'est ça, à ce soir.

Ils se séparèrent et Rey s'engagea dans une ruelle, bifurqua rapidement dans une autre, puis une autre encore. Il s'arrêta après l'angle du mur et attendit un bon moment, dague en main et muscles bandés. Mais personne ne l'avait suivi. Les terces avaient mis l'affreux en confiance.

Ce soir, il ne serait sûrement pas à l'auberge. Si Iryc gardait le silence et les pièces, tant mieux. S'il se rendait au rendez-vous, eh bien il aurait gagné un cheval. Et si c'était un sale traître, ses chefs lui feraient payer sa bêtise à leur manière.

De toute façon, Rey venait de changer ses plans : plus question pour lui de tenter de se faire oublier, où que ce soit. Les Züu plus la Grande Guilde, ça faisait beaucoup trop d'ennemis pour lui tout seul.

Il fallait qu'il retrouve les autres héritiers.

Le jour même, il se mit en route pour Berce.

— Nous ne devons plus être très loin de Jerval. Il va falloir qu'on prenne quelques dispositions.

Yan scruta le guerrier des Bas-Royaumes avec curiosité. Si Grigán voulait prendre des *dispositions*, ça ne pouvait qu'annoncer des changements majeurs dans la chevauchée, jusqu'alors sans histoire, du petit groupe.

— C'est quoi ? Une grande ville ?

— Pas vraiment, non. Ça serait même plutôt le contraire, comparé aux cités royales loreliennes. Mais mieux vaut ne pas prendre de risques.

— On a besoin d'un quatrième cheval, rappela Corenn. Je pense qu'on aurait tort d'éviter le village.

— Je suis bien d'accord, d'autant plus que le détour nous retarderait inutilement.

— Alors, que proposez-vous ?

— Nous allons nous séparer. Temporairement, bien sûr, ajouta le guerrier devant les airs surpris de ses compagnons.

— Mais encore ?

— Vous, dame Corenn, ainsi que votre nièce, traverserez le village en tête. Je vous suivrai à une centaine de pas. N'allez pas trop vite, je ne veux pas vous perdre de vue. Passez sans vous hâter, c'est tout. Répondez si l'on vous parle, mais n'engagez pas la conversation.

— Et moi, qu'est-ce que je fais ? demanda Yan.

— Tu vas donner ton cheval à Léti. Tu vas entrer à pied, après nous, et tu en achèteras un autre. Si jamais ça tourne mal pour nous, tu files aussitôt. Sinon, tout ira bien, puisque les Züu ne te connaissent pas.

— Je me trompe peut-être, mais si le but de tous ces calculs est de passer inaperçu, ça ne marchera pas. Quand un cavalier traverse mon village, il peut prendre toutes les attitudes qu'il veut, tout le monde le dévisage. Ça devient même le sujet de conversation du jour.

— Pas à Jerval. C'est la première bourgade lorelienne après la frontière kaulienne. Il passe ici des cavaliers tous les jours ; comme celui de tout à l'heure, par exemple. Après tout, Bénélia n'est qu'à une journée de voyage ; les habitants ne vont pas lever la tête chaque fois que quelqu'un passe dans un sens ou dans l'autre !

— Et qu'est-ce qu'on doit faire, si on est attaqué ? demanda Léti d'un air provocateur.

— Vous galopez sans vous retourner. Je vous rattraperai après m'être chargé des suicidaires qui auraient oser me mettre de mauvaise humeur. C'est clair ?

Léti ne répondit pas. C'était clair, oui. Grigán n'entendait pas discuter de ses ordres.

Le guerrier donna quelques terces à Yan.

— Tu viens d'une ferme, pas très loin. Tu es seulement venu acheter un cheval pour ton père, et tu dois repartir aussitôt pour être rentré avant la nuit. Marchande un peu pour donner le change, mais n'y passe pas un décan.

Yan examinait les pièces avec intérêt. C'était la première fois qu'il voyait de la monnaie lorelienne.

— Combien coûte un cheval, normalement ?

— Sept ou huit terces d'argent, en général. Cède à neuf, et ton homme croira sans problème à l'histoire du garçon de ferme stupide... Tu crois que tu sauras jouer ce rôle ? glissa le guerrier avec ironie.

Yan releva la tête et le dévisagea, un peu vexé. Par Eurydis ! Mais Grigán *souriait* ! Il pouvait donc se montrer un peu humain ?

Il lui rendit son sourire. La plaisanterie était acide, mais pour une fois que le guerrier faisait un effort...

— Achète aussi quelque chose à manger, demanda Corenn. Du pain, du fromage, un peu de viande. Ça nous fera du bien de prendre un bon repas.

— D'accord.

— Essaie de tout prendre au même endroit. Pas la peine de laisser ton bon souvenir à tout le village.

— Oui.

— Et rejoins-nous rapidement.

— Oui. C'est tout ? Ça a l'air vraiment difficile de traverser un village *tellement* dangereux.

— C'est sérieux, Yan. Nous pourrions tous nous retrouver morts dans la prochaine décime. Essaie de ne pas l'oublier.

— C'est vraiment encourageant.

Ils firent halte peu après, le temps de laisser Léti monter sur le cheval de Yan. Puis elle et sa tante reprirent la route ; Grigán s'apprêtait à en faire de même quand Yan l'arrêta.

— Dites... Si c'est une idée que vous avez eue pour m'abandonner, je ne vais pas trouver ça drôle *du tout*.

Le guerrier lui fit face, gravement choqué.

— J'ai dit que tu pouvais venir avec nous, alors tu viens. Je n'ai pas l'habitude de manquer à ma parole.

Il lança son cheval au petit trop, puis se retourna après quelques mètres pour ajouter avec un sourire :

— En plus, c'est toi qui rapportes à manger !

Yan fut plus que rassuré. Apparemment, Grigán l'avait accepté à part entière dans le groupe. Tant mieux.

Il se mit en route à bonne allure pour le petit village. Ses compagnons lui manquaient déjà.

Malgré sa motivation, Yan mit quelque temps à parvenir à Jerval. Il était un peu tard pour y penser, mais ils auraient dû, lui et ses compagnons, se séparer beaucoup plus près de la petite bourgade. Ça lui aurait évité cette nouvelle marche forcée.

Il vit avec soulagement que tout avait l'air calme ; comme il l'avait deviné en observant les silhouettes à distance, les autres étaient passés sans problèmes. Heureusement.

Pour la première fois de sa vie, Yan n'était plus dans le Matriarcat. Intéressé, il tournait la tête dans toutes les directions afin de remarquer le plus de détails possible. Mais Jerval ressemblait finalement beaucoup à Eza et il fut assez déçu. Les habitants étaient habillés d'une façon originale, et l'architecture était inhabituelle. Voilà tout.

En fait, tous les villages des Hauts-Royaumes devaient se ressembler, et après tout celui-ci n'était qu'à deux jours de voyage du sien. Bénélia, Lorelia, *voilà* qui ferait du changement.

Il s'approcha d'une bande de gamins qui jouaient avec des épées de bois et leur demanda où l'on pouvait acheter des chevaux. Ils le regardèrent sans comprendre. Maudit, il avait parlé en kauli sans s'en rendre compte. Il reposa sa question en ithare, en espérant que ces gosses avaient reçu l'enseignement des prêtres eurydiens.

Leurs visages s'illuminèrent et ils l'entraînèrent au bout d'une ruelle où se trouvait un enclos. Un homme chauve et ventripotent vint à sa rencontre et entama la conversation avec lui sur un ton exclusivement marchand.

L'affaire fut vite traitée. Yan choisit un cheval, avec pour seul critère celui de sa couleur, car malheureusement il n'était pas expert en la matière. Puis on marchanda quelques instants pour tomber d'accord sur un prix de neuf terces pour la bête et un harnachement de base. Le jeune homme n'avait même pas eu besoin d'utiliser les mensonges prévus ; l'éleveur se fichait éperdument de ce qu'il allait faire de son cheval.

Yan demanda au plus grand des gamins qui l'entouraient toujours d'aller lui faire ses courses. Il lui tendit trois terces d'argent avec la promesse de lui laisser une part du butin. Le gosse partit en courant, le reste de la bande à sa suite.

L'éleveur apporta le harnachement prévu et libéra le cheval de son enclos. Yan tourna les sangles dans tous les sens et tenta maladroitement de les attacher à la bête, qui se déroba chaque fois. Le marchand finit par lui prêter main-forte, en secouant la tête d'un air las.

Enfin le cheval fut prêt, et Yan lui caressa le col tout en attendant les enfants. Ils étaient longs, tout de même... Il s'avança jusqu'à l'entrée de la ruelle et les chercha dans la rue principale. Un petit gamin détala en l'apercevant.

D'accord. Il avait appris quelque chose aujourd'hui : les enfants loreliens n'étaient pas forcément honnêtes.

Il fit lui-même ses achats avec l'argent qu'il lui restait, chargea sa monture et y grimpa. Il vit avec soulagement qu'elle se laissait faire. Puis il se dirigea vers la sortie du village.

Des rires venaient d'une rue transversale. Yan se pencha pour y regarder et y vit quelques-uns des gamins qui le montraient du doigt en pouffant. Il plissa les yeux et les désigna à son tour en imitant le bruit du serpent, comme s'il lançait on se sait quelle malédiction terrible. Les gosses ouvrirent de grands yeux et s'enfuirent à toutes jambes, complètement affolés. Yan fut agréablement surpris de son petit effet.

Il rejoignit Grigán, Corenn et Léti à moins d'une demi-lieue du village.

— Apparemment, tout s'est bien passé, commenta l'homme en noir.

— Vous plaisantez ? J'ai été attaqué par une bande de jeunes ogres qui m'auraient dévoré tout cru, si je n'avais pas pu m'en défaire par ma vaillance et ma ruse.

— C'est ça, c'est ça.

— Ils étaient au moins vingt, armés de couteaux longs de un pied, et de la bave coulait de leurs bouches à l'haleine putride et aux dents empoisonnées...

— Bien sûr. Allez, on y va.

— Leurs yeux injectés de sang me fixaient avec des envies meurtrières, et je croyais vraiment ma dernière heure arrivée quand celui qui devait être le chef leva son arme vers le ciel en hurlant de toutes ses forces une chanson que tous reprirent bientôt : *Le crabe et la langouste vont par deux, le crabe et la langouste sont heureux...*

— C'est une berceuse, non ?

— Oui, je n'ai pas compris non plus pourquoi ils chantaient ça.

Même Léti, qui voulait pourtant continuer à bouder, rit avec eux.

Grigán ne décida d'un arrêt que bien après le sixième décan, presque à la tombée de la nuit. Comme à son habitude, il guida le petit groupe hors du chemin, vers une petite forêt peu éloignée où ils s'enfoncèrent au hasard. Ils traversèrent une première clairière, puis une deuxième, et ce n'est qu'à la troisième, après avoir détaillé les environs, que le guerrier autorisa l'installation du campement.

Ils commencèrent par manger, la faim leur tenaillant le ventre. Tous se sentirent ensuite langoureux, la fatigue due au voyage et à leur dernière nuit, très mauvaise, se faisant insistante.

Yan commençait à se préparer une couche sommaire quand Grigán intervint :

— Mieux vaut prévoir une tente pour cette nuit. La couleur du ciel ne me dit rien qui vaille ; je ne serais pas étonné qu'on ait de la pluie.

— Maudit, je suis maudit. D'abord des ogres, et de la pluie, maintenant.

Rassemblant son courage, il prit sur lui de monter les deux tentes à leur disposition : celle de Grigán, et celle de Corenn. Il allait devoir dormir avec l'homme en noir ; ça l'aurait un peu ennuyé, d'habitude, mais ce soir il s'en fichait comme d'une peau de margolin, pourvu qu'il *dorme*.

Tous se couchèrent rapidement, sauf Grigán qui déclara vouloir veiller un peu et s'occuper des chevaux. Yan se demanda si cet homme se fatiguait jamais. Enfin, il admit une fois de plus qu'il était rassurant de l'avoir avec eux. Quant à lui, il s'endormit presque aussitôt.

Il se réveilla quelques décans plus tard, au milieu de la nuit. Le guerrier, allongé près de lui, se retourna silencieusement dans son sommeil. Yan ne l'avait pas entendu entrer, ni se coucher.

La pluie tombait, fine, sur la toile extérieure, et un léger vent faisait remuer le tissu détendu par endroits.

Yan se mit sur le dos et tenta de se rendormir. Il avait de nouveau mal à la nuque, où Grigán l'avait frappé la nuit précédente. Il se massa un peu, mais ça ne le soulagea pas beaucoup.

La douleur l'empêchant de s'assoupir, il laissa ses pensées vagabonder, comme il aimait à le faire.

Le jour d'avant, au même décan, il se débattait dans les taillis de la garrigue kaulienne. Maintenant, il était en Lorelia et partageait une tente avec un inconnu qui avait bien failli le tuer. Et demain, où serait-il ? Et encore plus tard ?

Bien que les circonstances ne s'y prêtassent guère, il était heureux que ces changements bouleversent sa vie routinière. Il était vrai, aussi, qu'il n'avait pas encore été confronté à de réels dangers, contrairement à Léti, à Corenn ou à Grigán.

Des gens cherchaient-ils *vraiment* à les tuer ? Malgré les témoignages de ses compagnons, il avait du mal à le croire. Comment pouvaient être ces tueurs züu ? En se basant sur la description qu'en avait faite Corenn, il les imaginait très grands et très forts, avec un regard de sadique, et vêtus d'une simple tunique teinte avec du sang. Tous, bien sûr, armés d'une dague projetant du poison sur des victimes suppliantes, comme le ferait un serpent insensible.

Il imaginait parfaitement, maintenant, l'homme habillé de cuir rouge. Il était de dos, et se retournait vers lui avec une lenteur extrême. Et le jeune homme reconnut avec horreur son visage : le tueur zü n'était autre que *Grigán* !

Yan se réveilla en sursaut.

Il s'était tout de même rendormi. Mais quel cauchemar...

Sa nuque lui faisait plus mal que jamais, et il se sentait un peu fiévreux. L'énervement, dû aux côtés réalistes de son rêve, sans doute.

Il décida d'aller faire un petit tour à l'extérieur. Il se mit précautionneusement à genoux et progressa lentement vers la sortie de la tente.

Une main lui attrapa fermement le mollet, et il ne put retenir un petit cri de surprise.

— Où vas-tu ?

La voix du guerrier n'était même pas ensommeillée. Yan s'appliqua à reprendre son calme.

— Je n'arrive pas à dormir. Je vais juste prendre l'air.

— Ne t'éloigne pas, ordonna Grigán en le lâchant. Et n'allume pas de feu.

— Mais non, mais non, répondit-il excédé.

Le guerrier lui avait vraiment fait peur.

La fraîcheur de la nuit et du crachin se chargèrent de le détendre. Il se massa une nouvelle fois la nuque, puis fit quelques pas au hasard, qui l'amenèrent près des chevaux. Grigán avait confectionné avec quelques branchages un toit improvisé pour les bêtes, et rassemblé du fourrage. Yan n'y avait même pas pensé. Il fallait qu'il apprenne tout ça : s'occuper des chevaux, tirer à l'arc, se repérer, tant d'autres choses encore... Lui qui avait toujours voulu voyager se rendait compte maintenant qu'il ne pourrait aller bien loin en ne comptant que sur lui-même.

Apprendre à tirer à l'arc... Tout de même, il espérait n'avoir jamais à tirer *réellement* sur quelqu'un.

Quoique... Si ce quelqu'un s'en prenait à Léti...

Cela lui amena une autre idée. Quel jour était-on ? Yan était loin de connaître son calendrier par cœur, et il en était probablement de même pour ses compagnons. Mais ce n'était pas grave, après tout. Le nom du jour importait peu ; tant qu'on n'oubliait pas que c'était le neuvième avant le jour de la Promesse.

Jusqu'à présent, ça ne se passait pas très bien. Léti était très affectée par les événements et Yan espérait qu'elle irait bientôt mieux. Il hésitait déjà beaucoup à faire sa demande *avant*... mais il n'y parviendrait jamais si l'humeur de la jeune fille ne s'améliorait pas.

La pluie commençait à s'infiltrer dans ses vêtements, et il ne tarda pas à regagner sa tente. Il fallait qu'il se force à dormir un peu : les jours prochains allaient probablement être très fatigants.

Maz Lana retint son souffle en poussant la porte d'entrée de la petite ferme perdue dans la campagne. Elle avait beau la savoir inhabitée et close depuis plusieurs décades, elle s'attendait plus ou moins à tomber nez à nez avec l'un des anciens résidants... ou son cadavre.

La maisonnée appartenait à la branche romine de sa famille, qu'elle n'avait jamais connue, mais qui descendait au même titre qu'elle de leur ancêtre Maz Achem.

Elle s'était lancée à leur recherche dès le lendemain de son arrivée au temple de Mestèbe, et à force de patience avait fini par retrouver le lieu où le sage émissaire avait vécu ses dernières années.

Elle n'avait pas été très étonnée d'apprendre que ses lointains cousins avaient été récemment assassinés, sans raison apparente. Étonnée, non. Affligée, oui. Car cette tragédie ne faisait que confirmer ses craintes.

La porte était bloquée ; verrouillée, peut-être. Lana fit le tour du petit bâtiment dans l'espoir de trouver une autre entrée, mais il n'y en avait pas, à moins peut-être de passer par le toit.

La prêtresse rejeta cette idée aussitôt, incapable de s'imaginer en train d'escalader un mur. Il ne lui restait qu'une chose à faire...

Elle s'empara d'une lourde pierre et se mit à marteler le bois à coups réguliers, tout en faisant de vives prières à Eurydis pour que personne ne la surprenne. N'étant pas stupide, elle avait bien sûr gardé le secret sur sa parenté avec les victimes, et n'avait aucun désir de gâcher sa couverture en se faisant surprendre en pleine effraction.

La serrure finit par céder, et Lana dégagea la porte de son montant avec quelques coups d'épaule donnés de toutes ses forces – ce qui n'était pas beaucoup.

Elle examina l'intérieur en haletant. Tout était sombre. Affreusement, horriblement sombre. En temps normal, jamais elle ne serait entrée là-dedans.

Mais on n'était pas en temps normal.

Elle rassembla son courage et entra à pas décidés, se dirigeant tout droit vers une lucarne condamnée dont elle défonça les planches de la même manière. Ses propres coups résonnaient violemment sur les murs en pierre, et elle se mit à frapper de plus en vite et de plus en plus fort, cédant peu à peu à la panique.

Enfin, la lucarne fut dégagée et la pièce suffisamment éclairée.

Lana s'accorda un instant de repos et de réflexion. *Ce qu'elle cherchait* ne se trouvait sûrement pas dans cette pièce faisant office de séjour et de salle à manger. Il fallait en tout cas l'espérer : les quelques meubles toujours en place étaient dans un état lamentable. Des suites d'un pillage, peut-être. Ou d'une possible bagarre entre ses cousins et les Züu. Ou d'un peu des deux.

Lana sentit l'angoisse et les larmes revenir. Ith était si loin ! Et surtout, elle était si seule face à des événements qu'elle ne comprenait pas, face à des situations au-dessus de ses forces, face à la violence...

Elle sortit quelques instants pour remettre de l'ordre dans ses idées. L'ambiance morbide de la maison lui faisait perdre son calme. Après une courte prière et surtout quelques encouragements, elle se sentit un peu mieux et reprit son investigation.

Elle cherchait quelque chose. Quelque chose de très important. Quelque chose de certainement *vital*. Et cela valait bien un petit moment d'oppression...

Elle fouilla donc la maison de fond en comble, dégageant chacune des fenêtres des pièces qu'elle traversait. Elle fit de son mieux, pendant tout ce temps, pour ne pas penser à ces cousins inconnus. Pour ne pas savoir, par exemple, à qui appartenaient ces jouets, ni ce qu'on avait fait à leurs propriétaires. Pour ne pas les imaginer en train de vivre. Pour ne pas s'avouer, enfin, qu'elle regrettait de ne pas avoir connu sa propre famille.

Le temps passant, elle vit diminuer de plus en plus ses espoirs. Et elle finit par admettre, à contrecœur, que l'objet n'était pas là. N'était *plus* là.

S'il avait jamais existé. Ce dont elle doutait encore.

Et il n'y avait à sa connaissance qu'un moyen sûr de le savoir. De *tout* savoir.

Elle abandonna la fermette après avoir adressé une fervente prière à Eurydis pour le repos des esprits de ses cousins. Puis elle se débarrassa du plus gros de la poussière de ses vêtements et remonta à cheval pour rentrer à Mestèbe.

Ce qu'elle envisageait de faire pour découvrir la vérité demandait beaucoup de préparatifs, tant matériels que spirituels.

Après tout, elle allait peut-être en mourir...

Yan se réveilla un peu avant l'aube. Grigán était déjà levé ; une fois de plus le jeune homme ne l'avait pas entendu. C'en était presque agaçant.

Il se vêtit sans fioritures et sortit de la tente. La journée allait être pluvieuse, le ciel était bas et gris.

Le guerrier n'était pas là, mais il n'y avait sûrement aucune raison de s'inquiéter. La tente de Corenn et

Léti était encore fermée ; Yan espéra qu'elles avaient pu passer une bonne nuit, après leurs émotions de la veille.

D'ordinaire, le matin, il allait nager un peu si le temps était beau, ou se contentait d'ablutions sommaires dans le cas contraire. Puis il rejoignait Léti pour grignoter quelque chose avant les occupations de la journée.

Ça se présentait plutôt mal pour les ablutions ; mais on devait pouvoir faire quelque chose pour le déjeuner. Il fit quelques pas sous les arbres et ne tarda pas à découvrir avec un grand plaisir un jeune lubillier dont les fruits, quoique peu nombreux, feraient très bien l'affaire. Léti adorait ces tiges consistantes et sucrées, dont Norine faisait autrefois des liqueurs.

Il tomba plus loin sur un nid de virvois abandonné où restaient encore trois œufs. Deux autres avaient été cassés et gobés par un merle charognard peut-être, ce qui expliquerait l'abandon du nid. Yan ramassa les œufs en espérant que Grigán le laisserait allumer un petit feu. Les œufs crus n'étaient pas ses préférés.

Enfin, il tomba sur un noisetier dont il déchargea les branches. Personne n'en prendrait au déjeuner, mais il n'avait jamais pu passer devant des noisettes sans en ramasser un sac plein.

Il revint au campement en constatant la richesse de la forêt lorelienne. Une promenade dans la garrigue du Sud kaulien aurait été moins fructueuse.

Grigán était revenu, lui aussi. Il était en train de refermer des gourdes qu'il avait laissées ouvertes la veille au soir. La pluie leur avait fourni de l'eau.

Yan se dit qu'il aurait dû y penser aussi. Il y avait deux puits à Eza, bien plus qu'il n'en fallait pour les quelque deux cent trente villageois, aussi l'idée qu'ils puissent manquer d'eau ne lui était pas venue à l'esprit. Pourtant, il avait lui-même installé un petit système de récupération d'eau de pluie chez Norine...

Le guerrier était lui aussi allé chercher de quoi manger, bien que les provisions de la veille ne fussent pas épuisées. Il avait récolté une grosse quantité de noyaudes et abattu un faisan marin. Yan fut un peu chagriné de ne pas être le seul à en avoir eu l'idée. Il mit ses trouvailles avec les autres et s'approcha de Grigán.

— Bonjour.

Le guerrier le regarda avec une pointe d'étonnement.

— Bonjour aussi.

— Vous avez bien dormi ?

— Oui. Merci.

Un silence s'installa. Grigán préférait visiblement s'affairer autour de ses gourdes et de ses sacoches qu'échanger des politesses. Yan s'éloigna un peu, puis soudain inspiré se précipita dans sa tente. Il en ressortit avec l'arc et les flèches qu'on lui avait confiés.

Il s'éloigna un peu du camp pour ne pas avoir à supporter le regard critique du guerrier, ni ses remarques forcément moqueuses. Il s'arrêta après une centaine de pas et se choisit une cible : une drôle de marque, comme un nœud, dans l'écorce d'un arbre éloigné.

Il mit une décille au moins à tendre l'arc correctement et à viser. Enfin il lâcha prise en redoutant la douleur, sanction immédiate d'une mauvaise manipulation.

La flèche partit normalement, mais passa à plus de deux pas de la cible pour s'enfuir plus loin dans les broussailles. Yan se rendit compte alors qu'il allait sûrement perdre toutes ses flèches en s'entraînant de cette façon. Il récupéra la première et se choisit un nouveau but : un groupe de jeunes troncs serrés, qui devraient arrêter même ses plus mauvais essais.

Il tira une vingtaine de fois, son meilleur résultat étant de se rapprocher à un peu plus d'un pied de la cible. Son bras se fatiguait et il commençait à désespérer ; ça allait être plus difficile que prévu.

— Tu me laisses essayer ?

Léti était à quelques pas derrière lui. Elle avait certainement vu ses derniers tirs ; Yan ne se sentait pas glorieux. D'autant plus que Léti n'aimait apparemment pas qu'il se serve de l'arc.

Mais au fait, pourquoi voulait-elle essayer, alors ?

— Je t'en prie.

Il passa l'arme à Léti, dont le visage s'illumina. Bien sûr, quel idiot il était ! Elle s'était sentie mise à l'écart par les deux hommes. Il aurait dû le comprendre avant ; Léti n'était pas du genre à se faire materner outre mesure.

Il lui répéta de son mieux les conseils que lui avait donnés Grigán, et elle se mit en position.

— Qu'est-ce que tu visais ?

— Le tronc un peu tordu, là, devant les autres. Mais il n'arrête pas de bouger, ajouta-t-il en riant.

Léti sourit et tira progressivement sur la corde. C'était vraiment très dur. Elle plissa les yeux, serra les dents et banda ses muscles le plus possible. Malheureusement, l'arc ne se tendait pas beaucoup. À bout de force, elle lâcha prise et la flèche fit un petit bond en avant pour atterrir à plat sur le sol, une douzaine de pas plus loin.

— C'est pas grave, dit aussitôt Yan pour la consoler. C'est parce qu'il est trop tendu, voilà tout. On doit pouvoir trouver des arcs un peu plus légers.

Il avança la main pour la débarrasser de l'arme.

— Attends. Donne-moi une autre flèche, si tu veux.

Yan s'exécuta. Ça ne servait pas à grand-chose, à son avis : elle avait déjà trop fatigué son bras à lancer la première, et ne pourrait faire que moins bien avec la seconde.

Léti encocha, prit la position et tira sur la corde. Puis elle orienta son arc vers le haut, la flèche pratiquement dirigée sur la cime des arbres. Yan crut à une défaillance physique de son amie et allait venir à son aide, mais elle tira avant.

La flèche décrivit une trajectoire courbe qui se termina en plein sur le tronc-cible, où elle se planta chichement un instant, avant de chuter au sol.

Yan resta bouche bée, les yeux vissés sur l'entaille faite par la pointe dans le bois. Léti lança un grand cri d'une joie sauvage avant de se retourner vers lui.

— Tu as vu ? Je l'ai fait, Yan. *Je l'ai fait*. Je ne suis pas plus mauvaise qu'*un* autre. Je l'ai fait !

Le pêcheur se sentait pour sa part *très* mauvais. Léti avait vraiment tous les talents, et lui, aucun.

Il ne ressentait pas de jalousie, mais plutôt une réelle admiration pour celle dont il pensait souvent ne pas être digne. Il examina son visage parfait, le voile brun de ses cheveux abondants, ses yeux pétillants où on lisait l'amour de la vie, sa bouche qui dévoilait un sourire heureux. Elle devrait *toujours* être comme ça. Yan se promit de faire n'importe quoi pour qu'elle soit toujours comme ça.

Léti alla rechercher la flèche, qu'elle lui rendit en même temps que l'arc.

— Tiens. Je n'ai pas envie de me battre dès ce matin avec Grigán le Grincheux. J'ai ma réponse. Allons déjeuner.

Yan se demanda de quelle réponse il s'agissait, et surtout de quelle question. Mais il s'abstint de le lui demander ; mieux valait essayer de la garder de bonne humeur toute la journée. Et puis, tant qu'il n'était pas la victime de ses sobriquets...

Ils mangèrent avec plaisir les mets récoltés et un peu de ceux qui restaient de la veille. Corenn aussi avait meilleure mine ; elle qui était restée taciturne pendant toute la soirée du jour précédent, menait maintenant la discussion en plaisantant sur les capacités culinaires des deux hommes qui se restreignaient selon elle à « aller cueillir quelque chose sur une branche ». Yan protesta un peu pour la forme, et même Grigán lança une ou deux reparties volontairement provocantes. Personne ne prit tout cela au sérieux et ils se mirent bientôt en route pour une nouvelle journée de voyage.

Une pluie brumeuse mais insistante commença à tomber en milieu de matinée, vers la fin du deuxième décan. Chacun se couvrit comme il put, en espérant qu'elle cesse rapidement. Ce qu'elle fit, pour reprendre malheureusement peu après avec plus de force.

Le chemin s'était fait route peu à peu, que d'autres voies croisaient ou rejoignaient. Grigán fit bifurquer sa petite troupe dans l'une des plus larges, qui remontait vers le nord.

— Je pensais que Bénélia était droit devant nous ? s'étonna Corenn.

— Elle l'est, c'est vrai. Mais je préfère faire un détour et réduire le plus possible les chances qu'ont les Züu de nous retrouver... si toutefois ils nous cherchent. Ils ne sont sûrement pas encore au courant de la mort des trois autres.

— Qu'avez-vous fait des corps ? demanda Yan sur une soudaine inspiration.

— Laissés sur place. Ne t'attarde jamais sur un cadavre, si tu veux vivre longtemps. Surtout dans les Hauts-Royaumes, ajouta le guerrier avec un sourire énigmatique.

— Vous les avez fouillés ?

Grigán plissa les yeux.

— Pourquoi aurais-tu voulu que je les fouille ?

— Je ne sais pas... Il y avait peut-être des choses à apprendre, des machins qui auraient pu nous servir... Vous n'avez pas été tenté de prendre leur bourse, par exemple ? osa enfin Yan.

Grigán le dévisagea avec gravité. Même à travers le rideau de pluie, le jeune homme pouvait sentir l'intensité du regard posé sur lui. Maudit, il avait une fois de plus contrarié le guerrier à l'étrange sensibilité.

— Tu l'aurais fait, toi ? Tu aurais *dépouillé* un mort ?

Yan ne réfléchit qu'un instant.

— Non, je crois que non. Non, bien sûr, déclara-t-il sincèrement après un instant de réflexion.

— Tant mieux.

Grigán avait l'air vraiment sérieux. Yan se promit d'apprendre à tenir sa langue. Il lança un regard discret aux deux Kauliennes. Corenn arborait un léger sourire amusé, et Léti semblait contrariée, par la pluie peut-être.

Quoi qu'il en soit, il avait le sentiment de s'être fait gronder comme un gamin, devant ses amies, qui plus est. Et ça arrivait beaucoup trop souvent depuis quelque temps. Aussi revint-il à la charge, un peu stupidement...

— Je les aurais quand même fouillés. À mon avis, vous auriez dû les fouiller.

— Tu veux qu'on y retourne ?

Corenn préféra intervenir, sentant qu'une dispute pointait à l'horizon.

— On a quitté les lieux tout de suite après pour ne pas se faire repérer. On n'aurait donc *de toute façon* pas eu le temps de faire quoi que ce soit. Alors inutile d'en débattre.

— Dame Corenn, j'apprécie décidément votre intelligence, répondit le guerrier. Et vous savez quelle est la valeur de ce compliment, venant de la part d'un vieux célibataire aux idées étroites comme moi.

— Je le considère et vous en remercie, maître Grigán. J'espère que vous saurez vous en souvenir quand, à mon tour, je serai d'un avis contraire au vôtre, répondit-elle avec un sourire malicieux.

— Puisse ce jour ne jamais venir ; car il verrait ma liberté mourir pour celle d'une femme, dame Corenn. Je préfère avoir tort avec vous, que raison contre vous.

Yan n'en croyait pas ses oreilles. Ils l'avaient complètement oublié. Et qu'est-ce que c'était que ces manières de parler ? Il se tourna vers Léti pour observer sa réaction ; la jeune fille observait sa tante et son « oncle » en souriant béatement ; il n'arrivait pas à comprendre pourquoi. Très bien, puisque tout le monde l'ignorait, il décida d'ignorer tout le monde.

Il ne tint pas longtemps, sa bonne nature l'empêchant de bouder longtemps, son intelligence l'avertissant du ridicule d'une telle attitude, et surtout personne ne faisant davantage attention à lui qu'auparavant.

Le petit groupe croisa un trio de cavaliers environ une lieue après leur changement de direction. Grigán ne donna pas l'ordre de se mettre à couvert ; en fait il ne faisait même plus d'excursions en éclaireur. Yan supposa qu'ils étaient plus en sécurité, maintenant qu'ils étaient sur un des nombreux chemins secondaires.

Ils progressèrent ainsi en silence pendant quelques lieues, croisant, dépassant ou se faisant rattraper par un nombre croissant de piétons et de cavaliers. Ils rencontrèrent même une voiture excessivement décorée, tirée par six chevaux, que conduisaient deux hommes en livrée arborant une expression hautaine qu'ils avaient dû copier sur leur passager – apparemment un noble lorelien. Yan suivit le carrosse des yeux aussi loin qu'il le put. On ne voyait pas, et on ne verrait jamais de tels équipages à Kaul. Pourrait-il un jour voyager de cette façon ?

Ils traversèrent deux villages semblables à Jerval, ou à Eza en fait. Yan ne demanda même pas leurs noms.

À la fin du troisième décan marquant l'apogée, et alors qu'ils traversaient de nouveau un village, Corenn fit s'arrêter sa monture devant la façade d'un bâtiment de belle taille.

— Grigán, que diriez-vous de faire une halte dans cette auberge ? J'ai pris tellement d'eau sur la tête, ce matin, que j'ai l'impression qu'il me faudra un siècle pour sécher.

— Dame Corenn, j'aimerais accéder à votre désir, et j'avoue que je ne serais pas moi-même contre un gobelet de vin et un repas cuit devant un bon feu de cheminée. Mais la prudence m'en empêche : si nous pouvons chevaucher sans crainte des rencontres, j'ai bien peur qu'il nous faille attendre Bénélia pour nous exposer à des regards inconnus.

— Vous avez sans doute raison, reconnut-elle. Veillez sur nous, maître Grigán, ou je laisserai rapidement ma fatigue avoir raison de mon bon sens.

— Je doute que cela arrive jamais, dame Corenn. Mais ce sera un plaisir de prendre soin de vous.

Ils se remirent en route au petit trot. Léti s'approcha discrètement de Yan.

— Tu as vu ce qui se passe ? Ils se font la cour !

Yan eut un violent hoquet de surprise. Il eut soudainement envie de rire très fort, mais cette envie s'éteignit très vite sous le regard sérieux de Léti.

— Ils ne se font pas la cour, ils discutent...

— Bien sûr que si. Tu as vu comme ils se parlent ?

Léti avait l'air convaincu, et très heureuse aussi. Yan se sentait une fois de plus un peu stupide. Quoi, il fallait lui donner du « dame Léti » pour lui plaire ? Il n'était pas contre un essai, si elle ne lui riait pas au nez comme c'était malheureusement probable. Quelque chose lui échappait. Depuis quelque temps, *beaucoup* de choses lui échappaient.

Il examina le guerrier et la Mère, le combattant et la diplomate, l'homme sans loi et la Loi. Non, rien ne les rapprochait, si ce n'était leur âge voisin. Comment pourraient-ils être ensemble ? Léti s'imaginait-elle que Grigán allait faire une demande à sa tante au jour de la Promesse, comme un jeune homme timide à une jeune fille hésitante ?

À cette pensée, Yan eut de nouveau envie de rire. Cette idée lui faisait envisager le jour fatidique avec – un peu – moins d'appréhension. Il se promit d'y repenser chaque fois que le sujet le tourmenterait, c'est-à-dire pratiquement tout le temps.

Ils croisèrent de plus en plus de monde au fur et à mesure qu'ils approchaient du fleuve. Des paysans, des cavaliers, des marchands et leurs caravanes... Yan détaillait chaque particularité de ces personnages avec une curiosité avide.

L'un d'eux guidait un troupeau d'animaux étranges, sorte de mélange entre un chien et un mouton. Un autre portait une arme insolite ; comme une épée à deux lames, une de chaque côté du manche. Un autre encore menait un âne portant de grands paniers d'énormes fruits de couleur rosée. Ceux-là marchaient en file indienne, la tête basse, psalmodiant quelques mots inintelligibles – des fidèles d'un culte inconnu. Celui-ci encourageait ses six femmes à accélérer le pas pour ne pas perdre son cheval de vue. Ces deux autres se querellaient dans une langue baroque. Celle-là...

— Ne dévisage pas les gens ainsi, Yan, lui dit Corenn.

— Je ne veux pas les gêner, bredouilla le jeune homme. Mais ils sont tous si... étranges !

— *Tu* leur parais tout aussi étrange. Chacun paraît étrange aux yeux d'un autre. Mais la courtoisie veut que l'on ignore ces détails.

— Ce n'est pas juste une question de politesse, précisa Grigán. L'un de ces types pourrait venir te chercher querelle.

— Simplement parce que j'ai les yeux sur lui ? Tout de même pas !

— Continue, et tu verras. Je ne te donne pas jusqu'à cette nuit pour te faire insulter ou prendre un mauvais coup.

Yan préféra ne pas répondre. Dans le doute, il fut plus discret dans son observation.

Ils atteignirent le Gisle peu avant la tombée de la nuit. Des dizaines de personnes attendaient là le bac qui les mènerait sur l'autre rive. Le fleuve était assez large et devait être profond, ce qui expliquait pourquoi personne ne traversait à gué. Ils mirent pied à terre et se dégourdirent les jambes.

— C'est autre chose que la Mèche, tout de même, dit-il à Léti.

— Pff, fit Grigán d'un air dédaigneux. La Mèche, c'est à peine une grosse rivière. Et ça, le Gisle, c'est rien du tout. Tu devrais voir l'Alt.

— J'aimerais bien, répondit le Kaulien d'un air rêveur. Un jour ou l'autre, si je peux.

Corenn appela les jeunes gens auprès d'elle.

— Regardez, au sud, les petites lumières. Vous les voyez ? C'est Bénélia.

— C'est beaucoup plus beau vu d'ici, dit Léti. Je ne me souviens que de la puanteur et de la saleté des rues. Rien à voir avec Kaul !

— Comment alliez-vous à Berce, avant ? demanda Yan. Je veux dire, si vous ne preniez pas le bac ?

— On prenait le bateau à Bénélia et on débarquait à Lorelia, tout simplement, lui répondit la Mère. Mais la traversée n'est pas à la portée de toutes les bourses, surtout si tu as des bagages. Il faut payer deux fois la taxe royale pour les marchandises : une fois dans chaque ville. Aussi les petits marchands préfèrent-ils prendre un bac un peu plus haut sur le fleuve, ici ou à quelques lieues. De là : marche jusqu'au Vélanèse, traversée, et nouvelle marche jusqu'à Lorelia. Ce que l'on va faire.

— C'est certainement beaucoup plus long.

— C'est aussi beaucoup moins risqué, intervint le guerrier. À la place des Züu, je me posterais sur les quais bénéliens pour avoir une chance de nous pincer. Tandis qu'ils ne peuvent pas surveiller les allées et venues de tous les bacs.

Celui qu'ils attendaient n'était qu'à la moitié de son trajet, et ne devrait pas arriver avant un petit moment. Yan décida de mettre ce temps à profit pour explorer un peu les environs, mais Grigán l'interpella dès qu'il fit mine de s'éloigner.

— Où vas-tu ?

— Juste faire un tour.

— Pas question. Tu restes ici.

Yan se figea, indécis. Il avait promis d'obéir, d'accord, mais le guerrier y allait un peu fort...

— J'y vais, moi aussi, déclara soudain Léti d'une voix défiante.

— Ce n'est peut-être pas une bonne idée, dit Corenn. Tous ces gens, ici, ne sont pas comme les villageois de Kaul. Vous me feriez plaisir en restant avec nous.

Présenté comme ça, Yan voulait bien céder. Mais Léti sentit fléchir le jeune homme et l'entraîna par le bras avant qu'il ne puisse dire un mot.

— On va juste marcher un peu ! Apprenez à nous faire confiance !

Grigán et Corenn les regardèrent s'éloigner pendant quelques instants, à leur tour indécis sur la conduite à tenir.

— À votre avis, si je les ramène par la peau des fesses, c'est un manque de diplomatie ?

— Ils le verraient sûrement ainsi, maître Grigán. Peut-être vaudrait-il mieux fermer les yeux sur ce caprice, et abuser de notre autorité pour des situations *vraiment* dangereuses ?

— Je me range donc à votre avis. Mais j'espère

presque qu'il leur arrivera quelque chose, histoire de leur remettre la poutre sous le toit !

Le guerrier trépigna pendant quelques instants en se lissant la moustache, signe chez lui de nervosité.

— M'en voudrez-vous si je vous laisse seule un moment avec les chevaux ? décida-t-il enfin. Je vais tout de même aller traîner derrière nos protégés, histoire de voir si tout va bien...

— Faites, mon ami, répondit-elle en souriant. Je n'en attendais pas moins de vous.

Grigán marmonna un remerciement et s'éloigna à bonne allure.

Comment se pouvait-il que la situation lui échappe ainsi sans arrêt ?

Une poignée d'échoppes disséminées sur la rive près du petit pont d'embarquement étaient l'unique attraction des environs, si l'on omettait une auberge à quelques centaines de pas. Léti voulant simplement faire la preuve de son libre arbitre, elle s'était contentée de marcher droit devant elle, jusqu'à ce que Yan la guide vers le petit marché qui avait attiré son attention. Guère intéressée au départ, la jeune Kaulienne y prit par la suite beaucoup de plaisir.

Outre les légumes, fruits, viandes, poissons, fromages, pains et boissons diverses proposés la plupart du temps, et qui déjà paraissaient étranges et de qualité douteuse, étaient vendus talismans ésotériques ou religieux ; cartes du monde connu *et* inconnu ; objets singuliers dont Yan et Léti ne reconnurent ni la provenance, ni l'usage ; herbes et onguents divers ; armes légères...

Léti s'était arrêtée devant ce dernier étal et détaillait avec convoitise chacun des objets présentés. Yan patientait silencieusement à ses côtés, espérant qu'elle ne se mettrait pas en tête d'acheter quelque chose à cet endroit. Il avait déjà assez d'appréhension concernant ce qui les attendait à leur retour auprès de Grigán.

La jeune Kaulienne s'intéressait à quelque chose en particulier. Yan s'aperçut qu'il s'agissait d'un arc. Maudit, il allait bientôt avoir des ennuis...

Une vieille femme en haillons baragouina soudain quelques mots à leur intention.

— Je ne comprends pas, lui répondit Léti d'une voix claire.

La vieille leva les bras et les yeux au ciel dans une attitude de remerciement. Elle était au moins aussi sale que le vieux Vosder, pensa Yan. Il n'aurait pas cru que ça pouvait être possible.

— Des Kaulins ! marmonna-t-elle dans un kauli plus qu'approximatif. Des Kaulins ! J'en être sûre.

— On dit *Kauliens*, répondit sèchement Léti. Et j'en *étais* sûre. Et, surtout, on ne vous a rien demandé.

Elle lui tourna franchement le dos, pour accorder de nouveau toute son attention à l'étal. Yan allait en faire autant mais la vieille s'adressa directement à lui, en tirant avec insistance sur la manche de sa tunique.

— Veux-tu savoir ton avenir ? Pour trois tics, je te donne le jour de demain.

Yan se dégagea tant bien que mal. Cette vieille avait de la poigne. Pourquoi ce genre d'ennui tombait-il toujours sur lui ?

— Non, merci. Ça ne m'intéresse pas.

— Si, Kaul*ien* Ça te intéresse. Demain intéresse n'importe quel gens.

Léti se retourna brusquement et fit face à la vieille casse-pieds. Décidément, ce soir, tout le monde voulait leur donner des ordres. Si ce n'était son respect – relatif – pour les aînés, dû à son éducation dans le Matriarcat, elle aurait déjà bien précisé sa façon de penser à cette enquiquineuse.

Yan essayait en vain de s'en débarrasser sans être impoli.

— Non, non, vraiment. Demain ne m'intéresse pas.

Il se rendit compte qu'il disait vraiment n'importe quoi.

— Si, Kaul*ien.* Demain te intéresse. Donne-moi trois tics, et je te dis tes bonheurs et tes malheurs. Quand tu être riche et quand tu feras Union. Quand tu as enfants et combien tu vis longtemps.

Yan réfléchit un court instant. Il avait toujours l'argent de Grigán sur lui ; il le sortit et commençait à le trier dans sa paume devant lui, lorsque la vieille y piocha avidement trois pièces. Il n'était pas sûr, mais... n'avait-elle pas pris une pièce plus grande que les deux autres ?

Léti secoua la tête d'un air désapprobateur. Le jeune homme savait bien ce qu'elle pensait. Toutefois... la vieille avait parlé de quelque chose qui l'intéressait ; *quand tu feras Union.*

— Bien, bien. Prête à moi un objet. Un que tu tiens beaucoup. Un que tu as longtemps.

Yan réfléchit quelques instants. Qu'est-ce qu'il pourrait bien lui donner ? Chez lui, oui, il avait un tas de souvenirs et d'objets fétiches, provenant de ses parents, de Léti, de Norine, ou encore de ses propres expériences... Comme son arbalète-harpon, par exemple. Mais ici ?

Il fit mentalement la liste de ce qu'il avait sur lui. Et se souvint enfin. Sous sa tunique, pendu à son cou, le coquillage de Léti. Celui qu'elle lui avait offert alors qu'ils étaient âgés de huit ans à peine, et qu'il n'avait jamais quitté. Le petit *reine-lune* bleu qu'elle lui avait donné comme *témoignage*, peut-être par jeu d'enfant, mais qu'il avait toujours pris au sérieux.

Oh ! bien sûr, il avait déjà dû changer plusieurs fois le lacet de cuir. Mais jamais il n'avait passé plus d'une journée sans ce coquillage autour du cou, depuis qu'il le possédait. C'en était devenu tellement naturel qu'il n'y pensait même plus. Oui, s'il devait désigner un objet important dans sa vie, c'était celui-là.

Il le sortit de sous sa tunique, hésita à l'enlever, mais céda pour éviter le ridicule. Léti lui lança un regard qu'il ne sut déchiffrer. Était-elle vexée qu'il l'enlève ? Ou, peut-être, trouvait-elle stupide le fait d'avoir conservé cette babiole après toutes ces années ? Ou encore ne se souvenait-elle même pas de le lui avoir offert ? Il préféra ne pas y penser et consacrer toute son attention sur la vieille.

Cette dernière serra le coquillage dans ses deux mains jointes, après l'avoir longuement examiné. Elle ferma les yeux dans une attitude recueillie et commença à balancer la tête en de lents mouvements exagérés. Yan réalisait le grotesque de la situation, mais il était trop tard pour faire marche arrière. Et puis, malgré tout, il était curieux d'entendre ce qu'on allait lui raconter, aussi faux que ça puisse être.

La vieille émit un long râle chevrotant, que l'on pouvait interpréter comme le signe d'une grande souffrance, ou au contraire comme une sorte de soupir de soulagement. Puis elle rouvrit les yeux.

— Tu être pêcheur.

Yan attendit la suite patiemment, puis comprit que la vieille attendait une confirmation de sa part. Il la lui donna d'un signe de tête.

La vieille sourit, tout en continuant à tourner la tête comme une roue de carriole.

— Tu veux faire quelque chose. Tu veux pas être... pêcheur, seul.

Yan, ne sachant quoi faire d'autre, acquiesça de nouveau. La vieille eut un genre d'esclaffement étranglé.

— Tu veux fort un femme, jeune. Hein ?

Le jeune Kaulien ne fit aucun geste. Il aurait voulu dire oui, mais il redoutait la réaction de Léti.

La vieille eut une nouvelle moue, presque moqueuse.

— Maintenant, je te donne demain.

Elle referma les yeux, poussa un nouveau soupir, puis se mit à parler d'un ton grave et monocorde.

— Tu unies la femme que tu veux prochain an. Elle être chef ton village. Toi jamais pêcher. Voyager beaucoup. Puis tu as fort argent. Très heureux. Puis tu as deux fils. Très forts. Tu être fier. Très heureux. Tu vis longtemps avec femme. Tu veux savoir quand ?

— Non, pas du tout !

Yan était peu désireux de connaître la date *possible* de sa mort, qu'elle soit vraie ou fausse. La vieille acquiesça.

— Tu as raison. Non être bon de savoir trop fort de choses sur demain.

Elle lui remit son reine-lune dans la main, leur tourna le dos et s'éloigna à petits pas, laissant Yan faire le tri dans ses sentiments.

Quel culot, quand même, cette sortie ! « Non être bon de savoir trop fort de choses sur demain. » D'accord, alors pourquoi cette vieille voulait-elle prédire l'avenir aux gens ?

— Tu as de la chance, ça s'est bien passé.

Yan se tourna vers son amie. Est-ce qu'elle se moquait de lui ? Non, elle avait l'air sincère. Ils s'éloignèrent de l'étal.

— Pourquoi dis-tu ça ?

— Elle aurait pu t'annoncer de mauvaises nouvelles, des malheurs, des maladies, des décès... Elle aurait même pu dater tout ça. Mais elle t'a seulement parlé de choses agréables, tout en restant assez vague. Alors je dis que tu as de la chance.

— Je pensais que tu n'y croyais pas.

— Si, j'y crois... Tu sais, les héritiers de Ji, ma tante, tout ça, ça laisse supposer que l'impossible est *peut-être* possible... Mais à mon avis, il ne faut pas chercher à savoir. Et puis, elle avait plus l'air d'une mendiante que d'un devin !

— Quel rapport entre ta tante et *l'impossible* ?

— Ne fais pas attention. Je te le dirai peut-être un jour.

Yan se renfrogna. Il était pour sa part grandement insatisfait de son entretien avec la vieille, et apprenait en plus que Léti et Corenn lui faisaient des cachotteries. Il préféra ne pas s'attarder sur ce dernier point pour l'instant, sentant que ça pourrait le contrarier.

— Tu crois que ce qu'elle m'a dit est vrai ? Tu crois que toute ma vie va se dérouler comme ça ?

— Peut-être... Il y a pire, comme destin, non ?

— Je ne sais pas.

— Si tu voyais la tête que tu fais ! J'avais raison, mieux vaut ne pas savoir.

Ils restèrent silencieux quelques instants. Devant l'air grave de son ami, Léti reprit la conversation :

— Ça ne te plairait pas d'avoir deux fils ? De voyager ? D'être riche ? De vivre longtemps ? Tu ne t'attendais quand même pas à ce qu'elle te dise : « Tu seras roi, tu commanderas des armées, tu es le sauveur annoncé par telle prophétie oubliée, tu mèneras une vie pleine d'aventures, et bla-bla-bla, et bla-bla-bla. » On n'est pas dans une histoire de chevaliers !

Yan nota que, derrière ses sarcasmes, elle avait omis de parler de son Union prédite pour l'année suivante – volontairement, à n'en pas douter.

— Bien sûr, tout ça me plairait... Mais je crois qu'elle a tout inventé. Ce qu'elle m'a dit sur le présent, on pouvait le deviner, et tout le reste, c'était imaginaire. Et ça me fait penser que j'aurais effectivement beaucoup, beaucoup de chance si tout se déroule ainsi.

Tous deux se replongèrent dans leurs pensées. Maudit, en plus, il était en train d'attrister Léti. Elle n'avait surtout pas besoin de ça en ce moment ; il faisait vraiment n'importe quoi !

Ils rejoignirent Corenn silencieusement, en traînant les pieds.

— Et nous voilà de retour, ma tante. Tu vois qu'il n'y avait pas de raisons de s'inquiéter.

— *C'est quand le chien mord qu'on le sait enragé.* Tant mieux si tout s'est bien passé ; mais reconnais à ton tour que ç'aurait pu être différent.

— Oui, peut-être. Si tu veux.

— Bien. Alors vous ne devrez pas vous servir de l'expérience d'aujourd'hui comme argument pour la fois prochaine. Vous comprenez ce que je veux dire ?

— Oui, oui.

Léti admit cela à contrecœur. Sa tante arrivait toujours à tirer parti d'une discussion. Raisonnant, cédant sur les points secondaires, évitant les sujets épineux, mais ayant toujours le dernier mot, même si c'était pour conclure sur un *statu quo*. Tout cela sans élever la voix, mentir ou exercer de pressions. Léti lui connaissait ce talent ; elle l'avait maintes fois vu utiliser en accompagnant la Mère dans ses voyages en pays kaulien. Mais elle en était parfois la victime, et son impuissance à résister lui plaisait beaucoup moins. Parfois, elle se demandait même si sa tante n'usait pas de ses pouvoirs magiques pour influencer l'esprit de ses auditeurs... mais c'était peu probable.

— Où est Grigán ?

— Il ne devrait pas tarder.

De fait, le guerrier les rejoignit quelques instants plus tard. Il ne fit aucun commentaire.

Le bac était maintenant à proximité de la rive, et les voyageurs se pressaient au bord du pont d'embarquement gardé par trois hommes de forte stature. Grigán mena le petit groupe dans la file. Puis le bac accosta et se vida de ses passagers, qui fendirent la foule pour se diriger vers l'auberge ou la route. Enfin commença l'embarquement.

Yan, qui observait chaque étape de la manœuvre, réalisa qu'il fallait *payer* pour traverser le fleuve. Dire qu'avec sa propre barque il serait de l'autre côté en quelques coups de rame ! Bon, il est vrai qu'il resterait le problème des chevaux...

— Maître Grigán ?

Le guerrier et Corenn ne purent retenir un sourire à l'annonce de ce titre. Yan passa outre et continua.

— J'ai toujours des pièces qui vous appartiennent. Je vous rembourserai tout, bien sûr, mais... j'ai peur de ne pas en avoir assez pour payer la traversée.

Corenn le rassura.

— Ne t'inquiète pas pour ça. J'en aurais bien assez pour nous emmener tous jusqu'à Goran, s'il le fallait.

— Je crois bien que je mettrais longtemps à vous rendre une telle somme.

— On verra plus tard.

Corenn, qui en tant que membre du Conseil permanent avait l'une des rétributions les plus élevées du Matriarcat, ne se voyait pas endetter un jeune et honnête pêcheur, qui de plus ferait certainement un jour ou l'autre partie de sa famille. C'était tout à fait inconcevable.

La file avançait vite et ce fut bientôt leur tour. Corenn échangea quelques mots en lorelien avec l'un des trois gardes du pont, quelques pièces changèrent de main, et le petit groupe put enfin monter dans la grande barge.

Trois des hommes qui composaient son équipage s'affairaient à placer montures, passagers et marchandises de la meilleure façon, se souciant de l'équilibre des charges et de l'intégrité de l'ensemble. Le quatrième allumait des lampes à huile pendues à des petits mâts aux quatre coins du bateau, ainsi qu'à divers endroits sur le pont.

— C'est le seul bac – à ma connaissance – qui fait des traversées la nuit, annonça Grigán. Je crois que c'est un des plus grands, aussi.

Léti baissa la voix pour s'adresser à l'homme en noir.

— Ça n'est pas dangereux de prendre justement celui-là ? Je veux dire, on ne risque pas de se faire repérer plus facilement ?

— Non, non. Il y a une trentaine de bacs sur le Gisle, sur trois ou quatre lieues le long du fleuve. Chacun d'entre eux doit faire au moins cinq ou six traversées dans la journée, je pense. À moins d'avoir une armée, il est impossible de surveiller toutes les allées et venues ; les Züu ne vont même pas essayer.

— C'est une supposition.

— Oui. Tu as quelque chose de mieux ?

— C'est pas croyable ! Vous êtes vraiment susceptible, vous savez !

— J'ai horreur des critiques, c'est tout, conclut Grigán sur un ton calme.

Yan se dit que ça pourrait être la devise du guerrier.

Quand tous les voyageurs furent embarqués et répartis sur la barge, les bacheliers la détachèrent et, à l'aide de longues perches de bois, l'éloignèrent progressivement du bord. Un « plouf » retentissant fit arrêter la manœuvre : l'un des passagers, passablement ivre, avait perdu l'équilibre et goûté à la fraîcheur du fleuve. Tout le monde rit de bon cœur, sauf le capitaine qui tentait de sermonner ses hommes, et la victime subitement dessoûlée que l'on aidait à remonter. Puis un nouveau départ fut donné.

— C'est presque une tradition chez les bacheliers, dit Grigán. J'ai même entendu dire qu'ils organisent de temps à autre un certain concours secret de *mouillage*. Je suis sûr qu'ils ont fait exprès de placer ce bonhomme près du bord.

— Les Loreliens ont de drôles de jeux, s'étonna Yan.

— Je me trompe, ou il me semble que les Kauliens *s'amusent* à plonger des falaises ? Ça ne me paraît pas beaucoup plus intelligent.

— Ça n'est pas pareil. Personne n'est obligé de le faire.

— Oh ! allez, Yan, tu as ri aussi, intervint Léti d'humeur joyeuse. Ça n'était pas bien méchant.

— C'est tout à fait vrai, enchaîna Grigán. Une blague courante à Romine consiste à lâcher un cochon rouge en chaleur dans la maison d'un ami. Après en avoir, si possible, bloqué les issues... Inutile de dire que si la victime ne flanque pas une raclée au farceur, c'est *vraiment* un ami.

— Je veux bien le croire. Qu'est-ce qu'un cochon rouge ?

Corenn s'étonna.

— Comment ! Tu n'en as jamais vu, Yan ? Et toi, Léti ?

— Non.

— J'ai du mal à le croire. Ça ressemble à un mélange entre un sanglier et un cochon, sauf pour la couleur, qui est franchement *rouge*. Ils se déplacent en bandes de cinquante ou soixante, mais on a vu des troupeaux de plus de trois cents bêtes. Ils font des dégâts énormes. Romine en est infestée, et on a dû organiser des battues dans l'ouest de Kaul, il y a quelques années, parce que l'on commençait à en voir de plus en plus dans le Matriarcat.

— C'est la première fois que j'en entends parler. Et alors, maître Grigán, que fait un cochon rouge en chaleur ?

— Il grogne, il crie, il mord, il rue, il charge tout ce qui bouge, et le reste aussi d'ailleurs. Mais surtout, il *pue*. Il paraît qu'on ne peut pas rester, avec toute la volonté du monde, près d'un mâle dans cet état.

— En fait, s'esclaffa Léti, c'est un peu comme Yan quand il revient de la pêche à l'anguille de vase !

— Très drôle. Rappelle-moi de t'y emmener la prochaine fois.

— C'est excellent, les anguilles, remarqua Corenn.

— Vous voulez venir aussi ? Ce sera avec joie. Vous verrez comme c'est amusant.

Yan se sentait de meilleure humeur. Oubliés, les soucis sur son avenir. Il devait d'abord profiter d'*aujourd'hui*.

La barge glissait silencieusement sur l'eau calme du fleuve, seulement troublée par le mouvement des perches de bois dans les profondeurs et les percées des poissons dans les rangs des insectes. La pâle clarté des lampes et la lune mendiante ne repoussaient pas beaucoup la nuit déjà profonde, mais elles étaient apaisantes. Au loin vers le sud, les lumières de Bénélia avaient moins d'éclat que les vers luisants volant au-dessus de l'étendue noire. Sur les berges, on avait allumé des foyers signalant les ponts d'embarquement et la proximité des auberges accueillantes. Une promesse de confort prochain... La température avait baissé, et Yan s'emmitoufla de son mieux dans sa tunique. Il eut l'idée de s'inquiéter du bien-être de Léti, mais n'osa rompre en parlant, l'ambiance tranquille créée par le chant des grenouilles, le murmure des voyageurs, le bruit des remous... Il s'approcha simplement d'elle et lui frotta le dos et les épaules avec douceur. Elle le remercia d'un sourire. Si seulement tout pouvait toujours se passer comme ça entre eux...

Il passa ses bras autour de son cou et Léti posa la tête sur son épaule. Et ils restèrent ainsi, silencieux et immobiles, ensemble cachés dans la nuit ; abandonnés à leurs sentiments.

Les jeunes Kauliens furent doucement tirés de leur rêverie par Corenn ; le bac allait bientôt accoster. Yan ne s'en était même pas rendu compte. Il lâcha son amie à regret et mena comme le faisaient les autres son cheval par la bride.

Quand tous furent descendus, Grigán les conduisit vers l'auberge à proximité. Ce côté du fleuve ressemblait en tout point à l'autre : le pont d'embarquement, les gardiens encaisseurs, les voyageurs qui attendaient le bac, les échoppes désertées...

Au-dessus de la porte de l'auberge trônait une enseigne qui semblait démesurée, comparée à l'entrée. On pouvait y lire en ithare : *Auberge du bac*. Visiblement, le propriétaire n'était pas un original.

— Vous êtes déjà venu ici ? demanda Yan à Grigán.

— Trois fois, je crois. Ou quatre, peut-être. Mais mon dernier séjour remonte à six ans au moins. Il y a peu de chances que l'on me reconnaisse.

— Non, ce n'est pas pour ça...

Yan hésitait à se ridiculiser une fois de plus.

— Moi... Je ne suis jamais *entré* dans une auberge. Je crois qu'il n'y en a même pas autour d'Eza. Alors, est-ce qu'il y a des choses spéciales à faire ? Ou des choses à ne pas faire ?

Ses trois compagnons rirent de bon cœur.

— Tant que tu payes pour la casse, tu peux faire à peu près tout ce que tu veux, répondit le guerrier avec un sourire. Sauf, peut-être, tuer l'aubergiste ou bastonner les clients. Tu sauras te retenir ?

— J'aurai peut-être du mal pour les clients, grinça Yan.

— Bon. Je vais toujours aller voir si on peut nous accueillir.

Le guerrier ouvrit la petite porte et se baissa pour éviter l'enseigne monstrueuse. Des bruits de voix, des odeurs de nourriture chaude et une douce chaleur vinrent caresser furtivement les sens des trois Kauliens, pendant que Grigán entrait. Il revint presque aussitôt, accompagné d'un jeune garçon qui emmena les chevaux vers l'écurie après que chacun eut récupéré ses bagages.

Un homme d'âge mûr s'avança à leur rencontre alors qu'ils pénétraient enfin dans l'auberge. L'entrée surplombait la salle principale du haut d'un petit escalier de trois marches. Une douzaine d'épaisses tables de bois, entourées de bancs, composait le gros du mobilier. Un énorme tas de bûches – ou plutôt de troncs qu'on aurait coupés en deux – occupait tout un mur. À proximité trônait une imposante cheminée où dansaient des flammes hautes de quatre pieds. Yan pouvait en sentir la chaleur même à cette distance. Plusieurs portes et escaliers permettaient la circulation vers la cuisine, la cave, les étages ou autres dépendances. Oui, cette auberge était très grande.

Une trentaine de paires d'yeux s'étaient levées vers les nouveaux arrivants, puis l'attention de chacun fut de nouveau entièrement consacrée à la nourriture et aux pichets qui couvraient les tables. La clientèle se composait essentiellement d'hommes, seuls ou par petits groupes. Des fermiers, des artisans, des marchands, ou simplement des voyageurs.

L'hôte les salua en lorelien, puis les guida aussitôt vers une table libre où ils s'installèrent. Après quelques phrases échangées, Corenn donna plusieurs pièces à l'aubergiste qui s'éclipsa rapidement vers la cuisine.

Le jeune garçon d'écurie leur apporta peu après, en plusieurs voyages et dans le désordre, du pain neuf, une terrine chaude, un rata de légumes, un énorme morceau de fromage, des couverts et des gobelets, un pichet de bière et, à la demande de Corenn, un autre d'eau. Ils mangèrent de bon appétit en devisant sur les différences entre les cuisines lorelienne et kaulienne, mais sans parvenir – faute de vraiment chercher – à désigner la meilleure.

— Est-ce que toutes les auberges sont comme ça ? demanda Yan.

— Non, loin de là, lui répondit Grigán. Celle-ci n'est fréquentée que par des gens de passage, qui ne désirent qu'un repas et une nuit au chaud. Les bouges qu'on trouve dans les grandes cités n'ont pas vraiment la même clientèle...

— En fait, je voulais dire : est-ce que toutes les auberges sont aussi grandes ? On pourrait faire manger tous les habitants d'Eza sur ces tables !

— Si tu crois ça, tu n'es pas au bout de tes surprises. J'ai vu des dizaines d'endroits plus grands que celui-ci, dans les Hauts-Royaumes. Des auberges plus grandes que des palais.

— Je me demande toujours si vous me prenez pour un *niab* ou si vous êtes sérieux.

— Je *suis* sérieux. À Lermian, j'ai passé la nuit dans une hôtellerie de six cents chambres. Et les deux tiers au moins étaient occupées.

Yan n'était toujours pas convaincu, mais il laissa à Grigán le bénéfice du doute. Pourquoi pas, après tout ?

Le guerrier avait de toute évidence passé la moitié de sa vie à voyager. Et l'autre moitié à s'y préparer, peut-être. Il avait traversé tous les royaumes, séjourné dans toutes les grandes villes, rencontré des centaines de personnes, vécu des milliers d'expériences...

Yan réalisa que le vétéran qui les protégeait depuis quelques jours, avec sa lame courbe et ses vêtements noirs, son passé mystérieux et sa force de caractère, le fascinait complètement.

Le guerrier semblait ce soir plus enclin à la discussion. Plus détendu, maintenant qu'ils avaient quitté le Matriarcat. Peut-être aussi à cause du pichet de bière qu'il avait bu pratiquement seul. C'était le moment ou jamais d'apprendre à le connaître...

— Vous venez des Bas-Royaumes, n'est-ce pas ? Du moins, c'est ce que laisse penser votre accent.

— Et alors ?

— Rien. Je suis un peu curieux, c'est tout.

— Toi, tu n'es pas curieux, tu es carrément fureteur.

— C'est aussi ce que dit l'Aïeule de mon village, répondit Yan en souriant. Elle a fini par m'apprendre à lire, pour que je trouve moi-même les réponses aux questions que je lui posais tout le temps. Mais comme elle ne possède que trois livres en tout et pour tout, j'ai malgré cela continué à l'embêter jusqu'à ce qu'elle me dise un jour qu'elle n'avait pas les réponses à toutes mes questions. Comme tous les gamins, ça ne m'était jamais venu à l'esprit.

— C'est bien que tu saches lire, complimenta Corenn.

— Un peu, seulement. En ithare.

Léti intervint, le sourire aux lèvres.

— Je l'ai vu une fois passer toute une journée à essayer de déchiffrer un parchemin qu'il avait trouvé chez le vieux Vosder. Il était tellement déçu de ne pas y arriver que je suis allée chercher l'Aïeule pour qu'elle le raisonne. J'ai eu du mal à m'arrêter de rire, en voyant sa tête, quand elle lui a dit que c'était du goranais.

— Je ne pouvais pas le savoir, ils emploient les mêmes signes, répondit Yan, boudeur.

— Yan est alors allé jusqu'à Assiora, continua Léti, pour se faire traduire le parchemin. Une journée de marche, plus le retour. Tout ça pour *voir des vieux mots*.

Yan, rougissant de vexation et de honte, préféra ne pas répondre.

— Tu ne sais pas lire, toi, Léti ? demanda Corenn innocemment.

Elle connaissait la réponse ; mais la question devait amener sa nièce à respecter un peu plus son ami et les efforts qu'il faisait pour s'améliorer.

— Non, je ne sais pas. Mais je suis convaincue que ça ne sert à rien, répondit sans se démonter la jeune fille.

— Tu as tort, intervint Grigán. J'ai souvent pensé comme toi, mais j'ai plus souvent encore regretté de penser comme toi.

— Il n'est jamais trop tard, maître Grigán.

— On le dit, dame Corenn, on le dit. Mais je crois que je ne changerai plus, maintenant. Les années qu'il me reste à vivre seront... comme celles que j'ai derrière moi.

Un silence gêné suivit cette dernière réplique. Yan le rompit le premier.

— Où êtes-vous né, alors, exactement ?

Le guerrier laissa passer un temps, comme s'il fouillait dans des souvenirs lointains... ou comme s'il hésitait à ouvrir son cœur.

— À Griteh. Alors le plus heureux des Bas-Royaumes, il y a quarante-deux ans. Mais je n'y suis pas allé depuis bien longtemps.

Yan hésita un instant à continuer, mais la curiosité fut la plus forte.

— Pourquoi ? osa-t-il enfin.

Grigán laissa échapper un soupir.

— Parce que je n'y suis plus le bienvenu. Et que plus rien ne m'y attache, d'ailleurs.

Ses amis virent tout de suite qu'il ne disait pas la vérité sur ce dernier point. Le guerrier était incapable de mentir sur ses sentiments. C'était probablement une des raisons de son silence habituel.

— Qu'est-ce qui vous est arrivé ?

Yan remarqua que Léti était également suspendue aux lèvres du guerrier, attendant qu'il laisse ses souvenirs remonter à la surface. Mais les instants passaient, le silence fut de plus en plus long, et il apparut finalement que le guerrier n'allait pas répondre.

— Racontez-leur, Grigán, demanda Corenn d'une voix douce. Ils vont vous harceler de questions tant qu'ils ne sauront pas, et vous finirez un jour ou l'autre par céder ou vous fâcher.

Le guerrier n'eut aucune autre réaction que celle de dévisager Corenn, comme s'il la voyait pour la première fois.

— Racontez-le et acceptez-le, ou taisez-vous et oubliez cette histoire pour toujours. Mais cessez de vous tourmenter, ajouta-t-elle plus doucement encore.

Grigán fut désemparé un instant, puis il se décida, sans être sûr d'avoir fait le bon choix.

— Il ne faudra surtout pas me plaindre, encore moins me prendre en pitié. *Surtout pas*. Disons que je vous raconte pour que vous tiriez des leçons de mon expérience.

— Oui, oui, répondirent les jeunes Kauliens à l'unisson.

Ils étaient d'accord pour tout, pourvu qu'il parle.

— Bien.

Le guerrier but une dernière et longue rasade, comme pour se donner du courage. On aurait dit qu'il avait plus peur de parler que de s'attaquer à trois Züu, remarqua Léti.

— Vous avez entendu parler d'Aleb Ier, Aleb le Vainqueur, ou plus à mon goût Aleb le Violent ?

— Non, répondit Léti.

Yan croyait se souvenir du nom, mais n'en était pas certain. Il préféra faire Yan l'Ignorant pour avoir une version détaillée.

— C'était mon chef, continua Grigán. Alors « seulement » le prince Aleb. J'ai fait la guerre à ses côtés contre les royaumes voisins de Griteh : Irzas, Quesraba, Tarul, et même Yiteh pendant un temps. Vous comprenez ? On faisait la *guerre*. Contre des *guerriers*.

Yan et Léti se regardèrent un instant, puis s'empressèrent d'acquiescer. Ils ne comprenaient pas bien, non, mais on verrait plus tard.

— Griteh était depuis plusieurs décennies un royaume de second ordre, dont n'importe quelle armée ennemie franchissait les frontières à sa guise. Grâce à nos victoires, la sécurité et la paix étaient enfin revenues dans le pays. Mais cela ne dura que quelques années, au bout desquelles Aleb ordonna de nouveau le regroupement des tribus. Je repris alors ma place à ses côtés, comme devait le faire tout homme d'honneur pour défendre ses proches. Mais je m'interrogeais sur les raisons d'un tel rassemblement, aucune armée n'étant signalée à nos portes.

Grigán s'arrêta. Les jeunes Kauliens attendirent en gigotant quelques instants, puis Léti n'y tint plus.

— Et alors ? Qu'est-ce qui s'est passé ?

— J'aurais dû comprendre tout de suite. Aleb nous a parlé à tous, longtemps, avec des mots qui allaient droit au cœur. Il a monté peu à peu les hommes contre Quesraba, rappelant nos conflits passés, leurs traîtrises lors de nos rares alliances, les batailles perdues qui demandaient une revanche ! À la fin, il a même présenté Quesraba comme une part de *notre* royaume, occupée par des ennemis. Il a dit des choses qui étaient vraies, et d'autres qui l'étaient moins, des choses tristes, et des choses à mettre en colère un berger romin. Mais tout ce qu'il a pu dire ne peut excuser ce qui s'est passé ensuite.

Grigán ne s'arrêta qu'un court instant pour avaler sa salive.

— Allez ! le pressa aussitôt impoliment Léti.

— Tous les hommes réunis se sont lancés à son commandement sur Quesraba, et je n'étais pas le dernier. On mit une journée à rejoindre la frontière, mais l'ardeur et la colère des guerriers n'avaient pas diminué, entretenues qu'elles étaient par Aleb et ses capitaines qui avaient entièrement épousé sa cause. Enfin, on arriva devant le premier village « ennemi ». Je donnai l'ordre à mes cavaliers de le contourner et de se diriger vers la capitale pour y rencontrer l'armée ennemie, comme il est d'usage, mais Aleb le Maudit avait d'autres plans.

Grigán prit une nouvelle rasade.

— Il fit donner l'assaut au village. Des centaines de gens sont morts cette nuit-là. Des gens qui n'étaient même pas armés. Des gens qui ignoraient tout de la politique et des frontières. Des gens comme vous. Des gens comme...

Il fit une courte pause, puis reprit :

— Et je n'ai rien fait.

Le guerrier, le regard perdu dans le fond de son gobelet, regrettait une fois encore de ne jamais réussir à s'enivrer. Quoi qu'il fasse, il restait toujours parfaitement conscient. Il restait *responsable de ses actes*.

— J'aurais pu tenter de raisonner Aleb. J'aurais pu tenter de raisonner les guerriers. J'aurais même pu lancer mes hommes *contre* le meurtrier. Mais je n'ai rien fait. J'ai passé tout ce temps immobile, à regarder les atrocités qui étaient commises devant moi. J'ai vu des enfants tués à coups de cimeterre, j'ai vu des vieillards brûlés vifs dans leurs maisons. J'ai vu des femmes violées sous les yeux des hommes agonisants. J'ai vu torturer des animaux de la pire façon, et pas seulement...

— Grigán... dit doucement Corenn.

Mieux valait mettre fin à cette morbide litanie. Le guerrier la regarda un instant, soupira et poursuivit.

— Je sais, ce n'est pas beau à entendre. Mais c'est *ce qui s'est passé*. Quand je pense qu'au début de la « bataille » j'ai failli me jeter dans cette folie...

Il se tut, le regard trouble. Pas une larme ne coula de ses yeux, mais toute la tristesse et les regrets du monde pesaient sur ses épaules.

Les Kauliens respectèrent sa douleur. En fait, plus personne ne voulait lui poser de questions, maintenant, et ils en seraient restés là si Grigán n'avait repris, d'une voix plus maîtrisée :

— Au début, j'ai cherché les ennemis. « Mais où sont-ils ? Pourquoi donne-t-on l'assaut ? Est-ce que c'est un piège ? » Puis je me suis mis à *espérer* que ce fût un piège. Les Ramgriths, mes frères, ne pouvaient pas être en train de massacrer de simples villageois. Non, il y avait sûrement autre chose. Des guerriers étaient cachés à proximité, ou parmi ces paysans, et Aleb avait donné l'ordre d'attaquer parce qu'il avait flairé la ruse, parce que c'était un *bon chef*.

» Je me suis accroché à mes chimères toute la nuit, ignorant volontairement la tuerie qui se déroulait devant moi. Au petit matin, j'admis enfin que j'avais perdu mon honneur, et même mon nom d'*humain*. Je me suis enfui de ces lieux maudits et me suis retranché dans mes terres. J'avais besoin d'être seul, pour réfléchir à la manière dont j'allais mettre fin à mes jours.

Yan et Léti se regardèrent, embarrassés. Grigán prit une grande inspiration et continua.

— Je n'y suis pas parvenu. Ça me paraissait une autre lâcheté, et en même temps ça me paraissait une faiblesse de ne pas le faire. Je me suis torturé l'esprit pendant une décade. Enfin, j'ai choisi de vivre pour *agir*, plutôt que mourir pour n'avoir rien fait.

» Je me suis rendu à Griteh et j'ai demandé audience au roi Coromán, qui a bien voulu me recevoir. Ma famille sert... servait la sienne depuis le père du père de Rafa le Stratège. Coromán était un homme intransigeant, parfois dur et insensible, mais qui essayait d'être juste. Je ne pouvais croire qu'il avait autorisé le massacre de Quesraba... et les autres qui l'avaient immédiatement suivi.

» Je lui donnai ma version de l'histoire : la seule véritable. Son propre fils avait déshonoré le trône de Griteh, le royaume et tous ses sujets, en se livrant à une tuerie sanguinaire suivie d'un pillage, comme de vulgaires brigands l'auraient fait.

» Coromán réagit tout d'abord comme je l'espérais, en convoquant aussitôt son fils pour confronter nos dires. Ce dernier nia bien sûr tout en bloc, rapportant une bataille imaginaire contre les troupes quesrabes. Puis il en fournit des « preuves », faisant témoigner ses capitaines et présentant des uniformes et armes ennemis, « prises de guerre » datant certainement d'un ancien conflit. Le roi se tourna alors vers moi et attendit ma réponse.

» Que pouvais-je dire ? Personne ne parlerait contre le prince, je venais de le comprendre. Je ne suis qu'un guerrier ; l'intrigue, la tricherie ne sont pas mon fort, et je ne voyais pas alors comment je pourrais le contredire.

» J'eus soudain grande envie d'en découdre avec Aleb le Menteur. C'était la seule solution que j'aie trouvée : empêcher définitivement ce chacal de nuire. Je le défiai publiquement en duel d'honneur.

» Il eut lieu le lendemain. Je ne dormis pas cette nuit-là, bien qu'un assassinat eût signé la perfidie de mon adversaire.

» Nous nous affrontâmes selon les règles, devant le roi et les chefs de tribu, étant donné le caractère officiel de notre duel. Aleb est réputé, encore aujourd'hui, pour être le meilleur combattant de tous les Bas-Royaumes. Mais la vérité était de mon côté – et la colère aussi. Il me toucha à la main et au visage ; je lui blessai la jambe et lui enlevai un œil.

» Coromán fit cesser le duel, comme il en avait le droit. Peut-être pour protéger son fils devenu borgne ; peut-être parce qu'il en avait assez vu.

» Il m'attribua l'honneur de la victoire ; mais Aleb était toujours en vie. Le roi lui retira simplement ses droits au trône, qu'il transmit à son frère cadet. Et je fus en fin de compte banni du royaume pour avoir désobéi aux ordres de mon *capitaine*.

Le guerrier avait prononcé ce dernier mot avec haine et dégoût.

Yan était refroidi. En fait, tout le monde avait maintenant un air sérieux et mélancolique qui ne lui plaisait pas du tout. Il tenta de dévier la conversation.

— C'est de là que vient votre cicatrice ?

— Non, non. Ça, c'est autre chose. C'est un *acchor* qui m'a fait ça. Je te raconterai ça une autre fois, si tu es sage avec dame Corenn, ajouta Grigán avec un léger sourire.

Yan acquiesça en rendant le sourire. Il ignorait ce

qu'était un acchor, et sa curiosité était une fois de plus éveillée, mais il sut se retenir.

— Vous n'êtes jamais retourné là-bas ? demanda Léti.

— Non, jamais. Quelque temps après mon départ, Aleb a assassiné de ses propres mains son père et son frère. Puis il est monté sur le trône et a commandé des exécutions en masse. Enfin, il s'est lancé à la « conquête » – mais je devrais plutôt dire la destruction – de tout le nord des Bas-Royaumes. Ça me fait mal au ventre de voir qu'il y est si bien arrivé...

— Les autres rois ne se liguent pas contre lui ?

Cela paraissait une conséquence logique à Yan.

— Quelques-uns ont essayé. Mais Aleb a engagé des troupes entières de mercenaires, jez, plèdes, ramyiths et même goranais. Il les laisse occuper et piller tout leur soûl les terrains conquis. Ce qui l'intéresse, ce n'est pas d'enrichir Griteh, c'est d'étendre son propre pouvoir. Il a pris La Hacque pour capitale ; ce n'est même pas une ville ramgrithe ! Son armée comporte même sûrement deux fois plus de Yussa que de Ramgriths, d'ailleurs.

— C'est quoi, les *Yussa* ?

— Les mercenaires. Enfin, tous les hommes qui se sont mis sous les ordres d'Aleb, même si *un seul* combat pour *trois* qui ne font que piller.

— Mère Eurydis, qu'il ne lui vienne pas l'idée de traverser la mer ! dit Léti.

— Oh ! non. Aleb méprise les Hauts-Royaumes. Il se contente de m'envoyer régulièrement des assassins pour me faire payer son œil perdu... Jusqu'au jour où l'un d'eux réussira. À moins que les Züu ne lui ôtent ce plaisir. Mais peut-être est-ce lui qui les envoie, qui sait ?

— Voilà où vous mène votre mauvais caractère, plaisanta Corenn.

— Je suis ainsi, répondit sérieusement Grigán.

— Ça fait combien de temps, maintenant, que vous êtes parti ? coupa Léti.

— Une quinzaine d'années, au moins...

Le guerrier réfléchit un instant.

— Non. Ça fait déjà dix-neuf ans, dit-il avec une pointe d'effroi.

— Et ce type essaie toujours de vous tuer, vingt ans après ? On vous traque depuis *vingt ans* ?

— J'ai déjà rencontré des hommes qui ont consacré toute leur vie à la vengeance. *La volonté humaine n'a pas de limites ; et notre folie non plus.*

— Pour quelqu'un qui se dit peu friand de réflexion, je suis admirative devant la profondeur de vos pensées, maître Grigán.

— En fait, je tiens ces mots d'un ami du Beau Pays. Mais leur vérité m'a touché ; il a su exprimer en une seule phrase l'impression que m'ont laissée vingt années de voyages à travers le monde connu.

— J'aimerais beaucoup rencontrer cet homme avisé, qui a l'honneur de se voir appeler *votre ami.*

— J'espère que nous en aurons l'occasion, un jour, dame Corenn. Si nous sortons indemnes de cette mauvaise aventure.

Ils restèrent silencieux quelques instants.

— Vous n'avez jamais pensé à... retourner voir cet Aleb ?

La question brûlait les lèvres de Yan depuis un moment, et le guerrier mit au moins autant de temps avant d'y répondre.

— J'y pense sans arrêt, avoua-t-il enfin. Mais j'en mourrais à coup sûr. Avant même d'arriver jusqu'à lui...

Il ajouta encore, après un instant :

— Et puis, après tout, je suis banni. Je n'ai pas le droit d'y retourner !

Les jeunes Kauliens se demandèrent longtemps si cette remarque était une plaisanterie ou une objection sérieuse.

Un silence s'installa, qui s'éternisa.

— Je vais voir si nos chambres sont prêtes, finit par dire le guerrier en se levant.

Il avait besoin d'être un peu seul.

Après quelques instants, Corenn livra ses impressions aux deux jeunes gens.

— Je pensais connaître Grigán mieux que quiconque. Mais jamais, jamais je n'aurais cru qu'il vous ferait toutes ces confidences aussi vite.

— Je n'aurais même pas cru qu'il puisse parler autant, remarqua Léti.

— Il ne va pas vous le demander, et je sais que vous l'auriez fait de toute façon, mais... *respectez* ses souvenirs. Il doit oublier, ou accepter. Ne lui en parlez plus, s'il n'aborde pas le sujet lui-même. Et bien sûr, n'en parlez pas à d'autres. Vous comprenez pourquoi ?

— Bien sûr, acquiescèrent-ils en un bel ensemble.

Yan comprenait que le guerrier voyait sa confession comme une faiblesse et qu'il regrettait déjà l'avoir faite. Mais il avait aussi deviné autre chose...

— Dame Corenn...

— Oui ?

— Vous ne trouvez pas que... qu'il a l'air de cacher quelque chose ? Qu'il ne nous a pas *tout* dit ?

La Mère dévisagea avec gravité le jeune pêcheur ignorant, à l'esprit pourtant si alerte. Puis elle retourna son regard vers le guerrier taciturne qui revenait.

— J'espère qu'il nous le dira un jour, glissa-t-elle. Quand il sera en paix.

Livre II

L'île oubliée

Cela faisait quatre jours déjà que Yan, Grigán, Léti et Corenn avaient abandonné les rives du Gisle. Ils avaient traversé le comté de Kolimine, comme des centaines d'autres voyageurs, et franchi le Vélanèse en se mouillant les pieds par un gué utilisé depuis plusieurs décennies. Ils étaient ensuite descendus vers le sud, jusqu'à Lorelia, en obliquant toutefois vers l'est quelques lieues avant d'arriver aux faubourgs de la ville. Enfin, ils étaient à moins d'une journée de Berce.

Yan n'avait pas été à la fête ces derniers jours. Outre la pluie insistante qui les avait suivis pratiquement tout le temps, et qui diminuait leur allure *et* leur patience, il avait dû supporter la nervosité croissante de Grigán, l'apparent calme indifférent de Corenn, qui était tout aussi agaçant, et surtout les remarques *à deux marées* de Léti sur, par exemple, le bien-fondé de ses perpétuelles questions, sa tendance à se laisser diriger, son côté *niab*, et bien d'autres qu'il préférait oublier.

Il avait eu l'intelligence de ne pas répondre à ces attaques, les mettant sur le compte de la crise morale que traversait son amie.

Un soir, une seule fois, elle avait avoué se demander *qui*, parmi ses amis, avait pu échapper aux Züu...

et si seulement même il y en avait. Personne n'avait voulu émettre d'hypothèses, et le sujet n'avait plus été abordé.

Tout de même... Le jour de la Promesse était pour le surlendemain, et Yan aurait préféré avoir de meilleures relations avec son aimée pendant les derniers moments précédant sa demande ! Il sentait de nouveau l'hésitation lui torturer l'esprit. Aurait-il le courage...

Oh ! ce n'était pas une question de vaillance ou de lâcheté. Si Léti lui demandait de sauter du plus haut de la falaise d'Eza, de plonger au milieu d'un banc d'orzos ou de défier un de ces tueurs rouges, il le ferait sans hésiter – pour une raison valable, bien sûr. Mais s'approcher d'elle et lui demander... Non !

Il observa avec dépit qu'elle n'hésiterait pas un instant, à sa place. Quand elle voulait faire quelque chose, elle le faisait, tout simplement. Ce serait bien si elle voulait...

Il secoua la tête, comme pour chasser ces réflexions de son esprit. Il ne fallait surtout pas qu'il cherche à savoir ce qu'elle pensait. Il le saurait bien assez tôt... et le regretterait peut-être.

La demande eût été plus facile à faire s'ils avaient déjà abordé le sujet ensemble. Mais non, après toutes ces années vécues l'un à côté de l'autre, toutes ces discussions, tout ce temps passé à se connaître, jamais ils n'avaient suggéré une Union entre eux.

Il le regrettait plus qu'amèrement.

Bien sûr, les autres avaient conclu l'Union à leur place ; et eux-mêmes avaient parlé plus d'une fois, chacun à son tour, de leur compagnon idéal : beau, protecteur et amoureux pour Léti ; belle, mystérieuse et gaie pour Yan. Mais cela n'était qu'un jeu ; la femme rêvée pour le jeune Kaulien était sans hésitation son amie de toujours.

Correspondait-il, lui, à l'idéal de Léti ?

Il secoua la tête une nouvelle foie, plus énergiquement. Il fallait qu'il cesse d'y penser !

— Ça va, Yan ?

Corenn le regardait étrangement. Elle devait l'observer depuis un petit moment. Yan se rendit compte qu'il devait offrir un beau spectacle, à remuer ainsi la tête comme un fou.

— Oui, oui... Merci. Je suis juste un peu fatigué.

N'importe quoi, Yan, tu dis vraiment n'importe quoi, songea-t-il.

— On va s'arrêter un moment, décida Grigán.

— Non, non, c'est pas la peine, ça va aller.

Vraiment n'importe quoi.

Ils s'arrêtèrent tout de même, à quelques centaines de pas du chemin, comme à leur habitude. Pendant que chacun se dégourdissait les jambes, se massait le dos et tentait d'éponger tant bien que mal ses vêtements trempés, Grigán allait et venait, se raidissant à chaque bruit suspect aux environs, et s'y rendant systématiquement à pas de loup, la main sur la garde de sa lame.

Il eut tôt fait de transmettre sa nervosité aux autres. Vaincue par la curiosité, Corenn se décida à distraire le guerrier de son guet.

— Vous pensez qu'il y a un danger ?

— À vrai dire, non, répondit-il sans la regarder. Mais il pourrait. Et je ne miserais pas notre vie sur ma seule impression.

— Jusqu'ici, c'était plutôt calme, non ? remarqua Léti.

— Oui. Mais les Züu avaient perdu notre trace. Alors que maintenant, nous nous rendons tout droit où nous sommes *certains* d'être attendus. Et ça, ça me rend nerveux.

— S'ils sont là-bas, ils ne vont pas en plus surveiller les routes, non ? objecta la jeune fille.

— Tu parierais notre vie là-dessus ?

Léti resta interdite. Non, bien sûr que non ! Elle voulait simplement faire une remarque. Mère Eurydis, que cet homme était susceptible !

— Réfléchis un peu, reprit Grigán. Pourquoi les Züu n'ont-ils pas attendu que tous les héritiers soient réunis à Berce, au jour du Hibou, pour les massacrer en masse ?

— Grigán ! gronda Corenn.

Mais il en fallait plus pour démonter Léti.

— Vous croyez que je n'y ai pas pensé ? Ils avaient peut-être peur que quelques-uns en réchappent, ou de mettre les absents sur leurs gardes ! Peut-être craignaient-ils une défaite ! Ou peut-être, encore, veulent-ils avant tout être discrets !

— Ou peut-être, répondit le guerrier doucement, que les Züu veulent nous *empêcher* d'aller sur l'île. Peut-être ne veulent-ils pas que les héritiers se réunissent cette année.

Grigán avait voulu mettre de l'effet dans sa réponse, et il y avait réussi.

Léti admit silencieusement qu'elle n'y avait pas songé.

Évidemment, dans ce cas, ils étaient encore en danger. Plus que jamais, même.

Corenn désapprouva d'un regard noir ces révélations, prématurées à son goût. Sa nièce était encore beaucoup trop fragile, émotionnellement, pour qu'on vienne la perturber avec des histoires de complot à grande échelle.

Chacun s'enferma ensuite dans son silence, goûtant simplement au plaisir d'un peu de repos mérité. En cette fin de journée, Yan aurait aimé déjà s'installer pour la nuit, mais Grigán voulait visiblement – comme à son habitude – que les membres du petit groupe fassent taire leur fatigue pour avancer un peu plus encore.

De fait, il demanda un instant plus tard qu'ils se remettent en route. Tous lui emboîtèrent le pas, habitués qu'ils étaient à lui obéir, maintenant.

À leur grand étonnement, il ne prit pas la direction du chemin, mais s'enfonça à travers la forêt.

Il fit l'effort, tout de même, de prononcer quelques mots d'explication, mais chacun avait déjà compris, la surprise passée, la nécessité vitale d'être discret à l'approche de Berce.

Ça ne rendait pas la marche plus agréable pour autant. Yan trouva cela plus fatigant encore que sa nuit dans la garrigue de Kaul. Le sol était boueux et glissant, parsemé de flaques ; la pluie accumulée dans les feuillages prenait un malin plaisir à s'inflitrer sous leurs vêtements ; les chevaux exténués se faisaient difficilement traîner...

Fréquemment, aussi, Grigán demandait d'un geste impérieux une immobilisation immédiate et silencieuse de ses compagnons. Il restait alors de longs instants à l'écoute, s'éloignait furtivement parfois, puis remettait la colonne en marche. Tout cela n'améliorait pas l'état de tension dans lequel ils s'étaient peu à peu installés.

Au retour de sa cinquième escapade, qui avait été beaucoup plus longue que les autres, le guerrier ne donna *pas* le signal du départ. Il leur intima par signes de conserver le silence, puis les entraîna dans un large détour qui leur prit plus d'une décille. Enfin, il se détendit un peu et chuchota quelques mots à l'adresse de Corenn. Yan n'entendit pas tout, mais comprit que le guerrier avait vu trois hommes en train d'installer un campement ; qu'ils n'avaient peut-être rien de dangereux, mais *qu'il ne miserait pas sa vie là-dessus*.

Apparemment, Grigán n'avait rien d'un joueur. Au fond, c'était plutôt rassurant.

Ils progressèrent ainsi pendant un décan entier, ne s'arrêtant pas même à la tombée de la nuit. Yan se demandait comment le guerrier pouvait se repérer ; pour sa part, il était complètement désorienté et aurait été bien en peine d'indiquer ne fût-ce que le nord.

Il s'aperçut que Grigán examinait de temps à autre un petit objet tiré d'une des nombreuses poches de son habit de cuir noir. Il finit par le rattraper à la tête de la petite colonne, dévoré par la curiosité.

— Comment faites-vous pour nous guider ? Les étoiles sont cachées, et nous n'avons pas la moindre route ni le plus petit repère pour nous aider.

— C'est *magique*, répondit le guerrier sans sourciller.

— Quoi ?

— C'est magique. Je pense très fort à mon but, et le chemin apparaît dans mon esprit. Tous les hommes ramgriths ont ce pouvoir.

Yan resta interdit. Est-ce qu'il se payait sa tête ?

— Bon, d'accord, ce n'est pas magique. C'est grâce à cet objet, tout simplement. Tu vois la pointe de la flèche ? Quand elle se stabilise, elle indique toujours le nord.

Yan détaillait, émerveillé, le petit objet d'ivoire taillée que lui avait tendu son compagnon. Après quelques instants, la petite pointe de métal se fixa plus ou moins vers sa gauche. Si ce n'était pas une nouvelle blague, c'était peut-être magique, après tout...

— D'où tenez-vous ça ? demanda-t-il en rendant l'objet.

— Je l'ai acheté à prix d'or à un marin romin. C'est grâce à des inventions de ce genre que le Vieux Pays a dominé le monde connu pendant des siècles. Et c'est aussi pourquoi, si longtemps après cette époque, ils gardent encore jalousement leurs secrets.

— Comment ça marche ? Ce n'est pas vraiment magique, n'est-ce pas ?

— Franchement ?

— Mais oui !

— Je ne sais pas. Ça marche, c'est tout. C'est peut-être magique, c'est peut-être divin, c'est peut-être normal. Je ne sais pas, répéta-t-il.

— Ça n'est *sûrement pas* magique, intervint Corenn.

— Pourquoi ?

— J'ai déjà vu des aiguilles de ce genre. À mon avis, elles n'ont rien de spécial. Ça relève simplement d'un phénomène naturel comme, par exemple, les marées, les saisons, la croissance de la lune ou autres.

— Dans les Bas-Royaumes, et même ailleurs, remarqua Grigán, j'ai rencontré des peuples qui considèrent chacun de ces phénomènes comme une œuvre divine.

— Je suppose que ça dépend du point de vue où l'on se place. Pourquoi pas, après tout? *Folie d'un homme est vérité d'un autre*, conclut énigmatiquement Corenn.

Yan était loin d'être satisfait. Il lui revenait en mémoire ce que Léti avait dit, ou plutôt ce qu'elle n'avait *pas* dit, à propos de sa tante et du surnaturel. De quoi pouvait-il s'agir? Que lui cachaient-elles?

En y repensant... Toute cette histoire de sages émissaires qui disparaissaient d'une île, puis y réapparaissaient deux lunes plus tard... Il n'y avait guère prêté foi jusqu'à présent, mais à l'approche du lieu en question, et après ces quelques jours passés avec des héritiers convaincus de la véracité de l'histoire, il commençait à douter sérieusement.

Se pouvait-il vraiment que tout, dans cette vieille légende, fût vrai?

Son esprit fut soudain stimulé par la curiosité comme il ne l'avait jamais été. De l'irrationnel. De la magie. Des légendes.

Pour les côtoyer, ne serait-ce que très peu et de loin, Yan était prêt à faire n'importe quoi. Il avait, dans ses plus jeunes années, écouté l'Aïeule raconter toutes ses histoires, du royaume sous-marin de Xéfalis au drame du Dauphin parlant, en passant par la longue quête de Quyl, la légende du mage Guessardi, et les contes religieux sur Brosda, Eurydis ou encore Odrel. Une confrontation, même minime, avec quelque chose se rapportant aux anciens récits lui semblait être une expérience des plus enrichissantes.

Il en oublia tout d'un coup sa fatigue et, momentanément, ses appréhensions au sujet du jour de la Promesse. Qu'attendait-on pour aller plus vite ?

Il dut malheureusement faire taire son exaltation quelque temps après, alors que le groupe rencontrait de nouveau le chemin. Grigán fit alors faire demi-tour à tout le monde, jusqu'à un baraquement abandonné qu'ils avaient dépassé et où il « proposa » enfin de s'arrêter pour la nuit.

Comme de coutume, le guerrier fit une inspection détaillée des environs avant de se détendre un peu. Ils se restaurèrent rapidement, puis chacun s'attela aux tâches qu'ils s'étaient tacitement assignées par l'habitude : Grigán s'occupait des chevaux, Yan des gros travaux d'installation du campement – qui furent réduits cette fois à dégager la masure – et Corenn et Léti à l'aménagement général.

— Je pense qu'il vaudrait mieux laisser quelqu'un de garde, cette nuit, dit Grigán. Yan, tu te sens assez en forme ?

— Bien sûr. De toute façon, je suis trop énervé pour dormir tout de suite.

— Bien. Tu n'auras qu'à me réveiller quand tu te sentiras fatigué.

— Et moi ? coupa Léti. Quand viendra mon tour ?

— Pas tant que je pourrai l'éviter. C'est plus dangereux que tu ne le crois.

— Et alors ? Je n'ai pas peur, si c'est ce que vous voulez dire. Vous me laissez vous aider, ou non ?

— Non.

Léti leva les yeux aux ciel, excédée et impuissante face à la volonté du guerrier

— Je me passerai de votre permission. Je resterai éveillée toute la nuit, si je veux.

— À toi de voir, remarqua simplement le guerrier.

Léti, après avoir cherché pendant quelques instants ce qu'elle allait pouvoir répondre, entra dans une nouvelle période de bouderie.

— Ces moments privilégiés de bonheur me manqueront beaucoup, plus tard, annonça ironiquement Corenn.

Seul Yan goûta la plaisanterie.

Quand tous furent couchés, il se posta à l'endroit que lui avait indiqué Grigán, arc et flèches en main. Seul dans la nuit et le froid, à écouter et à scruter l'ombre, il ressentait pourtant une joie particulière, un peu sauvage, qu'il n'avait jamais connue auparavant. C'était la première fois que le guerrier lui faisait entièrement confiance.

C'était aussi la première fois qu'il veillait *vraiment* sur Léti. Comme s'ils étaient unis.

Le matin du lendemain le trouva moins vaillant. Il avait difficilement gardé les yeux ouverts jusqu'au milieu de la nuit, puis réveillé Grigán à contrecœur. Il aurait voulu laisser se reposer le guerrier mais ne sentait que trop le sommeil le vaincre peu à peu.

Aussi, bien que se levant le dernier, et tard déjà dans la matinée, il se sentait encore assez fatigué pour dormir un décan de plus.

Il eut tout de même la bonne surprise de voir, en sortant de la masure, que le ciel était découvert. Le soleil réchauffait déjà la terre lorelienne d'une manière prometteuse. Une brise légère traversait de temps à autre les feuillages encore fournis des arbres environnants, alors que des centaines d'oiseaux célébraient en chantant ce court répit qu'était la saison du Vent.

Léti n'était pas là, et Grigán non plus. Comme il ne manquait aucun des chevaux, Yan ne s'inquiéta pas plus.

Il rejoignit Corenn qui s'affairait autour d'un petit feu. Elle le salua et lui tendit une infusion chaude et odorante.

— Qu'est-ce que c'est ?

— Du *cozé*. C'est une plante importée de Mestèbe. Le goût est particulier, mais on dit que ça secoue les plus endormis. En tout cas, aucune des Mères du Conseil n'assisterait à une réunion entière sans en déguster un bol ou deux !

Yan sourit de l'allusion et goûta au breuvage. Il le trouva plutôt bon.

— Vous nous cachez beaucoup de talents, dame Corenn, dit-il sans réfléchir.

— Je me demande comment je dois prendre ça, répondit-elle en feignant d'être vexée.

— Non, non, ce n'est pas ce que je voulais dire, je...

— Je sais, je plaisante. Certaines personnes qui me connaissent bien te donneraient même entièrement raison, conclut-elle mystérieusement.

Yan réfléchit un instant à cette dernière réplique, mais ne sut qu'en penser. Il passa donc à autre chose.

— Que va faire le Conseil ? Pour vous, je veux dire ?

— Normalement, comme je n'ai pas officiellement démissionné, mon assistante devrait me remplacer jusqu'à mon retour. Mais si mon absence se prolonge, l'Aïeule nommera quelqu'un d'autre à ma place, quand elle le jugera opportun. Comme si j'étais morte, en fait...

— Et vous le ressentez comment ?

— Je le regrette, bien sûr. Mais qu'y pouvons-nous ? Tant que les Züu seront à notre recherche, notre seule chance de survie est, paradoxalement, de faire le mort ! À Kaul, seule la Mère chargée de la Justice est au courant de notre situation. Mais c'est déjà une personne de trop... Si nos ennemis viennent à l'apprendre, elle sera à son tour en danger. Et nous le serions plus encore par les informations qu'ils pourraient en tirer.

Yan acquiesça. S'il n'avait pas encore tout à fait compris la gravité des événements, Corenn venait grandement de l'y aider.

— Pourquoi Grigán ne nous parle-t-il pas de ces choses ? Ça pourrait aider Léti à comprendre ; ça pourrait mieux se passer entre eux.

— Tu crois que Léti a besoin d'entendre ça en ce moment ?

Peut-être pas, effectivement. Elle était déjà assez choquée par l'assassinat de ses amis, et celui auquel elle avait échappé.

— Alors, pourquoi me le dites-vous, à moi ?

— Parce que je te sais intelligent. Et que tu auras besoin de ces renseignements si Grigán met son projet à exécution.

Yan allait demander un complément d'informations quand les absents firent leur retour au campement. Chacun avait l'air de très mauvaise humeur, tout particulièrement Grigán. Ils se tournèrent le dos dès leur arrivée. La journée promettait d'être agréable.

— Qu'est-ce qui se passe ? demanda-t-il à sa jeune amie.

— C'est de la faute du grincheux. Il allait tuer un *dors-debout*, lança-t-elle, boudeuse. Je l'en ai empêché et il s'est mis en colère.

Yan comprenait. Léti avait eu un dors-debout plus ou moins apprivoisé, pendant quelques années. Il ne fallait surtout pas lui parler de considérer ces petites bêtes comme du gibier.

— Comment as-tu fait ?

— J'ai crié de toutes mes forces. Le dors' s'est réveillé et s'est sauvé. Tu n'as pas entendu ?

— Non. J'étais peut-être à l'intérieur.

Yan essaya d'imaginer l'expression de Grigán au moment où Léti lui hurlait dans les oreilles. Forcément, ça n'allait pas le mettre de bonne humeur. Lui qui pensait constamment à la discrétion...

Le guerrier s'arma des pieds à la tête en ronchonnant, puis s'éloigna rapidement sous les arbres après avoir grommelé à l'adresse de Corenn quelque chose comme : « obligé d'aller patrouiller » et « faute d'une gamine capricieuse et stupide ».

Yan n'aurait pas aimé être à la place de Léti à ce moment.

Il semblait qu'on allait se mettre très tard en route, aujourd'hui. Après s'être débarbouillé, avoir plié ses bagages, s'être occupé des chevaux et autres corvées journalières, Grigán n'étant toujours pas revenu, Yan décida de s'entraîner un peu au tir. Il s'éloigna du campement avec arc et flèches.

Léti lui emboîta le pas aussitôt. Ils s'exercèrent à tour de rôle, la jeune fille obtenant de loin les meilleurs résultats en précision, mais ayant beaucoup de difficultés pour la puissance du tir.

Ils s'amusèrent beaucoup, Yan goûtant aussi la simple joie de se retrouver en tête à tête avec son aimée... Joie que venait tout de même distraire la crainte de se faire surprendre par Grigán.

Léti montrant des signes de fatigue, ils retournèrent auprès de Corenn qui écrivait dans un petit livre, assise sur une étoffe étalée au pied d'un arbre. Yan brûlait d'envie de la questionner, mais son respect pour ce recueillement et la peur d'être indiscret furent les plus forts. Il se contenta donc de l'observer de temps à autre, à la dérobée.

Enfin Grigán fut de retour. Il semblait plus calme, ayant maîtrisé sa colère. Il rapportait quelques pièces de gibier parmi lesquelles ne figurait pas – heureusement ! – de dors-debout. Hasard ou attention ? Personne ne posa la question.

Le guerrier se débarrassa, puis entreprit de déplumer la paire de faisans marins qu'il avait abattus. Les jeunes Kauliens s'en étonnèrent, car il était rare de voir ainsi Grigán retarder le départ. Sa besogne achevée, il étala toutes ses lames devant lui – spectacle impressionnant – et se mit à les aiguiser et à les graisser l'une après l'autre.

Léti s'approcha et l'observa sagement pendant un moment.

— Vous êtes encore en colère ? finit-elle par dire.

Le guerrier ne leva même pas la tête.

— Mais non, mais non... Je réfléchis, c'est tout.

Et il se remit à la tâche. Il semblait ennuyé, presque gêné.

— Je crois que j'ai compris, vous savez, intervint Yan.

Grigán le dévisagea, interrogatif.

— On ne peut pas aller tous à Berce et plonger dans la gueule du loup. Vous ne voulez pas non plus y aller seul et nous abandonner. La meilleure solution est que *moi* j'y aille, puisque les Züu ne me connaissent pas. Mais vous ne pouvez pas vous décider.

Trois regards attentifs attendaient maintenant la conclusion du jeune homme.

— Il faudra bien vous y faire, parce que je vais aller à Berce aujourd'hui.

— Ça peut être très dangereux.

Yan bomba le torse, un peu stupidement.

— Je n'ai pas l'intention de prendre des risques. Et puis, on n'a pas fait tout ce chemin pour abandonner maintenant.

— Bien, conclut le guerrier ragaillardi.

Il se mit à ranger ses armes, tout en expliquant au Kaulien ce qu'il espérait de lui.

— Berce est à moins d'une demi-journée, vers l'est. Tu prendras par le chemin...

— Mais enfin ! Yan va se faire tuer !

Léti n'arrivait pas à croire qu'ils étaient en train de parler sérieusement.

— Pas s'il fait attention. Et il fera attention ; j'ai confiance en lui, répondit le guerrier.

Yan était aux anges. Léti, son aimée, s'inquiétait pour lui, et Grigán l'Inflexible venait de le flatter. Allons, où était-elle, cette armée de tueurs ?

— De toute façon, reprit le guerrier, il ne part pas en croisade. C'est bien compris, hein ? reprit-il à son adresse. Tout ce que je veux, c'est que tu observes pour nous rapporter des informations. En un seul morceau de Kaulien, si possible !

Yan lui rendit un sourire crispé.

— Il y a une auberge, sur la route de la mer, presque à la sortie du village. Je ne sais plus quel nom...

— *Le Marchand de vin*, précisa Corenn, qui avait conservé le silence jusque-là.

— C'est ça. C'est là que la plupart des héritiers séjournaient, pendant les réunions. Prends une chambre là-bas et observe.

— Je vais dormir là-bas ? s'étonna Yan.

— Forcément ! Même en partant maintenant, tu ne peux pas faire un aller-retour d'ici ce soir ! Qu'est-ce qui te gêne ?

— Non, c'est que... rien, bredouilla Yan.

Ce qui l'embêtait ? Le jour de la Promesse prévu pour le lendemain, voilà. Il voulait *surtout* être près de Léti ce jour-là.

Grigán échangea un regard avec Corenn, puis poursuivit.

— Tu nous rejoindras demain, ou après-demain, au moment que tu voudras. Fais seulement attention de ne pas te faire suivre.

Yan acquiesça encore. Après-demain, sûrement pas ! Il avait déjà la ferme intention de revenir dès l'aube, si possible.

— Parle avec le moins de gens possible. Dis que tu es venu pour le jour de la Promesse, que tu viens d'un village kaulien, sauf Eza, bien sûr. Que tu espères retrouver quelqu'un... Ça expliquera en partie pourquoi tu fouines partout.

Yan tressaillit au nom de la Promesse et observa la réaction de Léti. Mais la jeune fille était perdue dans ses pensées... Avait-elle seulement entendu ?

— Des dizaines de paysans isolés des alentours rejoignent Berce à de telles occasions. Comme dans ton propre village, sans doute. Tu devrais passer inaperçu. Enfin, dernière recommandation : ne fais confiance à personne. Compris ?

— Personne, répéta Yan d'une voix peu assurée.

Tout cela semblait beaucoup moins drôle, à présent.

— Bien, conclut Grigán. Tu es toujours décidé ?

Yan refoula ses sentiments contrariés.

— Bien sûr. Ça va être une vraie promenade. Et je serai de retour demain, dit-il plus fort en direction de Léti.

Elle s'était éloignée de quelques pas.

Yan aurait juré l'avoir entendue sangloter.

Il fut en vue de Berce peu après l'apogée. Pressé d'en finir et de revenir auprès de son aimée, il n'avait pas ménagé sa monture et allait arriver plus tôt que ne l'avait estimé Grigán.

Après un départ marqué par les encouragements de Corenn, les ultimes recommandations du guerrier et, surtout, l'éprouvant et larmoyant « à demain » de Léti, il avait guidé son cheval jusqu'au chemin croisé la veille, qu'il avait suivi jusqu'à une route plus large.

L'appréhension ressentie pendant les deux premières lieues avait peu à peu diminué, surtout parce qu'il n'avait rencontré personne. Mais elle revenait maintenant, plus forte, et agissait physiquement sur lui, nouant son estomac, raidissant ses membres et contractant sa respiration. Yan savait bien ce dont il s'agissait : la peur.

Malgré son petit côté *niab* et ses propres fustigations verbales occasionnelles, il était loin d'être stupide. Si une partie seulement de ce qu'avaient raconté ses compagnons était vraie – et il ne pouvait en être autrement –, Berce devait être un vrai nid de serpents, une chausse-trape à l'échelle d'un village, contrôlé par une organisation importante d'assassins fanatisés.

Après réflexion, il ne voyait pas trop ce qu'il pourrait y trouver d'intéressant, excepté la confirmation qu'il valait mieux pour ses compagnons éviter l'endroit. Il ne pourrait reconnaître d'autres héritiers s'il en voyait, et ne pourrait pas même faire confiance à quiconque prétendrait en être.

Enfin, il allait tout simplement faire de son mieux, et retourner dès le lendemain auprès de Léti. Mieux valait s'accrocher à cette idée...

Le village était fortifié – ou plutôt, entouré d'un mur d'enceinte haut de trois pas environ. Il était bien plus grand qu'Eza. En fait, Berce était déjà une petite ville. La porte d'accès n'était pas fermée, mais Yan apercevait quatre hommes à proximité de l'ouverture, installés dans une posture négligée – assis contre le mur ou allongés dans l'herbe – insuffisante à tromper sur leur fonction.

Il les détailla en approchant. Ils ne ressemblaient pas à des soldats réguliers d'une communauté; outre leur attitude aussi peu militaire que possible, ils n'avaient ni uniforme ou quelque chose y ressemblant, ni un semblant d'hygiène!

Tous quatre étaient plus sales encore que le vieux Vosder : barbes hirsutes, visages crasseux, mains noires, vêtements portés depuis plusieurs décades...

L'un d'eux se leva à l'arrivée de Yan, qui préféra arrêter sa monture et attendre patiemment qu'on vienne à sa rencontre. Mieux valait rester à distance des trois autres.

Le crasseux lui lança quelques mots interrogatifs, tout en attrapant machinalement la longe du cheval. Yan nota le geste mais ne comprit rien de ce qu'on lui disait. Un argot lorelien?

— Je ne comprends pas, dit-il en ithare.

Un autre des crasseux les rejoignit. Yan réprima une envie furieuse d'arracher la longe des mains du premier et de galoper ventre à terre jusqu'à ses amis. L'autre s'adressa à lui en ithare.

— T'es pas lorelien ?

— Nan, répondit-il, d'un ton défiant.

Puis il reprit, plus calmement :

— Non. Je viens d'Assiora, un village du centre du Matriarcat.

Les deux affreux le regardaient silencieusement.

— Kaul ! reprit Yan. Le Matriarcat de Kaul ! C'est même pas à une décade de voyage !

La compréhension illumina enfin le visage du deuxième crasseux, qui sourit puis éclata franchement de rire, avant de traduire à son collègue qui comprit et rit à son tour.

— T'viens du pays des femm', alors ?

— Le pays des femmes ?

— Ben ouais ! Y'a qu'des femm', là-bas : des femm'-hom' et des hom'-femm' ! et il rit de plus belle.

Yan ne comprenait pas exactement le sens de la plaisanterie mais était sûr de ne pas la goûter. Il eut envie de répliquer en attaquant les mœurs, apparemment libérées, d'hygiène lorelienne, mais put se contrôler et attendre en grinçant des dents que les affreux, maintenant tous réunis autour de lui, cessent enfin de rire stupidement.

Ce fut long. Mais enfin on s'intéressa de nouveau à lui.

— Alors, t'viens ici pour quoi ?

— Pour le jour de la Promesse.

Une nouvelle explosion de rires secoua les bedaines des crasseux, après traduction. Yan réalisa soudain l'intérêt que pouvait avoir un arsenal comme celui de Grigán. On l'aurait sûrement traité différemment s'il était venu vêtu d'une armure de cuir, avec une lame longue de quatre pieds au côté. Au lieu de cela, il portait une stupide tunique de couleur beige appartenant à Léti, ainsi qu'un ruban que Corenn lui avait noué sur le front, pour « parfaire le personnage de courtisan ». Ridicule !

— Je peux passer, ou pas ? s'énerva-t-il.

— Ouais, ouais, lui répondit l'autre en s'essuyant les yeux. Eh, bonne chance, mon *gars* !

Yan ignora la nouvelle tempête d'hilarité qui se déclencha dans son dos et pénétra dans l'enceinte. Du danger, de l'héroïsme, tu parles ! On allait franchement se payer sa tête pendant deux jours, oui.

Il ravala sa colère et sa honte, et observa les environs. Il était venu pour ça, alors plus vite ce serait fait, plus vite il pourrait retourner auprès de Léti.

La petite ville était assez agitée ; la préparation et l'excitation de la fête prochaine y étaient sûrement pour beaucoup.

Berce avait l'air d'une ville agréable. Les bâtiments – maisons, ateliers d'artisans, écuries et autres – paraissaient assez vieux, mais cela leur donnait un certain charme. Il nota que beaucoup d'entre eux comprenaient plusieurs étages, contrairement à l'architecture traditionnelle kaulienne.

Il remonta ce qui devait être la rue principale. Il croisa une vingtaine de personnes, plus ou moins affairées, dont la plupart se contentèrent de lui jeter un simple regard. Tant mieux, au moins passait-il inaperçu. La seule exception était constituée de ceux qui s'arrêtaient et le dévisageaient d'un air amusé. Yan tenta d'abord l'indifférence, mais il ne put s'empêcher ensuite de répondre par de noirs regards et finit par arracher son ruban et desserrer sa tunique toute propre.

Des enfants de tous âges couraient en bandes dans les rues ; il se promit, rancunier, de surveiller étroitement la bourse que lui avait confiée Corenn. On ne l'aurait pas deux fois ; l'expérience de Jerval lui avait donné une leçon.

Il croisa un autre cavalier, venant en sens contraire. Celui-ci tirait son cheval par la longe ; Yan se dit qu'il ferait bien d'en faire autant, pour être moins exposé aux regards. Il descendit de sa monture et poursuivit à pied.

Il arriva à ce qui devait être la place principale. La coutume lorelienne voulant que l'on travaille le moins possible les jours de célébration, les préparatifs de la fête du lendemain étaient déjà bien avancés.

Les habitants avaient disposé de nombreuses tables dissemblables, récoltées parmi la communauté, ainsi que des bancs, chaises, fauteuils et tabourets aussi peu assortis. À l'écart de tout cela, on avait rassemblé un tas impressionnant de bois à proximité d'un foyer construit pour l'occasion.

Mais ce qui étonna et effraya le jeune homme, ce fut l'estrade. Est-ce que les promis devaient monter ensemble là-dessus, *devant tout le monde* ? Pire, peut-être les hommes devaient-ils faire leur demande *seuls*, à cet endroit ? Après tout, le déroulement de la fête en Lorelia était peut-être très différent des cérémonies de Kaul.

Yan était là, comme hypnotisé par l'installation, son

imagination lui montrant les pires choses, quand quelqu'un vint placer son visage à un pied du sien.

Il n'avait ni vu, ni entendu l'homme arriver. Ce dernier s'était glissé devant lui comme un serpent. Et le dévisageait maintenant avec insistance.

Il fit la même chose pendant quelques instants. L'homme était plus petit que lui et portait une robe commune de prêtre, avec le capuchon relevé. Il devait avoir un peu plus de trente ans, mais son visage glabre et son crâne rasé le faisaient paraître plus jeune. L'homme gardait ses mains dissimulées, mais ce n'était pas le plus effrayant.

Un *requin*. Voilà, son regard faisait penser à celui d'un requin. Yan n'en avait vu qu'à une occasion, après une longue expédition des pêcheurs de son village. Mais il n'avait pas oublié les yeux froids et vides de tout sentiment...

Bien sûr, il ne s'agissait alors que d'une simple interprétation de gamin, faite à la vue d'un animal mort... Maintenant, le requin était vivant et semblait se repaître de la peur de sa proie !

— Excusez-moi.

Yan se détourna aussi calmement que possible, pour ne pas déclencher l'irréparable, alors qu'il n'avait qu'une envie : courir à toutes jambes.

Un autre requin était dans son dos.

Le deuxième homme était à moins d'un pas derrière lui. Il n'avait pas fait plus de bruit que le premier. Il était vêtu de la même façon, et avait le même regard de prédateur.

Yan fut glacé d'effroi. Il lui avait semblé voir briller l'éclat du métal dans une main, l'espace d'un instant.

Puis cette main avait disparu dans les replis d'une robe.

Il continua à avancer calmement, sans se retourner. Il s'attendait à recevoir un coup de poignard d'un moment à l'autre. Il guida son cheval de manière qu'il se place plus ou moins en travers dans son dos. Même ainsi, il pouvait sentir la brûlure des regards sur sa nuque.

Il s'arrêta de l'autre côté de la place, à un cabaret offrant des places en terrasse, attacha tranquillement son cheval à côté d'un autre, et s'assit de façon à pouvoir enfin observer les hommes inquiétants.

Ils n'étaient plus là. Yan examina toute la place, en vain. Il ne put s'empêcher de se retourner brusquement pour vérifier derrière lui. Mais les requins avaient quitté ces eaux.

Une voix nasillarde et haut perchée le fit bondir sur son banc. Il s'appliqua, tant bien que mal, à calmer les battements de son cœur, et constata qu'une femme d'une cinquantaine d'années l'interpellait depuis l'entrée du cabaret.

— Du vin ! répondit-il en ithare, d'une voix mal assurée.

Il craignit un instant de s'être trompé sur le sens de la question, mais la femme hocha la tête et lui apporta peu après un gobelet plein, que Yan paya en soupirant de soulagement.

Il détestait le vin et avait donné cette réponse sans réfléchir. Cependant, après ces émotions, il trouva à cette boisson une saveur et une douceur particulièrement réconfortantes.

Il se retourna de nouveau, faussement détendu. Et eut une pensée pour Grigán. Est-ce que le guerrier vivait toujours comme ça ? À surveiller ses arrières ?

Est-ce que son expérience suffirait à les tirer d'affaire ?

Il repensa au métal qu'il avait vu briller fugitivement. Nul doute qu'il s'agisse des Züu. Avaient-ils prévu de le tuer ?

Non, car il serait déjà mort maintenant...

À sa place, un héritier n'aurait pas eu la moindre chance.

Comment les assassins faisaient la distinction, Yan s'en fichait comme d'une peau de margolin. L'important était de ne pas commettre de bourde les faisant changer d'avis sur son compte !

Les yeux scrutant la foule, il remarqua que les habitants n'étaient pas – dans l'ensemble – plus sales qu'à Kaul. Alors, que faisaient les quatre pouilleux aux portes de la ville ? Étaient-ils seulement d'ici ?

Il allait vraiment devoir faire très attention.

Il termina son gobelet, se leva et prit la direction du *Marchand de vin*, que lui indiqua la tenancière.

Il traversa tout le sud de la bourgade, arrivant presque à la porte donnant sur la route de la mer, avant de trouver son but. Il faillit passer devant sans la voir ; il est vrai que, contrairement à l'*Auberge du bac*, celle-ci n'avait qu'une toute petite enseigne.

Un mendiant était assis non loin de l'entrée, devant une coupelle où reposaient quelques pièces misérables. Yan préféra ne pas abandonner son cheval dans la rue et demanda par la porte entrouverte que l'aubergiste lui indique l'écurie. Celui-ci, un gros homme rougeaud à l'allure sympathique, fit mieux et prit lui-même en charge la monture, offrant à Yan d'entrer afin que l'on s'occupe de lui.

Yan acquiesça, mais préféra suivre l'homme du regard jusqu'à un bâtiment tout proche. Il pourrait avoir besoin de récupérer son cheval en urgence, et il préférait savoir où on le casait...

— Une 'tite pièce, pour manger, seigneur, prononça difficilement le mendiant d'une voix chevrotante.

Il ressemblait à l'un des quelconques mendiants qu'il avait pu croiser jusqu'à maintenant : sale, poilu, crasseux, vêtu de loques rincées seulement par la pluie...

Ce type pouvait être un homme travaillant pour les Züu. Ou simplement un malheureux... Il avait plus l'air d'un malade que d'un ivrogne. Yan tira une pièce de sa bourse et la posa dans la coupelle. Maudit, ce qu'il *puait !* Il avait dû se rouler *dedans*, à coup sûr. Il s'en éloigna au plus vite.

— Merci, seigneur. Merci, merci, répéta le mendiant à outrance.

Il avait à peine regardé la pièce. Yan haussa les épaules et entra dans l'auberge.

La grande salle était vide, à cette heure. Le tenancier le rejoignit peu après.

— Vous n'avez personne qui s'occupe des chevaux pour vous ? commença Yan.

— Si, si, j'ai mon grand fils. Mais pour lui aussi, c'est demain le jour de la Promesse. Je serais vraiment cruel de le faire travailler aujourd'hui...

L'homme plut tout de suite à Yan. Pas étonnant que les héritiers aient séjourné ici. Pour peu que la cuisine soit telle que l'avait décrite Corenn...

Yan déclara vouloir passer deux nuits et paya d'avance, bien qu'on ne le lui ait pas demandé. Puis, comme l'homme semblait bavard, il en profita pour obtenir quelques renseignements.

— Les hommes qui sont aux portes ? Non, ils ne sont pas d'ici. Enfin, sauf Nuguel, et le fils de Bertan. Personne ne sait d'où viennent les autres, peut-être de la ville. Ce qui est sûr, c'est que c'est pas des bonnes gens à fréquenter. Enfin, pour l'instant, ils n'ont fait de mal à personne, hein, alors personne ne dit rien. Vous voulez mon avis ? Ils cherchent quelqu'un. Et je ne voudrais pas être à sa place si ce quelqu'un montre son nez par ici... Remarquez, c'est sûrement aussi un bon à rien de tire-laine ou de coupe-jarret, du genre de celui qui ne veut pas débarrasser ma devanture. Qu'est-ce que vous en pensez ? Au fait, pourquoi, ils vous ont fait des ennuis ?

Yan mit un peu de temps à digérer tout ce discours. Il en avait mal à la gorge pour l'aubergiste.

— Non, non... Ils se sont un peu payé ma tête, mais c'est tout. Ils sont nombreux, comme ça, à attendre *quelqu'un* ?

— Ça, on ne saurait pas le dire. Avec tous les jeunes gens et leurs familles, comme vous, qui viennent des campagnes pour la Promesse, il y a deux fois plus de monde dans le village. Et puis il y a aussi une sorte de grande famille qui organise une fête ici tous les trois ans, et ça tombe cette année. Peut-être qu'il y en a parmi eux.

Yan se demanda si ça n'était pas trop suspect de poser la question, mais l'occasion était trop belle, et la réponse trop importante.

— Vous en avez vu ?

— De la grande famille, vous voulez dire ?

— Oui, heu...

Il chercha désespérément un prétexte pouvant expliquer sa question. Il n'en trouva pas, et allait changer de sujet quand l'aubergiste lui répondit.

— Non, non. Pas encore. Mais c'est encore trop tôt. Peut-être dans deux ou trois jours. Ils viennent toujours ici, vous savez ? Ils prennent presque toute l'auberge. Ça m'arrange bien, parce que sinon, je n'ai pas beaucoup d'hôtes. En ce moment, je n'ai que vous, un couple qui vient de Lermian, et un groupe de cinq prêtres qui n'ont pris que deux chambres ! Vous vous rendez compte ? Deux chambres pour cinq ! Moi, je suis respectueux des prêtres ; je leur ai dit : si c'est une question d'argent, alors prenez chacun une chambre pour le même prix, puisqu'elles sont libres. Mais ils ont refusé. Vous ne trouvez pas ça bizarre ?

— Si, si.

Vraiment bizarre. *Effrayant*, même. Il allait passer la nuit à côté de cinq tueurs züu.

S'il faisait le moindre faux pas, il ne verrait pas le matin.

Yan mit un moment à retourner dans le centre-ville. En grande partie parce que l'aubergiste volubile l'avait longtemps retenu, le piégeant dans une discussion sans fin. Ensuite, ça avait été le tour du mendiant, qui avait eu le culot de lui demander à nouveau l'aumône. Il paraissait alors beaucoup moins malade. Certaines personnes avaient un sens de l'humour très particulier.

Sans cheval pour s'enfuir, et sans son arc pour se défendre, Yan se sentait très vulnérable. Tout ce qu'il avait à sa disposition était une dague prêtée par Grigán, pour remplacer le couteau qu'il avait donné à Léti. C'était peu de chose... De toute façon, même avec une épée géante, il ne voyait pas comment il pourrait tenir tête aux combattants chevronnés qu'étaient les assassins.

C'est donc la peur au ventre et l'esprit en feu qu'il revint sur l'emplacement des préparatifs de la fête. Un examen détaillé lui révéla qu'aucun des Züu n'était là ; ou plutôt, qu'aucun n'était visible. Il se demanda ce qui était le mieux.

La journée touchant à sa fin, de plus en plus de monde se rassemblait sur la place. Apparemment, la Promesse était aussi fêtée la veille, en Lorelia. Il remarqua que bon nombre de jeunes gens – de son âge, en fait – patientaient avec une excitation grandissante dans tous les coins laissés libres par leurs aînés. Tous étaient en groupes, mais du même sexe : garçons avec garçons, filles avec filles. Yan s'adossa nonchalamment à un mur, près de deux jeunes Loreliens qui l'ignorèrent totalement, captivés qu'ils étaient par la gent féminine parée de ses plus beaux atours.

Quant à lui, il détaillait plutôt les étrangers. Quelques-uns d'entre eux, peut-être, faisaient partie des héritiers. D'autres travaillaient pour les sombres projets des Züu. Qui et qui ?

Léti, Corenn et Grigán avaient décrit de leur mieux quelques-uns de leurs amis, mais la liste s'était rapidement allongée, et Yan avait eu en peu de temps l'esprit complètement embrouillé. Ses compagnons eux-mêmes avaient peu à peu émis des réserves quant à la fiabilité de leurs souvenirs ; d'autant plus qu'il s'agissait de détails vieux de trois ans. Aussi, en définitive, ne pouvait-il pas compter sur ces indications pour l'aider.

Il s'aperçut avec effroi que le mendiant de l'auberge l'observait, et sans doute depuis un moment. Ne venait-il point de détourner son regard ? Est-ce qu'il le suivait ?

Yan se dit qu'il ferait bien d'éviter ce pouilleux pendant son séjour à Berce. Ne serait-ce, peut-être, que pour protéger sa bourse.

— Bonjour.

Deux jeunes femmes blondes, sagement debout devant lui, les mains dans le dos, lui souriaient avec insistance. Il rougit jusqu'aux oreilles en les découvrant. Elles étaient vêtues bien plus court que ne se le serait permis une Kaulienne.

— Heu, bonjour, répondit-il sans originalité.

— C'est vrai que tu viens de Kaul ? demanda ingénument la plus grande, sans cesser de sourire à s'en figer les traits.

Yan se renfrogna. Ça se lisait sur son visage, ou quoi ? S'il n'était même pas capable de passer inaperçu auprès de deux villageoises, inutile d'espérer tromper ses ennemis !

— Comment le savez-vous ? – il ne pouvait se résoudre à la tutoyer.

— C'est mon oncle qui me l'a dit. Il le tient du cousin de Nuguel, qui t'a vu avec les autres venir par la porte de Lorelia aujourd'hui. Nuguel raconte à tous ses copains que tu viens pour la Promesse, pour les faire rire.

Devant le visage blêmissant de Yan, elle ajouta promptement :

— Moi, ça ne me fait pas rire. Je trouve ça charmant.

Yan rougit de plus belle. Complètement stupide, il était complètement stupide.

— Ah bon ! fut la seule chose qu'il put répondre.

— Les Kauliens sont si... romantiques, continua-t-elle. C'est vrai que vous refusez de laisser travailler une femme ? Que vous préférez tout lui offrir ?

Yan eut un hoquet étranglé. Est-ce que cette fille se payait sa tête ? Ou était-ce vraiment ce que l'on disait des Kauliens dans le reste du monde ?

— C'est peut-être exagéré... commença-t-il.

— De toute façon, c'est sûrement mieux qu'ici. Tous les garçons que je connais sont des pêcheurs sans avenir, qui ne cherchent à s'unir que pour faire des enfants. Moi, ce que je voudrais, c'est vivre une histoire d'amour. J'aimerais vraiment, mais *vraiment*, être promise à un Kaulien...

L'ingénue lui fit un clin d'œil plein de sous-entendus, avant de lui tourner le dos, imitée en cela par son amie silencieuse. Yan les regarda s'éloigner comme si elles dansaient sur une corde imaginaire.

Il ne se faisait aucun souci quant à l'avenir de l'entreprenante Lorelienne. Comment Léti aurait-elle pris tout ça ? Il n'en avait pas la moindre idée. Son vœu le plus cher était qu'elle en fût jalouse... Mais l'aventure se serait alors certainement terminée par une joute entre les deux femmes, verbale ou physique. Léti n'était pas du genre à laisser faire...

Des clameurs le tirèrent de sa rêverie. Un bon nombre d'individus désignaient une direction, vers laquelle Yan porta son regard. À deux ou trois lieues du village, en un point précis des collines environnantes, quelque chose projetait des éclairs de lumière...

Un groupe d'une dizaine de cavaliers fendit soudain la foule vers la sortie du village. Avec effroi, Yan reconnut la présence parmi eux d'au moins trois Züu, les autres n'étant que des malfrats tels ceux gardant les portes.

Les assassins avaient réagi très vite. Si l'homme qui faisait ces signes était un héritier, il avait peu de chances d'en réchapper... À moins de fuir immédiatement.

Yan avait peut-être une petite chance de le prévenir, s'il sautait en selle... Mais il lui faudrait pour cela dépasser les autres sans se faire voir. Il n'était pas assez bon cavalier pour ça. D'autant plus qu'il lui fallait d'abord regagner l'auberge, ce qui le retarderait encore...

Il y avait sûrement quelque chose à faire... Il *fallait* faire quelque chose... Il sentait que c'était important.

Il ramassa un peu de terre et s'en frotta vigoureusement la joue. Ainsi maculé, il parcourut bon nombre de rues avant de tomber sur le genre d'artisan qu'il cherchait. Prétextant et maudissant sa maladresse, celle-ci l'ayant fait tomber et se salir en un jour aussi important que celui-ci, il acheta un miroir au verrier. L'homme rit de la mésaventure avec bonhomie.

Aussitôt sorti, Yan se mit en quête d'un endroit propice à son projet. Il le trouva bientôt sous la forme d'une maison abandonnée, où il pénétra par une fenêtre après s'être assuré que personne ne l'épiait – et surtout pas le mendiant de l'auberge !

Son cœur battait à tout rompre. Maintenant, il était *vraiment* en danger. Si même le moins dangereux de ses ennemis le voyait, ce serait la fin.

Il grimpa le long d'une rambarde d'escalier branlante et craquelée, préférant éviter les marches dont l'état était pire encore. Puis il escalada avec précaution une échelle pourrie avant de soulever une trappe poussiéreuse.

Il fut enfin sur le toit de la maison, haletant et soufflant, les tempes battantes d'excitation. Quelqu'un faisait toujours des signaux lumineux, ignorant du danger qui galopait vers lui. Yan leva le miroir le plus haut possible et l'agita en tous sens. Est-ce que ce serait suffisant pour renvoyer si loin les rayons du soleil ?

Est-ce qu'il allait se faire prendre et mourir aujourd'hui ?

Sur les collines, les éclairs disparurent. Puis il y en eut trois très courts, comme des coups frappés à une porte. Ce furent les derniers.

Yan cessa d'agiter son miroir. Ce devait être une réponse. Il avait réussi !

Il laissa fleurir un immense sourire sur son visage. Il avait réussi quelque chose, peut-être sauvé une vie, peut-être seulement donné un peu d'espoir à l'homme qui se trouvait là-bas, sur les collines. Un héritier... *Sûrement* un héritier.

Pourvu que cet idiot ne se mette pas en tête de venir jusqu'à Berce maintenant !

Il chassa cette sombre pensée pour s'inquiéter de son propre salut. Après s'être nettoyé la joue, il enveloppa le miroir dans un morceau d'étoffe trouvé sur place et lança habilement le paquet deux toits plus loin. Il entreprit ensuite une descente acrobatique le long du mur extérieur, redoutant de se dévoiler en repassant par l'intérieur.

Loup repu craint rat piégé... Jamais il ne se serait cru capable de tels actes !

Est-ce que Grigán vivait toujours comme ça ? se demanda-t-il une fois encore, en se laissant tomber à terre.

Les cavaliers revinrent tard dans la soirée, alors que la fête était commencée depuis longtemps. Yan vit avec soulagement qu'ils ne ramenaient ni corps, ni prisonnier avec eux. Ils n'avaient pas non plus l'expression arrogante et fière des vainqueurs... Par bonheur, l'inconnu s'était échappé.

Il ne dévisagea les trois « prêtres » que quelques instants, craignant de se faire remarquer. Mais cela suffit à ce que l'un d'eux croise son regard. De nouveau, Yan fut glacé d'effroi en découvrant ses yeux de prédateur. Heureusement, le Zü continua son chemin, examinant tout le monde indifféremment.

Était-il le seul à avoir peur ? Les autres ne devaient pas se rendre compte. Il se demanda quelle serait la réaction des habitants s'ils apprenaient qu'un groupe de tueurs züu s'était installé dans leur village... Celui-ci serait certainement déserté dans le décan suivant.

Les cavaliers se séparèrent, les trois assassins prenant la direction du *Marchand de vin*. Yan se décida à les suivre, désespérant d'apprendre quoi que ce soit d'autre ce soir. Les gens qui buvaient, ceux qui dansaient sur des airs de vigolcs et de lunes-à-corde, et surtout ceux qui courtisaient, avaient peu de chances d'intéresser Grigán. Et puis, la jeune Lorelienne qui l'avait abordé plus tôt dans la journée ne cessait de lui faire des signes ; il était clair qu'elle n'allait pas tarder à venir lui parler de nouveau. Peut-être même suggérer une danse ! Mieux valait éviter un nouvel embarras

Il répondit mollement à un de ces signes, puis profita d'un mouvement de foule pour s'éclipser. Ce n'était guère civilisé, d'accord, mais il n'avait pas trouvé mieux. Et comme il était peut-être suivi par d'autres regards...

Il marcha à bonne allure vers l'auberge. Loin du foyer allumé sur la place, le froid de la nuit se faisait cruellement sentir.

On n'avait pas servi de repas pendant la fête ; mais Yan, torturé par la faim, avait mangé pain et terrine au cabaret, comme beaucoup de monde avec lui. Il s'en félicitait maintenant. S'il avait dû souper dans l'auberge, seul dans la grande salle du bas, avec les Züu comme compagnons de table... il n'aurait rien pu avaler.

Il arriva bientôt à destination. Le mendiant n'était pas installé devant la façade ; Yan l'avait aperçu plusieurs fois ce soir, à divers endroits sur les lieux de la fête. Il était heureux de ne plus le croiser.

Un rapide coup d'œil par la fenêtre le rassura sur la vacuité des lieux, et il poussa la porte. Ce qui eut pour effet immédiat de faire apparaître l'aubergiste, qui tenta aussitôt – mais sans succès – d'engager la conversation. Yan prit seulement le bougeoir qu'on lui tendait, souhaita poliment la bonne nuit et s'enfuit vers les étages. Il se sentait incapable d'affronter encore un décan de babil sans fin.

Il dépassa silencieusement les deux chambres occupées par les Züu, les deux premières après l'escalier, placées face à face. L'hôte infatigable les lui avait indiquées plus tôt dans la journée, après lui avoir montré la sienne. Les prêtres avaient insisté pour être placés à cet endroit : le meilleur choix stratégique, remarqua Yan. Personne ne pouvait monter ou descendre sans qu'ils ne l'apprennent.

La porte de gauche était entrouverte ; l'un d'eux faisait peut-être le guet, ou tout au moins pouvait-il écouter. Yan continua tranquillement. Il ne fallait surtout pas qu'ils s'intéressent à lui. Sur une idée un peu tardive, il fit semblant de tituber comme un ivrogne. Ça pourrait donner le change.

Il engagea maladroitement la clé dans la serrure de la porte de sa chambre et peina dessus quelques instants. Il n'eut même pas à simuler : elle était réellement difficile. Enfin, il put ouvrir la porte, la franchit et referma derrière lui en soupirant. Il avait l'impression d'être au milieu de la fosse aux serpents, ou plutôt dans le bassin des requins.

Une nuit, une seule nuit à tenir, et il pourrait rejoindre Léti. Les nouvelles qu'il apporterait n'étaient pas très bonnes : le village était entièrement sous la surveillance de leurs ennemis, et les espoirs de trouver d'autres héritiers se résumaient aux signaux lumineux d'un inconnu... qui n'avait peut-être rien à voir avec cette histoire.

Tout ce qu'il lui restait à faire, c'était d'attendre. Il prit son mal en patience et regarda comment il pourrait passer la nuit.

Sa chambre disposait d'une mansarde non vitrée, plutôt petite, mais suffisamment grande pour laisser passer un homme maigre ou, tout simplement, un carreau d'arbalète. Il s'assura qu'elle était bien fermée et renforça même l'attache avec de la corde. Ça ne ferait pas une grande différence pour quelqu'un de décidé, mais... c'était mieux que de ne rien faire du tout.

Il n'arriverait pas à dormir cette nuit. Pas tout de suite, en tout cas. Malgré l'heure tardive, il ne ressentait aucune fatigue, le froid et l'excitation le gardant pleinement éveillé.

Il résolut de préparer immédiatement ses vêtements pour le lendemain. Plus question pour lui de mettre encore cette stupide tunique de fille.

C'est alors qu'il s'aperçut que l'on avait *fouillé* dans ses affaires.

Il vérifia rapidement : on ne lui avait rien volé. Il ne voyait pas, d'ailleurs, ce qu'il possédait d'assez intéressant pour justifier un cambriolage.

Bien sûr, le but n'était pas de le voler. On avait d'ailleurs pris un soin tout particulier à remettre les choses en l'état, et Yan ne s'en était aperçu que par chance.

Heureusement, il n'avait rien dans ses affaires qui pût le trahir. Le plus grave était seulement que l'on ait pu *entrer* dans sa chambre.

Il vérifia sa serrure. Elle avait l'air en bon état, si l'on exceptait sa dureté... À moins que ce ne soit justement dû à l'effraction ?

Maintenant, il était certain de ne pas dormir de la nuit. Il se sentait même prêt à prendre le chemin du retour immédiatement... mais cela aurait été trop dangereux, trop suspect.

Il s'installa résolument sur un tabouret, face à la porte, sa dague dans la main. Très bien, le premier qui franchirait cette porte sans y être invité passerait un très mauvais moment. Quant au deuxième... Il ne voyait pas comment il pourrait repousser le deuxième.

Dire que, quelques jours plus tôt, il trouvait cela tellement passionnant ! Dans cette situation, il préférait de loin sa vie d'avant, monotone et sans histoire.

Il finit tout de même par s'assoupir, pendant de courts moments, dans cette position pourtant inconfortable. Il se passa un décan à peine, mais qui lui sembla en durer deux...

Des voix dans le couloir.

Il mit quelques instants à réaliser qu'elles étaient bien réelles, et non pas issues de son sommeil perturbé. Puis il en fut tout à fait sûr.

Quelques hommes – deux, trois, peut-être plus – parlaient entre eux, ou avec les assassins, en haut de l'escalier. Yan colla son oreille à la porte, mais c'était insuffisant pour pouvoir écouter la conversation. Tout ce qu'il comprit fut : « je... cinquante, pas moins ». Le reste, dit sur un ton plus bas, était inintelligible.

Il se décida à prendre le risque d'ouvrir, une discussion si tardive ne pouvant être que très importante. Il cacha sa bougie sous le tabouret voilé d'une couverture, puis fit tourner la clé dans la serrure avec une extrême lenteur. Enfin, il entrouvrit légèrement.

Les gonds grincèrent. Très faiblement, mais, aux oreilles de Yan, cela sonna plus aigu que le cri du virvois. Il attendit quelques instants, immobile, la main crispée sur sa dague, mais personne ne vint. Les hommes parlaient toujours et semblaient ne rien avoir entendu.

— Non, non, clamait la voix la plus forte. Je veux cinquante terces d'argent, pas moins. Et je les veux avant de partir, encore.

— Cinquante, c'est une somme, annonça une voix calme. Crois-tu vraiment que ton savoir soit à ce prix ? Qu'une demi-journée de ton temps mérite deux terces d'or ?

— Si vous trouvez quelqu'un d'autre, alors engagez-le. Mais il n'y a que moi. Et sans moi, vous n'aurez jamais le type au miroir. Il faut lire les signes, et malgré votre sainteté, tout ça, vous ne savez pas. Alors je veux cinquante.

— Est-ce que tu connais *bien* la déesse Zuïa ? reprit la voix doucereuse.

Il y eut un silence.

— Zuïa est la déesse justicière. Tu remarqueras bien que je ne dis pas *une*, mais *la* déesse justicière.

Les autres dieux sont des faibles ; ils ne jugent les humains qu'après leur mort. Zuïa est la seule qui applique ses sentences *immédiatement*. C'est la seule qui possède un *réel* pouvoir, la seule *vraie* déesse.

Nouveau silence. Yan imaginait aisément l'homme à la voix grave perdre de son assurance.

— Moi et mes frères sommes les *messagers* de Zuïa. Si tu nous refuses ton aide, tu te ranges du côté des condamnés. Et Zuïa te jugera pour ça.

Au moins, c'était sans équivoque, pensa Yan.

— Alors, reprit la voix douce, vas-tu nous guider ?

L'homme à la voix forte se confondit en excuses, bredouilla qu'il n'avait pas compris qu'il s'agissait d'une mission sacrée, et que, bien sûr, il était maintenant tout disposé à les aider. Gratuitement ! La voix douce conclut sur un simple « Bien » et un rendez-vous fixé pour le lendemain au troisième décan, sur la place. Puis des hommes descendirent l'escalier.

Yan attendit que tout redevienne silencieux. Puis il referma sa porte avec d'infinies précautions, en plaçant un linge sur l'un des gonds. Le bruit fut suffisamment étouffé pour être discret.

De nouveau enfermé, il laissa libre cours à ses pensées. Que faire ! Que pouvait-il faire ?

Que ferait Grigán à sa place ?

S'il restait là, l'homme au miroir mourrait demain matin. Et s'il bougeait, lui-même périrait *en plus* cette nuit, à moins de réussir quelque chose. Mais quoi ?

Il n'avait aucun moyen d'avertir l'inconnu. Il pensait pouvoir rejoindre l'endroit dans les collines, de mémoire... mais en plein jour seulement. De nuit, c'était impossible.

Sans oublier cette histoire de « lire les signes... »

Que ferait Grigán à sa place ?

Il faudrait le lui demander.

Quitte à prendre des risques, à s'éclipser de Berce, à chevaucher de nuit, autant rejoindre ses amis. Le guerrier aurait peut-être une solution.

Sa résolution prise, Yan s'attaqua aux problèmes pratiques. Un seul regard jeté par la lucarne soulevée lui confirma qu'il ne fallait pas compter sortir par là. La pente était bien trop forte et donnait dans une rue passante. Ce n'était pas le mieux pour la discrétion.

La porte restait donc la seule solution. Et s'il y allait, franchement, sans donner l'impression de vouloir cacher quelque chose ?

Dans tous les cas, il devait au moins attendre un moment. Ce serait trop suspect de partir maintenant, juste après la conversation.

Il se massa le visage en réfléchissant. Le voilà obligé de penser comme un fugitif, un hors-la-loi, un coupable, alors qu'il était la victime ! Sa vie avait vraiment changé.

Il valait mieux, aussi, laisser ses affaires sur place. Les abandonner, en fait, puisqu'il ne voyait pas comment il pourrait revenir ensuite. Si les Züu aux aguets le voyaient passer avec tout son équipement, nul doute qu'ils auraient des soupçons.

Il fit donc rapidement le tri entre ce qu'il voulait absolument emporter et le reste. Seule la tunique beige de Léti avait quelque valeur à ses yeux, parce que ne lui appartenant pas. Il se résigna donc à se séparer du reste.

Quand il eut jugé qu'assez de temps s'était écoulé, il quitta la chambre en n'emportant que le bougeoir, et sans verrouiller la porte.

Il fit volontairement peu d'efforts de discrétion, certain d'être épié de toute façon. Mais il put, à son grand soulagement, traverser tout le couloir, passer devant les chambres des tueurs et descendre l'escalier sans être dérangé d'aucune manière.

Un garçon de son âge dormait profondément, appuyé sur le comptoir du rez-de-chaussée. Yan passa à côté de lui sans le réveiller, déposa le bougeoir sur une table et sortit.

Une étape franchie. La suivante allait être plus délicate : comment sortir de la ville, à cheval, à ce moment de la nuit, avec les portes gardées ? Car elles l'étaient sûrement encore...

Il y réfléchit tout en se dirigeant vers l'écurie. Il ne voyait pas d'autre solution que le passage en force. Il ne se sentait pas le courage d'inventer et de raconter une histoire suffisamment crédible aux pouilleux qui s'étaient payé sa tête.

Maudit ! La porte de l'écurie était munie d'une serrure. Ça n'était pas prévu. Après quelques essais infructueux pour la fracturer avec sa dague, il résolut de la détruire à coups de pierre. Le mécanisme céda heureusement rapidement.

Il avait pensé refermer la porte le temps de préparer son cheval, mais il faisait bien trop sombre dans le bâtiment, aussi la laissa-t-il entrouverte. Il avança plus ou moins à tâtons, se guidant sur les bruits de respiration ou de sabots des bêtes. Enfin, il trouva son cheval. Un mauvais pressentiment le martelait depuis l'auberge, et il s'était plus ou moins attendu à trouver l'écurie vide de montures mais remplie d'ennemis.

Il harnacha rapidement l'animal et se dirigea vers la porte.

Le passage en était barré par un homme.

À cause du faible éclairage, on ne pouvait voir son visage, mais on en apprenait déjà assez d'après sa stature et ses vêtements. Ce n'était pas un Zü, Yan le nota avec soulagement. Il avait plutôt les caractéristiques d'un des pouilleux qui semblaient travailler pour eux. Il se demanda si l'homme l'avait suivi jusqu'ici, ou s'il était déjà dans l'écurie.

— Qui êtes-vous ? articula Yan.

Il se demandait si ça ne ferait pas trop agressif d'empoigner sa dague tout de suite. Cela pourrait déclencher ce qu'il voulait à tout prix éviter : un combat.

— Un ami, répondit l'inconnu. Je fais partie des héritiers, comme toi, n'est-ce pas ?

Yan resta indécis quelques instants. Grigán lui avait ordonné de ne faire confiance à personne, et il trouvait que cette idée valait de l'or. Si ce type était un ami, pourquoi lui bloquait-il le passage ? Pourquoi ne fermait-il pas la porte ? À moins qu'il ne se méfie lui-même...

— Et quel est le nom de cet ami ?

Yan n'aurait jamais cru pouvoir être aussi impoli.

— Reyan. Reyan de Kercyan. Je viens de Lorelia. Tu fais partie des héritiers, ou non ?

Le ton que prenait cet ami Reyan n'était pas amical, justement. Mais on pouvait aussi mettre ce comportement sur le compte de la méfiance.

Fallait-il le croire ? Le nom qu'il avait donné avait été cité par Corenn, au moins une fois, Yan s'en souvenait. Faisait-il partie des morts, ou des vivants ?

— Je ne fais pas partie des héritiers, se décida-t-il à répondre. Mais certains d'entre eux sont mes amis.

— Ils sont ici ? En ville ? s'enquit l'autre avidement.

Yan n'avait aucune envie de donner ce genre de renseignement au Lorelien. Ce dernier ne bougeait pas de devant la porte, et une de ses mains était cachée. Yan détestait ça. Pourrait-il monter en selle et renverser l'homme avant qu'il ne réagisse ?

— Alors ? Il y en a en ville, ou pas ? T'es long à répondre. T'as pas confiance ?

Yan fut soudainement convaincu qu'il ne fallait *pas* faire confiance à ce type. Il se prépara à bondir sur sa monture, lorsqu'il vit avec horreur un second homme apparaître dans l'encadrement de la porte. Il reconnut celui-là tout de suite : le mendiant de l'auberge. Certainement un complice de l'autre ! La situation empirait.

— Fais pas cette tête-là, ça sert à rien, continuait le premier. Tu le diras de toute façon, à moi ou aux cinglés en rouge. C'est juste une question de temps et de douleur.

Yan fut glacé d'effroi. Est-ce que ce type le menaçait de tortures ? Est-ce qu'il ne venait pas d'avouer, tout haut, sa complicité avec les Züu ? Yan empoigna sa dague et la tint devant lui, le pouce sur la lame, comme Grigán le lui avait montré.

L'effet ne devait pas être aussi impressionnant que prévu, car le pouilleux éclata de rire. Le mendiant, lui, se contentait de rejoindre lentement son compagnon. Pourquoi lentement ?

— Tu veux qu'on s'amuse ? dit l'autre, en découvrant son bras armé d'un glaive. Avec plaisi...

Le mendiant, arrivé dans le dos du pouilleux, lui souleva violemment le menton d'une main. L'autre, qui tenait un poignard, traça sur sa gorge un sillon sombre qui alla rapidement en s'élargissant. Le blessé émit quelques gargouillis écœurants puis s'écroula.

Le meurtrier se pencha et essuya sa lame sur les vêtements de sa victime.

— Même en mourant, ils sont répugnants... Ces types n'ont vraiment aucun panache. Si ce n'est celui d'avoir choisi mon nom, bien sûr.

Yan garda sa dague en main. Qu'est-ce qui se passait, là ?

— Oh ! J'espère que tu ne m'en veux pas trop, de t'avoir privé du plaisir de nous débarrasser de ce gros tas. Une occasion s'est présentée, alors...

Yan regardait le mendiant sans comprendre. Celui-ci avait rangé son poignard et le fixait, les poings sur les hanches.

— Je dis : j'espère que tu ne m'en veux pas trop, de t'avoir *sauvé la vie*.

— Heu... Merci, bredouilla Yan.

Il n'arrivait pas à chasser de sa tête l'image de cet homme en train de tuer froidement l'autre. Il allait être aussi difficile d'accorder sa confiance au nouvel arrivant...

— Qui êtes-vous ? reprit-il avec une impression de déjà-vu.

— Rey de Kercyan, l'original. Et seulement *Rey*, pas *Reyan*. Ce type aurait dû savoir que je ne laisse personne m'appeler Reyan. Ça fait beaucoup trop quatorzième éon. Et toi, le voleur de chevaux ?

— Yan. Et ce cheval m'appartient !

— La porte aussi ? Ainsi que la serrure ?

Le Kaulien resta silencieux.

— Allez, je plaisante. Ne traînons pas ici.

Le nommé Rey se pencha une fois de plus sur le cadavre, dont il retira une bourse crasseuse qu'il soupesa d'un air méprisant. Yan, choqué, ne désirait aucunement la compagnie de cet homme sans moralité. Ce type puant devait viser une sorte de récompense qu'il ne voulait partager avec personne, et il avait pour cela tué son complice. Ce n'était sûrement pas un héritier !

— Je dois vous laisser, essaya le Kaulien. Merci encore.

— Attends !

L'ordre n'en était pas un, et aucun geste brusque ne fut fait pour l'arrêter, aussi Yan décida-t-il d'écouter le mendiant, pour quelques instants tout au moins.

— J'ai entendu ce que tu as dit tout à l'heure. *Tout* ce que tu as dit. Et depuis plus d'une décade que je suis ici, ce sont les premières bonnes nouvelles qui arrivent. Tu n'es pas obligé de me croire, bien sûr, mais je fais aussi partie de la famille. Pour mon malheur, ajouta-t-il plus bas.

Yan ne savait que penser. Le ton semblait sincère, mais l'enjeu était trop important. Cela pouvait faire partie d'un piège monstrueux visant à faire repérer ses amis.

— Je ne peux pas vous mener auprès d'eux. Je ne vous connais même pas.

— Je sais, je m'en doute. J'y ai pensé. Alors, va les retrouver et dis-leur que je suis vivant. J'ai un peu grandi depuis la dernière fois qu'ils m'ont vu, mais ils se souviendront sûrement de ça : dis-leur que je suis le garçon qui a mis le feu à la tente, il y a quelques années. Ils ne peuvent pas avoir oublié *ça*, ajouta-t-il en souriant.

Yan acquiesça. Il ne comprenait pas tout, sauf que ce Rey n'avait pas de mauvaises intentions immédiates à son égard. Ça lui suffisait largement.

— Et ensuite ? Si c'est assez pour les convaincre ?

— Vous venez me chercher. Oh ! pas ici, ajouta-t-il devant l'air effrayé de Yan. Je n'ai pas non plus l'intention de m'y attarder. Disons demain à l'apogée, sur la plage des anciennes réunions.

— Elle est sûrement surveillée, objecta Yan.

— Elle ne l'est pas. J'ai vérifié. Du moins, elle ne l'était pas jusqu'à maintenant. Elle le sera plutôt au jour du Hibou.

Yan accepta. Il aurait voulu proposer un autre lieu, mais il ne connaissait pas la région. Grigán déciderait plus tard de la conduite à tenir.

— Une dernière chose : préviens-les que la Grande Guilde est aussi dans la course.

— La Grande Guilde ?

— Tu ne sais pas ce que c'est, ou tu ne me crois pas ? s'étonna Rey.

— Je ne sais pas, avoua Yan sur un ton qui n'engageait pas à la moquerie.

— Eh bien, heureusement que j'ai trouvé de l'aide, ironisa Rey pour lui-même.

— Je ferai part de vos critiques à quelqu'un de ma connaissance, rétorqua Yan. Je parie qu'il en aura autant à dire à votre sujet.

Ils laissèrent passer un silence.

— Susceptible, hein ? reprit Rey le premier.

— Sûrement moins que vous n'êtes cynique, répondit Yan sur le même ton franc.

Ils se firent face quelques instants avec un sourire complice. Puis Rey prit Yan par le bras et l'entraîna dehors sans brusquerie.

— Allez, viens ! Le jour sera levé que nous serons encore en train de nous asticoter, assis sur le cadavre. Tu imagines le spectacle ? Dis-moi, tu as prévu de sortir comment, avec ton cheval ?

Un sifflet s'éleva dans la nuit.

Nuguel, unique homme placé par les Züu à la porte de Leem, ne se sentait pas d'humeur à jouer. Tous ses copains ou presque dormaient depuis longtemps, ou faisaient la fête avec les filles... et *aux* filles. Tandis que lui devait injustement passer toute la nuit à garder une stupide porte que personne n'utilisait jamais !

Alors, le petit crétin qui sifflotait comme un idiot allait passer un très mauvais moment s'il n'arrêtait pas bientôt...

Nuguel l'aurait déjà *raisonné*, si seulement il savait d'où les sifflements provenaient. Mais ce genre de bruit portait loin dans le silence de la nuit. Et l'autre imbécile pouvait être dans n'importe laquelle des ruelles devant lui...

Il ne s'agissait pas d'un simple passant heureux de vivre. Quelqu'un se payait réellement sa tête. Le siffleur s'arrêtait et reprenait selon ses déplacements devant la porte. Nuguel aurait donné n'importe quoi pour pouvoir passer ses nerfs sur lui. Ou sur l'un des types qu'ils recherchaient. Ou sur n'importe qui, pourvu qu'il puisse lui faire *mal*.

— Quand j't'aurai attrapé, j'te f'rai bouffer ta langue, marmonna-t-il entre ses dents.

— Si t'arrives à m'attraper, je la mange moi-même, lui répondit tout haut une voix ironique.

Nuguel se précipita dans la ruelle d'où provenait la voix, exultant d'une joie sauvage à l'idée de rencontrer son railleur.

La seule chose qu'il vit – mais de près – fut une poutre qui vint s'abattre brutalement sur son front.

Rey se demanda s'il allait tuer le garde maintenant inconscient. Bon, après tout, comme ce type n'avait pas donné l'alarme, qu'il s'était précipité dans le piège en laissant Yan passer dans son dos, et comme enfin il s'était écroulé sans faire de bruit, il décida qu'il avait parfaitement rempli son rôle et qu'il aurait la vie sauve... avec toutefois une belle bosse en plus et une bourse en moins.

Il ne s'attarda pas plus longtemps sur le corps allongé, qu'il tira simplement un peu plus loin dans la pénombre. Puis il franchit à son tour la porte de Leem.

Le jeune Kaulien n'était déjà plus visible ; Rey pouvait entendre le galop de son cheval. Il valait mieux pour lui aussi s'éloigner rapidement, c'est pourquoi il se mit en marche à bonne allure.

La première chose qu'il pensait faire, après avoir mis une certaine distance entre Berce et lui, c'était de se *laver*. Même après plus d'une décade, il ne s'était pas accoutumé à l'odeur particulièrement forte accompagnant son déguisement... et celle-ci ne s'était pas beaucoup atténuée. De temps à autre, des relents désagréables s'étaient rappelés à son bon souvenir, comme si la pourriture dont il s'était maculé était encore fraîche. Il avait eu lui-même bien du mal à ne pas tomber malade. Mais l'idée était bonne ; personne ne lui avait *longtemps* adressé la parole.

Enfin, c'était vrai jusqu'à l'arrivée du jeune Kaulien.

Il se rendait compte maintenant qu'il n'avait absolument pas pensé à demander combien d'héritiers il restait, ou qui ils étaient. Le jeune n'aurait sûrement pas répondu, de toute façon, mais tout de même... Il allait passer pour un véritable égoïste.

On verrait plus tard ; il avait fait de son mieux. Si ces gens ne venaient pas tout à l'heure, eh bien ! il se débrouillerait tout seul, comme d'habitude.

En attendant, il devait récupérer ses effets personnels, cachés à moins d'une demi-lieue, et surtout se laver.

Après tout, il allait rencontrer sa famille...

Il ne devait plus perdre de temps. Grâce au mendiant, Yan avait pu quitter la ville sans difficulté, mais il avait dû sortir par la porte *est*. Or, il voulait se diriger vers l'*ouest*.

Il avait donc fait un large détour pour contourner Berce sans se faire repérer par les gardes des autres portes, mais aussi pour semer d'éventuels curieux. Et, bien sûr, il s'était perdu pendant un moment. À pied, il pensait pouvoir se repérer n'importe où, même dans des endroits inconnus. Mais à cheval... Est-ce que l'animal comprenait le concept simple d'*aller tout droit* ? Il en doutait. Heureusement, il avait fini par retrouver le chemin et pensait ne plus être très loin.

Beaucoup de choses s'étaient passées à Berce, en définitive, et il avait hâte de pouvoir tout raconter. Surtout ce qui concernait l'inconnu des collines et le mendiant. Bien sûr, il ne croyait plus qu'il s'agissait d'un véritable mendiant.

Yan avait aussi pu goûter au danger *réel* auquel ils étaient confrontés. Et maintenant, il faisait lui aussi partie des cibles. Ça ne l'effrayait qu'un peu ; il s'était attendu à être impliqué tôt ou tard. Bizarrement, il était même plutôt content de pouvoir partager ça avec Léti.

Ce qui l'ennuyait le plus, c'était le manque de solutions à leur problème. Les Züu semblaient plus que déterminés et paraissaient disposer de moyens importants. Il avait pris conscience que lui et ses amis auraient du mal à reprendre une vie normale... s'ils le pouvaient jamais.

Alors, autant profiter du présent. Dans peu de temps, il reverrait sa Léti adorée. Dans quelques décans, le soleil se lèverait sur le jour de la Promesse. Le moment qu'il attendait depuis si longtemps. Mieux valait penser à ça.

Il atteignit enfin l'endroit où il fallait bifurquer pour s'engager sous les fourrés, ce qu'il fit avec une courte prière à Brosda dans laquelle il demandait à ne pas se perdre comme à son habitude. Le dieu dut l'entendre, car il parvint rapidement à la petite maison en ruine où ils avaient établi leur campement l'avant-veille.

Quelque chose n'était pas normal.

Les lieux semblaient déserts.

Après inspection, il en fut tout à fait sûr : la place était vide. Il ne restait plus aucune trace de ses amis : ni chevaux, ni sacs, pas même des braises tièdes. Pas non plus de message ni de signe quelconque.

Yan s'assit sur une souche humide et écouta les bruits de la nuit. Il se sentait très fatigué.

Léti avait eu un peu l'impression d'abandonner son ami. Peu de temps après le départ de Yan pour Berce, Grigán avait ordonné de lever le camp. Folle de rage, elle avait alors protesté, en hurlant des insultes et des menaces, prête à faire admettre son point de vue par la force, avant d'écouter enfin les explications du guerrier.

Grigán voulait simplement déplacer le campement au cas où Yan serait suivi à son retour, ou si on l'obligeait à parler. Il fallut tout de même beaucoup d'argumentation et de promesses de la part du guerrier et de Corenn pour qu'elle cède enfin.

Ils avaient donc quitté la maison abandonnée pour se rapprocher un peu de Berce, s'installant dans un nouvel endroit choisi par Grigán.

Léti, plus calme, avait alors eu un peu honte des choses qu'elle avait dites au guerrier sous l'emprise de la colère. Pensant qu'il voulait abandonner Yan, elle l'avait appelé *menteur, vieillard insensible, traître*, et bien d'autres choses encore, dont elle regrettait certaines. Si sa tante n'était pas intervenue, ils en seraient sûrement venus aux mains, tant sa fureur la rendait sourde aux explications du guerrier.

Il faut dire qu'il avait une façon de présenter les choses ! Et cette manie de ne rien demander à personne, de donner des ordres comme si c'était naturel ! Tout ça parce qu'il avait un cimeterre et un arc ! Ça impressionnait peut-être les autres, mais pas elle.

Elle en avait assez, plus qu'assez même, de tout simplement subir ce qui leur arrivait. Tous ces gens qu'elle aimait : morts. Elle-même, Yan, sa tante Corenn : menacés. Pire : *pourchassés*. Et on lui demandait de ne rien faire, d'attendre tranquillement le bon vouloir de Grigán. N'avait-elle pas son mot à dire ?

Et la première chose à faire était de s'armer. Plus question de se retrouver stupidement *impuissante* face à un assassin déterminé, comme elles l'avaient été sur la route d'Eza. Elle avait encore en mémoire le calme des trois hommes, leur regard cruel et détaché à la fois, et cette façon qu'ils avaient eue de les encercler, de resserrer leur étau...

Plus jamais. Plus jamais elle ne serait ainsi à la merci de quelqu'un. Plus jamais elle n'attendrait, tétanisée, qu'arrive le coup fatal.

Elle voulait *se battre*.

Elle sortit le couteau de pêche que Yan lui avait donné et s'entraîna avec application à le lancer sur un arbre mort.

Corenn et Grigán, qui devisaient tranquillement, s'arrêtèrent pour l'observer.

— Maudits soient les Züu, grinça le guerrier. La petite est complètement choquée. Il faudra du temps pour que ça passe ; et je sais de quoi je parle.

— C'est plus triste encore, répondit gravement Corenn. Ne voyez-vous pas ? Elle a perdu son innocence, sa tranquillité, son insouciance. Elle a perdu ses rêves d'enfant. Elle a perdu le respect d'elle-même. Maudits soient les Züu... C'est une *adulte*.

Ils la contemplèrent pendant quelques instants.

— Vous savez, ça devait arriver un jour ou l'autre, dit Grigán sur un ton réconfortant.

— Bien sûr, mais... Pas aussi brutalement. Elle a changé en quelques jours à peine. J'ai perdu ma petite Léti.

Le guerrier se sentait mal à l'aise. Il détestait voir Corenn aussi triste, et préférait encore encaisser un coup de poing. Il chercha de son mieux quelque chose pour la distraire.

— Dites donc, annonça-t-il joyeusement après quelques instants, elle ne se débrouille pas mal du tout !

Corenn ne put retenir un sourire.

— J'aurai vraiment tout vu ! conclut-elle un peu mystérieusement, devant un Grigán déconcerté.

Yan s'était installé dans la petite maison pour finir la nuit mais ne put dormir beaucoup. Ses pensées, mêlées à ses rêves, lui montraient en un pêle-mêle effroyable Léti, Grigán, le mendiant, l'homme tué, la

Lorelienne aguicheuse, Léti encore, les Züu, l'aubergiste, les signaux sur la colline...

Il était plus souvent éveillé qu'endormi, et réfléchissait autant que possible à ce qu'il allait pouvoir faire. Le mieux lui semblait être d'attendre sur place une journée ou deux, dans l'espoir de voir revenir ses compagnons. Puis le pessimisme prenait le dessus, et il les voyait pris par les Züu, morts. Quelques instants de somnolence suivaient, qui le précipitaient dans un cauchemar où ses craintes devenaient réalité. Puis il se réveillait et réfléchissait encore, sans pouvoir prendre de décision.

C'est pourquoi, quand la voix de Grigán l'appela de l'extérieur, il crut d'abord à un nouveau fantôme évadé de son sommeil... d'autant qu'il faisait encore nuit. Mais l'appel se répéta, une fois, puis une autre encore, et Yan se réveilla tout à fait. Il bondit de sa couche plus qu'il ne se leva, et ouvrit bruyamment la porte.

Le guerrier était là, à quelques pas, avec dans les mains un arc bandé qu'il baissa à la vue du jeune Kaulien.

— Qu'est-ce qui s'est passé? Où est Léti? demanda ce dernier en le rejoignant.

— Tout va bien, tout va bien. Elles sont un peu plus loin.

Yan ferma les yeux et poussa un grand soupir de soulagement. Qu'il était bon de *vivre*.

Il les rouvrit et fit face au guerrier, qui détaillait les environs.

— Vous avez tout intérêt à avoir une bonne explication, dit-il sur un ton plein de sous-entendus.

— On a déplacé le camp par sécurité. J'étais venu pour t'attendre.

— Mouais.

Yan aurait voulu se disputer un peu avec le guerrier pour lui faire payer la nuit d'angoisse qu'il venait d'endurer, mais il avait trop bon fond et était trop soulagé de l'heureux dénouement pour provoquer une querelle.

— Qu'est-ce qui s'est passé ? Tu n'étais pas censé être là avant un bon décan. Et si je n'étais pas venu plus tôt ?

Voilà, maintenant, Grigán se mettait tout seul en colère.

— Je suis venu vous chercher. J'ai beaucoup de choses à vous dire. Mais il faut se dépêcher.

— Tu as vu des héritiers ?

— Oui, enfin, peut-être. Mais je raconterai quand tout le monde sera là.

Inutile de dire que c'est à bonne allure que le guerrier mena Yan à leur nouveau campement. Léti et Corenn se levèrent et vinrent à leur rencontre dès qu'ils eurent attaché les chevaux.

— Yan, si tu voyais la tête que tu as !

Ce fut la première chose que Léti trouva à dire. Elle s'était tellement inquiétée pour lui que voir ses yeux cernés et ses traits fatigués avait été comme une confirmation de ses craintes. Puis elle se rendit compte de son indélicatesse et vint lui planter un petit baiser sur la joue en ajoutant :

— Mais on est bien contents de te revoir quand même.

Ce baiser effaça toute la fatigue de Yan, qui se sentit prêt à affronter une armée entière de Züu. Bientôt, le soleil se lèverait sur le jour de la Promesse... Bientôt, Léti...

— Alors ?

Grigán trépignait d'impatience. C'était compréhensible. Yan s'éclairait la voix et commença :

— Bon. Le plus important à dire pour l'instant, c'est que quelqu'un fait des signaux dans les collines derrière Berce. C'est sûrement l'un des vôtres, parce qu'un groupe de Züu est parti à sa recherche tout de suite après.

— Il y a des Züu dans le village ? interrompit Léti.

— Quelques-uns. Au moins cinq, peut-être plus.

— Ils ne l'ont pas attrapé ?

— Non. J'en suis à peu près sûr, parce qu'ils faisaient de drôles de têtes en revenant.

— Comment étaient ces signaux ?

— Heu... Pas naturels. Réguliers. Il y en avait de deux sortes : un fort et un plus faible.

Grigán et Corenn échangèrent un regard.

— Un cyclope, dit le guerrier.

— Un *quoi* ?

— Un cyclope. C'est un instrument un peu complexe, long d'un pas à peu près, où sont montés deux miroirs et une lentille. C'est un objet arque, utilisé au cours des grandes chasses.

— Bowbaq ? proposa Léti avec espoir.

— C'est sûrement lui, répondit Corenn en souriant. Mère Eurydis, faites que ce soit lui !

— Qui est-ce ? s'enquit Yan.

— Un très, très bon ami. L'homme le plus gentil du monde connu, répondit Corenn. Et du reste aussi, sûrement.

— Tu sais, c'est celui qui sait parler aux animaux ! ajouta Léti.

Bien sûr. Elle lui avait raconté plusieurs fois l'histoire de ce grand homme barbu qui avait charmé un dors-debout, lors d'une précédente réunion des héritiers. Yan pensait qu'il s'agissait d'une simple farce faite à une petite fille crédule, mais ne l'avait jamais dit. En tout cas, tout le monde semblait apprécier cet homme, et c'était donc sûrement quelqu'un de bien.

— Qui que ce soit, il va être sérieusement en danger si on n'agit pas très vite.

Et il leur raconta la réponse qu'il avait donnée aux signaux, puis la conversation entendue de sa chambre. Il fut assez satisfait des regards admiratifs que Léti lui lançait parfois, lorsqu'il arrivait aux moments dangereux.

— Bowbaq n'attend certainement pas à côté de l'endroit où il a fait les signes, dit Grigán après réflexion. Le connaissant, il a dû tracer une piste jusqu'à lui.

— Une piste ? Une banale piste, c'est tout ?

— Une piste avec des signes *arques*. Ils forment une véritable langue. La plupart sont des combinaisons d'une dizaine d'éléments : pierres, cailloux, branches, écorces, ossements, étoffes, noyaux, et je ne sais quoi encore... Par exemple, on peut indiquer la direction d'un village et la distance jusqu'à celui-ci, ainsi que son clan d'appartenance, et l'importance de sa population, le tout avec un seul signe.

— Comment va-t-on faire ? On est bien avancés, si on ne peut pas prendre les Züu de vitesse !

— *Je* connais les signes principaux, dit Grigán avec désinvolture, en se levant. Bon, mieux vaudrait y aller vite.

— Eh, où les avez-vous appris ?

Yan savait que le guerrier détestait les questions, mais c'était plus fort que lui.

— J'ai voyagé pendant deux ans à travers l'Arkarie, répondit sobrement Grigán. Bowbaq lui-même m'a accueilli pendant plusieurs décades. Si c'est lui qui est sur cette colline, les Züu ne l'auront pas sans goûter de mon acier.

Le guerrier l'étonnerait toujours. Combien de choses avait-il faites, combien de choses avait-il vues, au cours de son existence ?

Tout le monde s'affairait maintenant à lever le camp. Yan avait encore beaucoup de choses à raconter, mais... bon, ce serait pour plus tard.

Ils se mirent en route, en prenant le risque d'emprunter le chemin pour aller plus vite. Grigán donna l'ordre formel de garder le silence, la voix portant plus loin que le bruit étouffé des sabots de cheval dans la terre mouillée. Aussi se turent-ils longtemps... Pourtant, peu de temps après le lever du jour, Léti ne put s'empêcher de questionner Yan :

— Pourquoi me regardes-tu aussi bizarrement ?

Yan rougit jusqu'à la racine des cheveux. Voilà, on était *enfin* au jour de la Promesse, et la première chose qu'il faisait, c'était de les embarrasser tout les deux.

— Non, non, je réfléchissais dans le vide, c'est tout.

Il passa une bonne partie du voyage à chercher *si*, *quand* et *comment* il allait faire sa demande à Léti, et en attrapait des sueurs froides. Il n'osait même plus la regarder.

Un moment, il pensait que les circonstances ne se prêtaient guère à ce genre de choses. L'instant d'après, il revoyait le regard des Züu et décidait de profiter le plus possible de la vie, tant qu'il le pouvait.

Lorsque Grigán lui demanda de prendre la tête du groupe pour les mener à l'endroit d'où venaient les reflets, il obéit avec soulagement. Il fallait absolument qu'il se concentre sur autre chose que sur cette demande.

Dans peu de temps, leurs ennemis allaient suivre cette même piste, plus forts, plus nombreux, et déterminés. Quelque part devant eux, un ami ne se doutait de rien. Ils étaient son seul espoir, et il leur fallait agir vite.

Il consacra toute son attention à retrouver l'endroit, torturant sa mémoire, heureusement excellente. C'était plus difficile qu'il ne l'avait cru. Les perspectives n'étaient pas du tout les mêmes vues de Berce, et il avait peu de repères, toutes les collines boisées du paysage se ressemblant.

Collines boisées... Bien sûr, le nommé Bowbaq avait dû faire ses signaux du haut d'un arbre ! Il en était presque sûr.

Il suffisait en fait de repérer l'arbre le plus grand des environs... Évidemment, Bowbaq avait dû penser à marquer le début de sa piste par un signe facile à trouver.

Yan exposa son idée en quelques mots à Grigán, qui en reconnut le bien-fondé. Galvanisé par l'appui du guerrier, Yan mit pied à terre et entreprit d'escalader un noyaudier dont les branches les plus faibles croulaient sous le poids des fruits sucrés. Il en gagna le sommet en quelques instants.

Le paysage était magnifique, de ce point de vue. Au sud, derrière Berce s'éveillant doucement, s'étendait l'immense et paisible mer Médiane. Dans les autres directions, les paysages n'étaient que feuillages nuancés en palettes de vert, de marron et d'ocre par la magie de la saison du Vent.

Cela faisait presque une décade que Yan n'avait pas vu la mer. Lui qui avait pratiquement toujours vécu sur la plage, ne s'était pas rendu compte à quel point elle lui manquait.

Grigán lui « demanda » de se hâter. Avec un petit soupir, Yan se mit enfin à la recherche de son arbre. Il ne mit que quelques instants à le trouver ; en fait, il était à moins de trois cents pas.

Mais ce qu'il vit d'autre l'empêcha de crier victoire.

Il se laissa tomber le long du tronc, plus qu'il ne descendit. Léti et Corenn l'observaient avec un air étonné. Grigán empoigna sa lame et lança des regards fureteurs aux alentours.

— Les Züu, chuchota Yan en montrant une direction. Ils sont là.

Grigán descendit de cheval et vint se placer à côté du Kaulien, sans quitter des yeux la direction indiquée.

— Combien sont-ils ?

— Je ne sais pas, mais au moins sept ou huit ! Enfin, ce ne sont pas tous des Züu, mais les autres travaillent pour eux...

— Ils sont loin ? Ils t'ont vu ?

— Non, je ne crois pas. Ils ont tous le nez collé par terre ; ils doivent chercher la piste de Bowbaq. Ils sont à quatre cents pas environ. Ils s'éloignent, heureusement.

Grigán fit quelques pas de long en large en se lissant la moustache, signe révélateur de son énervement. Puis il entreprit à son tour d'escalader le noyaudier.

— Ils ont dû changer leurs plans après ma fuite de cette nuit, murmura Yan, donnant ainsi la conclusion à laquelle tout le monde était arrivé.

Mais ils ne savaient pas tout. Il poursuivit :

— L'un des leurs a été tué, pendant que je récupérais mon cheval.

— C'est toi qui l'as tué ? demanda Corenn inquiète, alors que Grigán descendait aussi vite que le jeune Kaulien.

— Non, c'est un autre, un mendiant, peut-être l'un des vôtres. Il dit s'appeler Rey de Kerfian, ou quelque chose comme ça.

— Il a dit Rey ? Pas Mess ?

— Non, non, Rey. Ça semblait même très important pour lui.

— Vous croyez que c'est possible ? demanda Corenn à l'adresse de Grigán.

— On verra plus tard, grogna le guerrier. Hé, Yan, il y a encore beaucoup de choses qu'on ne sait pas ?

— Je vous l'aurais dit *après*, répondit-il vexé. Le plus urgent est bien, je crois, de secourir votre ami arque ?

— C'est mal parti, remarqua Léti.

Ils se turent quelques instants, pendant lesquels Grigán se remit à faire les cent pas en jonglant avec sa lame. Il ne semblait même pas se rendre compte de sa propre adresse.

— Bon, dit-il simplement en s'arrêtant.

Puis il se remit presque aussitôt à aller et venir. Yan remarqua qu'ils attendaient tous les décisions du guerrier, comme s'ils ne pouvaient pas agir par eux-mêmes. Il décida de soulager un peu cet homme de son fardeau accablant.

— Maître Grigán, si vous étiez seul, qu'est-ce que vous feriez ?

Le guerrier arrêta enfin sa promenade, et fixa Yan avec une lueur d'espoir dans les yeux.

— Je suivrais la piste. Il y a peut-être une possibilité de prendre les Züu de vitesse.

— Eh bien ? Faites-le.

— J'ai trois chances sur quatre d'y rester. Oh ! c'est pour vous que j'ai peur. Je déteste l'idée de vous laisser seul, comme je déteste celle de laisser Bowbaq se faire massacrer sans rien faire. Vous savez pourquoi.

— Et si je viens avec vous ? Ça augmente les chances ?

Grigán le dévisagea pendant quelques instants, indécis. Le guerrier n'avait pas l'habitude de se voir proposer de l'aide, lui qui pourtant apportait constamment la sienne.

— Tu fais plus de bruit qu'un cochon rouge en chaleur.

— J'ai beaucoup progressé, grinça Yan. Si vous voulez tout savoir, cette nuit, je vous ai entendu arriver avant même que vous n'appeliez.

C'était un mensonge, bien sûr.

Le guerrier se pinça de nouveau la moustache, l'air absent. Il n'était pas à son aise. Puis il soupira bruyamment, ayant enfin pris une décision.

— D'accord, on y va, lança-t-il tout en récupérant son arc et son carquois sur son cheval.

Yan fit la même chose sans ajouter un mot, de peur que Grigán ne revienne sur sa décision. Son cœur battait la chamade. Cette fois, c'était *vraiment* dangereux. Il n'était pas sûr d'en revenir. Il se tourna vers Léti pour graver à jamais son image dans son esprit.

Le spectacle le pétrifia. Léti était descendue de cheval et examinait avec beaucoup de concentration le couteau de pêche qu'il lui avait donné.

— Qu'est-ce que tu fais ? prononça-t-il avec beaucoup d'efforts.

Elle lui fit face avec une expression résolue.

— Tu vois ? Je viens avec vous.

Les pensées de Yan tourbillonnaient et s'entrechoquaient, comme les vagues gigantesques d'une tempête monstrueuse. Il allait peut-être mourir. Mais pas Léti. Elle devait vivre. Vivre, parce qu'il l'aimait. Plus que tout au monde, il l'aimait. Il avait vu plusieurs fois la mort depuis la veille, pour prendre pleinement conscience de la valeur de la vie. Léti devait vivre.

— Non, s'entendit-il dire, comme dans un rêve. *Non*, tu ne viens pas avec nous.

— Mais si.

C'était la première fois que Yan s'opposait à elle. Elle n'en fut que plus attristée, mais tant pis. Ça passerait. Ce qui comptait, c'était d'aller combattre. Ne plus rester impuissante devant le couteau. Venger ses amis. Voilà, elle l'avait dit : *venger*. Faire payer à ces assassins le prix du sang. Et même si elle devait mourir, pour n'avoir qu'un seul d'entre eux.

— Mais non.

Yan s'aperçut qu'il venait de hausser la voix, ce qui n'était pas son habitude. Tant pis, ça pouvait aider à faire entendre raison à Léti. Qu'est-ce que c'était que cette manière de lui répondre comme à un gamin stupide ? Elle ne comprenait donc pas qu'il faisait cela pour elle ?

— *Je dis* que je viens avec vous. Tu n'as pas à me commander, continua-t-elle, au bord des larmes. *Personne* n'a à me commander, finit-elle presque en criant.

— Tu restes ici, et c'est tout ! C'est compris ? La discussion est close !

Yan voyait rouge, maintenant. Maudit, elle devait réaliser, quand même ! Et puis, ce qu'elle pouvait l'agacer, à agiter ainsi ce stupide couteau de pêche ! Il eut envie de le lui reprendre des mains, mais ça n'aurait pas amélioré les choses.

Elle pleurait pour de bon, maintenant. Honteux et furieux contre lui-même autant qu'après elle, Yan chercha quelque chose de réconfortant à dire. Il ne trouva rien, et ça l'énerva plus encore. Bah ! Tant qu'elle restait là, hors de danger, tout allait très bien.

Il ajusta les cordes de ses bottines et s'éloigna à la suite de Grigán, qui l'attendait impatiemment.

Corenn descendit de cheval à son tour et prit sa nièce dans ses bras. Elle s'était bien gardée d'intervenir dans la discussion, mais elle l'aurait fait si l'issue en avait été différente.

Il semblait que tous les enfants du groupe étaient devenus adultes.

Ils ne mirent que quelques instants à rejoindre l'arbre géant, en l'occurrence un étulier plusieurs fois centenaire. Malgré les précautions vitales qu'ils devaient prendre, ils choisirent tacitement d'avancer à bonne allure, pour tenter de dépasser les Züu.

Grigán eut tôt fait de tirer parti de l'aide de Yan ; il envoya celui-ci à une trentaine de pas devant lui, mais toujours à portée de vue, chacun pouvant couvrir l'autre avec son arc en cas de besoin.

Yan craignait que les Züu n'eussent laissé quelqu'un près de l'étulier, mais il n'en était rien, heureusement. Il fut aussi soulagé, en passant devant le tronc, de ne pas s'être trompé : il y avait bel et bien un signe de piste entre ses racines. Il continua à avancer, jusqu'à la limite du champ de vision du guerrier, et se consacra à faire le guet afin de lui laisser le temps de décrypter l'amoncellement original de pierres et de végétaux.

Le temps passait et Grigán, planté devant le signe, n'avait toujours pas bougé. Yan commençait à s'inquiéter. Maudit, il ne comprenait pas, ou quoi? Dans ce cas, leur seule solution serait de suivre les

Züu jusqu'à Bowbaq, en espérant leur fausser compagnie au dernier moment... Autant dire qu'ils auraient *beaucoup moins* d'une chance sur quatre de s'en tirer.

Le guerrier sortit enfin de sa contemplation et fit signe à Yan de le rejoindre, ce que celui-ci s'empressa de faire avec beaucoup de curiosité.

— Tu vois le bâton, avec les trois encoches ? Groupé avec les quatre pierres, placées à main gauche, il indique un point situé à l'est, à trois mille pas. Trois, pour les encoches, et mille, pour le nombre à quatre chiffres : autant qu'il y a de pierres.

— Et ?

Yan se demandait où le guerrier voulait en venir. Il n'était pas dans son habitude de donner des explications ; il devait donc y avoir autre chose.

— La branche nouée en triangle représente l'humain. Le caillou placé à l'extérieur, devant la pointe, indique un homme en campement provisoire. Si le caillou avait été à l'intérieur, il aurait indiqué une habitation ; et s'il y avait eu plusieurs cailloux, une communauté : famille, village, cité, selon les cas.

Yan acquiesça. Tout cela collait parfaitement avec Bowbaq. Il ne voyait toujours pas où Grigán voulait en venir.

— Ce qui est beaucoup plus intéressant, c'est ce petit crâne de coriole. Le bec d'oiseau est le symbole du clan natif de Bowbaq ; pourquoi éprouverait-il le besoin de représenter son clan, *ici* ?

Yan haussa les épaules. Il ne fallait peut-être rien en penser du tout. Si on voulait avoir une chance de le savoir, mieux valait se dépêcher...

— J'ai peut-être une idée, continua le guerrier. Voici le plus beau.

Il ôta le petit crâne de l'amoncellement. Dessous se trouvait un banal caillou noir.

— J'ai entendu une fois, à Crevasse, l'histoire d'un clan qui modifiait ainsi ses signes pour tromper ses ennemis. Je n'aurais jamais pensé qu'il puisse s'agir de celui de Bowbaq. Ou que ce grand timide soit assez audacieux pour reprendre le truc à son compte !

Il manquait encore quelques informations à Yan, mais le sourire naissant sur la face du guerrier était encourageant.

— Eh oui : si je ne me trompe pas, il faut prendre toutes les indications de direction de ce signe *à l'envers*.

Les deux hommes se sourirent franchement. Si Grigán avait raison, ils allaient éviter beaucoup d'ennuis.

— Dépêchons-nous tout de même. Les Züu feront demi-tour quand ils s'apercevront de leur méprise.

Le guerrier replaça avec soin le petit crâne dans l'ensemble... Après, toutefois, avoir balancé le caillou noir dans le décor.

— Il a peut-être pris trop de précautions, quand même, remarqua Yan alors qu'ils se mettaient en route. Si *vous* n'aviez pas été mis au courant des feux du cyclope, si *vous* n'étiez pas venu jusqu'ici, et enfin si *vous* n'aviez pas pensé à ce... cette tricherie, il aurait pu attendre longtemps !

— Rien n'est joué, rétorqua gravement Grigán. Je me trompe peut-être. Ces signes sont si compliqués... J'ai toujours détesté les casse-tête.

Yan se tut. C'était la première fois qu'il voyait vraiment douter le guerrier. Il le laissa se concentrer sur sa petite boussole romine et le décompte approximatif des pas.

Ils marchèrent un moment à bonne allure, pressés d'arriver à l'endroit indiqué par le signe. Au bout de quelque temps, l'inquiétude eut raison de Yan.

— Vous trouvez normal qu'on n'ait rencontré aucun autre signe ? Ceux que je connais doivent être répétés régulièrement...

— Si j'ai raison, oui, c'est normal. Inutile de mentir sur un signe si c'est pour se dévoiler avec un autre, à quelques dizaines de pas. Sinon... c'est que je me suis trompé, et Bowbaq se trouve de l'autre côté, avec les Züu.

Yan n'ajouta rien. Pour lui, toute une piste de faux signes ne semblait pas une idée incongrue. Mais le guerrier était déjà suffisamment inquiet.

Ils continuèrent donc, faisant un compromis entre les indications de la boussole et les détours dus aux reliefs du terrain. Yan pensa qu'ils auraient dû prévenir Léti et sa tante ; peut-être même les emmener. Après tout, ce qu'ils faisaient maintenant n'était pas si dangereux.

Il réfléchit à toutes les choses qu'il avait dites à Léti. Comment allait-il s'y prendre pour se faire pardonner ?

Il s'arrêta soudain, comme frappé par la foudre.

Comment pourrait-il faire sa demande aujourd'hui ?

Grigán lui lança un regard interrogateur. Yan lui fit un petit signe de négation et se remit en marche.

Comment même pourrait-il encore faire sa demande, *n'importe quel jour* ?

À cette heure, elle devait maudire son nom pour lui avoir ainsi manqué de respect. Pire, il l'avait *humiliée*. Il avait humilié la femme qu'il aimait !

Au mieux, elle allait lui faire la tête pendant quelques jours. Au pire... le mépriser ? Éviter sa compagnie, le railler, carrément lui chercher querelle ? Toujours ?

Noyé dans la pluie froide de ses pensées, il fit dix pas au moins avant de s'apercevoir que Grigán s'était arrêté. Il le rejoignit en traînant les pieds.

Le guerrier examinait un assemblage de pierres, de cailloux et de branchages qui devait être un autre signe de Bowbaq.

— Apparemment, vous aviez raison, commenta Yan sans entrain.

— Peut-être, peut-être pas. Pour tout dire, je ne comprends absolument rien à ce signe.

Il se tut quelques instants pour réfléchir.

— Si je le transcris tel quel, ça donne : « camp provisoire d'un homme à aucun pas ». Mais il existe un signe moins compliqué pour marquer l'emplacement d'un camp, alors ça ne doit pas être ça. Peut-être manque-t-il un élément à l'ensemble.

Yan allait proposer quelque chose, mais un événement se produisit qui l'en empêcha.

Un fracas épouvantable de branches violemment mises à l'épreuve éclata dans l'arbre au-dessus, aussitôt suivi d'un lourd bruit de chute dans leur dos.

Yan se retourna en cherchant fiévreusement à saisir une flèche dans son carquois. Malgré sa soudaine excitation, il pensa à se maudire de ne pas en avoir gardé une encochée.

Grigán avait été plus rapide et tenait déjà en joue le nouvel arrivant. Il ne tira pas.

La première fois que Yan avait vu le guerrier, il avait été impressionné. L'homme en noir paraissait – et était – redoutable, aguerri, expérimenté, impitoyable.

Il fut au moins aussi impressionné devant Bowbaq.

Cet homme était *gigantesque*.

Il avait au moins deux têtes de plus que lui. Mais des gens de cette taille se rencontraient, parfois ; Yan en avait déjà vus à Kaul. Non, le plus saisissant était son corps en proportion.

On aurait mis deux hommes dans le gilet serrant à grand-peine son thorax. Ses bras semblaient plus forts que ceux d'un ours, ses jambes plus puissantes que la marée. Ses mains démesurées étaient comme animées d'une vie propre, car des pognes pareilles ne pouvaient être simplement et stupidement dépendantes d'un seul être.

L'homme portait d'immenses bottes sanglées jusqu'aux genoux, diverses peaux et fourrures, un énorme bracelet de métal, et un chargement effrayant – par sa taille – qu'il tenait dans *une seule* de ses mains, et qu'il devait d'ordinaire transporter sur son dos. Étant donné la compacité du sac et la présence de renforts métalliques assurant sa solidité, Yan se savait incapable de même seulement *soulever* une telle masse.

Son visage, caché par un bonnet, une chevelure noire et épaisse et une barbe non moins fournie, ne manifestait pas beaucoup d'émotions. Quoi, se demandait le Kaulien, est-ce que cet homme était Bowbaq ?

Le géant lâcha son sac et se rua en hurlant sur Grigán, qui baissait son arc avec une résignation amusée. Bowbaq l'étreignit presque brutalement, au point même de soulever et de faire tournoyer le guerrier dans les airs.

Yan ne fut qu'à moitié rassuré. À côté de l'Arque, Grigán semblait si petit ! Si... vulnérable ! Il suffirait au géant de serrer un peu plus fort les bras pour se débarrasser du guerrier dans une étreinte d'ours.

Heureusement, cela ne semblait pas dans ses intentions. Il lâcha enfin sa « victime », en continuant à rire chaleureusement.

— Mon ami ! Mon ami ! réussit-il à dire entre deux tonnerres joyeux, sans quitter des yeux Grigán. Puis il n'y tint plus, et l'entraîna de nouveau dans une ronde très physique.

Le guerrier tentait pour la forme de raisonner son ravisseur, mais sans grand espoir. Bien que plus modéré, beaucoup plus modéré même, il partageait la joie du géant.

— Si tu savais ! Si tu savais ! Ça fait plus d'une lune que je n'ai parlé à personne ! Mon ami, mon ami !

Yan attendit patiemment qu'on s'intéresse un peu à lui, ce qui fut fait peu après, quand Grigán retrouva enfin le sol et un peu de son assurance.

— Heu... Je suis heureux aussi, Bowbaq. Très heureux.

— Qui est le jeune homme ?

— C'est Yan. C'est le promis de Léti.

Le visage du géant s'illumina plus encore, tandis que Yan encaissait le choc. Est-ce ainsi que Grigán le voyait ? Pourquoi ? Comment ? Quand ?

Il n'eut pas le temps d'y réfléchir, Bowbaq ayant bondi pour lui faire à son tour les honneurs d'une balade dans les airs. Maudit, qu'est-ce qu'il était fort ! Il l'avait soulevé de deux pieds comme si de rien n'était !

— Mon ami ! Le promis de Léti, répétait Bowbaq en riant et en faisant tournoyer le pauvre Kaulien.

Sa bonne humeur était communicative, et Yan trouva naturellement très sympathique ce géant plein de bonhomie et de simplicité. Sa présence dans le groupe ramènerait peut-être un peu de gaieté...

Le Nordique reposa enfin son nouvel ami et se tourna vers Grigán, qui fit un pas en arrière, redoutant une nouvelle démonstration affective.

— Vous n'êtes que deux ? dit-il sur un ton un peu plus sérieux.

— Il y a aussi Léti et Corenn. Elles nous attendent à quelques milles.

— Léti et Corenn ! Bien ! Tous mes amis ! se réjouit le géant. Et les autres ?

— Les autres, on ne sait pas. Enfin... pour certains, on *sait*, conclut-il gravement en serrant l'épaule du Nordique.

Ils n'échangèrent qu'un regard, mais qui en dit suffisamment long. Bowbaq perdit son sourire.

— Etólon ? Jasporan ? Humeline ?

— On ne sait pas pour Humeline.

— Et Xan ? demanda le géant avec espoir, après quelques instants.

Grigán fit un signe de négation. Bowbaq s'assombrit.

— Il y en a plusieurs pour qui on ne sait pas.

Le guerrier était bien en peine d'ajouter autre chose. Il n'était pas dans ses habitudes de mentir pour donner de faux espoirs. Puis il se rappela :

— Est-ce qu'Ispen va bien ? Et Prad, et Iulane ?

Le Nordique releva un peu la tête. Il avait toujours sa famille.

— Oui, pour autant que je sache. Ispen est à Work, dans son clan, avec les enfants. Mir est avec eux. Au moins ils sont en sécurité pour quelques lunes.

— C'est bien, dit simplement Grigán.

Il ne savait qu'ajouter.

Yan rompit le silence le premier ; il se faisait beaucoup de soucis, lui aussi, pour les personnes qu'il aimait.

— Dites... Si on rejoignait les autres, maintenant ?

Bowbaq retrouva son sourire.

— Mais oui ! Il faut vite que j'embrasse mes petites Kauliennes !

Ils se mirent en route aussitôt. Bien que Yan n'envisage ses retrouvailles avec son aimée qu'avec beaucoup d'appréhension, il ne pouvait s'empêcher de rire d'avance à l'idée du géant faisant bruyamment tournoyer une Léti boudeuse et rebelle.

Léti s'ennuyait à mourir. Cela faisait plus d'un décan que Yan et Grigán étaient partis et elle ne savait comment s'occuper. Rester stupidement assise contre un arbre la rendait folle, et lorsqu'elle se levait et faisait mine de s'éloigner quelque peu, c'était Corenn qui devenait folle d'inquiétude.

Elle admettait – ce qu'elle ne ferait jamais devant quelqu'un – avoir agi un peu sans réfléchir. Bien sûr, elle n'aurait pas pu partir avec les *hommes* – et elle mettait un sens péjoratif dans ce mot – et laisser sa tante seule. Il n'était pas non plus question de partir à quatre et d'abandonner les chevaux, ou d'imposer une telle marche à Corenn, qui n'en avait plus l'habitude.

Mais tout cela n'excusait pas la conduite de Yan. Lui qui aurait dû la comprendre plus que n'importe qui, lui dont elle attendait l'aide et le soutien, n'avait fait que la traiter comme une gamine capricieuse... Et *non*, elle ne pensait tout de même pas avoir mérité ça.

Si c'était là l'influence que Grigán pouvait avoir sur eux, eh bien, elle était néfaste. Malgré tout ce que le groupe lui devait, certaines choses ne pouvaient être ignorées ou pardonnées. Sa suffisance et son mépris, par exemple.

Autrefois, elle aurait confié ses sentiments à sa tante. Mais *maître Grigán* était un sujet de discussion tabou entre elles, désormais : Corenn, tellement à l'aise dans les arts diplomatiques, avouait se sentir complètement dépassée par les problèmes guerriers, et laissait avec joie cette charge à son vieil ami. Aussi lui donnerait-elle entièrement raison...

De plus, Léti se savait incapable d'avoir le dernier mot dans une discussion avec sa tante, comme n'importe qui, d'ailleurs. Aussi préférait-elle éviter de se précipiter vers une défaite certaine.

Il n'y avait pas de solution à son problème. Tout ce qu'elle voulait, c'était se rendre utile. Et tout ce qu'elle avait à faire, c'était convaincre Grigán puisque, qu'elle le veuille ou non, tout dépendait de lui. Mais le grincheux n'était qu'une tête de bois imperméable, bornée et butée, avec les idées aussi larges qu'un fil de pêche.

Elle se leva encore pour faire quelques pas. Elles s'étaient éloignées de plusieurs milles, suivant les indications du guerrier. Mais Corenn en avait rajouté, et elles étaient allées encore plus loin que prévu. Peut-être les *hommes* s'étaient-ils perdus ?

Elle commençait à espérer qu'il ne s'agisse que de ça.

Corenn aussi montrait des signes d'inquiétude. Elle, d'habitude si patiente, ne cessait de guetter le retour de leurs compagnons et sursautait à chaque bruit suspect. Elle se mit, à son tour, à faire les cent pas.

Léti avait senti sa colère diminuer au fur et à mesure que le temps passait, pour ne plus ressentir que de la frustration, teintée d'un peu d'angoisse.

Et s'il leur était arrivé quelque chose ? Quelque chose de grave ?

— Non, non et non. Vraiment, ça n'est pas une bonne idée. Enfin, Bowbaq, tu dois bien comprendre le danger que ça représente !

— Je sais, s'excusa le géant embarrassé. Mais ce n'est pas bien de laisser des signes inutiles. On doit toujours faire son possible pour les effacer.

— Ce n'est pas *bien* ? Et se faire larder de coups de poignard, c'est bien ? Tu aurais pu dater tes signes, si ça t'embêtait tant que ça !

— Je n'ai pas trouvé assez de crocs. Et puis, ce n'est pas pareil. Un signe, même vieux, même daté, doit être digne de confiance. C'est pourquoi ce n'est pas bien...

— Non, s'il te plaît, fais-moi plaisir et oublie ça. Si tu veux, je repasserai les enlever un jour prochain. Je te le promets.

— Merci, mon ami, dit simplement le géant en donnant une bourrade au guerrier.

Yan remarqua que Grigán prenait plus de temps pour s'expliquer avec Bowbaq. Sans doute parce qu'ils se connaissaient bien... Ça laissait quelque espoir d'amadouer le guerrier.

Enfin, après cette longue marche à travers la forêt lorelienne, ils retrouvèrent Léti et Corenn. Les inquiétudes de ces dernières furent balayées en un instant.

Léti courut à la rencontre du géant pour lui sauter au cou, à la déception de Yan qui avait espéré quelque chose pour lui-même, mais sans savoir quoi.

Les retrouvailles entre Corenn, Léti et Bowbaq furent tout aussi acrobatiques qu'avec Grigán. La jeune Kaulienne ne protesta pas contre cette manière un peu violente de saluer, mais y prit, au contraire, beaucoup de plaisir.

Quand Léti fut de retour sur le sol, Yan prit son courage à deux mains pour tenter une réconciliation.

— Tout s'est bien passé ? fit-il de sa voix la plus douce.

— Évidemment. Que veux-tu qu'il nous arrive ? répondit-elle vertement.

Elle avait cessé de sourire en se tournant vers lui. Ça lui fit encore plus de mal que les mots acerbes.

Maudit, maudit, maudit ! Il allait falloir des décades, maintenant, avant que Léti ne lui pardonne.

L'idée le traversa, un court instant, de lui tenir tête et d'argumenter. Il repoussa cette pensée avec effroi. *Une fois* suffisait. Il avait fait assez de dégâts comme ça.

Les effusions et échanges de politesses se poursuivaient. Bowbaq s'extasiait sur la beauté de Léti, et la taquinait par la même occasion, regrettant qu'elle ait grandi aussi vite. Corenn s'enquit à son tour de la famille du Nordique, et se réjouit des bonnes nouvelles.

Grigán attendit poliment que tout le monde fût un peu calmé pour demander à lever le camp. Ils se mirent donc en route, à pied, puisque le Nordique n'avait pas de cheval. En exagérant un peu, on pouvait dire qu'il eût été plus facile pour le géant de porter la monture que l'inverse !

Bowbaq raconta son périple, des plaines glacées d'Arkarie au maquis lorelien, sans omettre bien sûr ses derniers jours d'attente.

— Quelqu'un a répondu à mon cyclope, à Berce. C'était vous ?

— C'était moi, répondit Yan avec un peu de fierté.

— Tout seul ?

— Mais oui, tout seul. J'ai l'air si incapable que ça ? dit-il sur le ton de la plaisanterie.

— Non, je veux dire : *deux* personnes m'ont répondu. De deux endroits différents.

Chacun réfléchit à cette dernière remarque, puis Grigán proposa :

— Ça pouvait être un piège des Züu.

— Les quoi ?

— Les Züu. Les gens qui nous poursuivent ! Décidément, on va avoir beaucoup de choses à se raconter.

— C'est peut-être le mendiant de Yan, proposa Léti.

Le Kaulien se frappa le front et examina la position du soleil. Obnubilé par ses soucis avec Léti, il avait oublié tout le reste.

— On est censés le rencontrer à l'apogée. Aujourd'hui !

Chacun examina alors la position de l'astre suprême.

— C'est-à-dire bientôt, remarqua Grigán. Où est-il ?

— Il m'a donné rendez-vous sur la plage des anciennes réunions. Je suppose qu'il s'agit de la plage derrière Berce.

— Oui, enfin ce n'est pas loin. Que s'est-il passé exactement ?

Et Yan leur raconta sa dangereuse rencontre dans l'écurie, l'intervention décisive de Rey, et comment le jeune homme l'avait aidé à quitter la ville sans encombre.

Grigán ne savait que penser.

— Ce Kercyan-là, je ne connais pas. Zatelle, oui, et son petit-fils. Mess. Mais pas de Rey.

— Mais si, intervint Corenn. Zatelle avait un autre petit-fils, qu'elle a amené une ou deux fois.

— C'est vrai, je m'en souviens, ajouta Bowbaq.

— Mais personne ne le connaît *adulte*. N'importe qui peut se faire passer pour lui, sans qu'on voie la différence.

— Il a dit qu'il avait mis le feu à la tente, intervint Yan avec curiosité.

Ses compagnons échangèrent des regards entendus.

— C'est vrai, dit Corenn. C'est bien lui qui avait fait cette farce stupide.

— Je m'en souviens aussi, dit Grigán avec un sourire cruel. Et de la raclée méritée qu'il avait reçue de Zatelle. Je me rappelle aussi que c'est moi qui l'avais sorti de sa cachette, alors que tout le monde se demandait s'il n'avait pas disparu dans l'incendie.

— Je plains ce malheureux, dit Léti mi-figue, mi-raisin. Ça a certainement suffi à le dégoûter à vie des héritiers !

Grigán ne releva pas la remarque.

— Alors, vous croyez que c'est lui ? demanda Yan à Corenn.

— Pourquoi pas ? Zatelle m'avait dit, une fois, qu'il était devenu acteur. Ce serait bien dans son genre de se déguiser en mendiant.

Yan acquiesça. En effet, le drôle, avec son cynisme et son goût pour le dramatique, devait être artiste... Ou encore, voleur sans moralité.

— Une dernière chose : il vous prévient que la *Grande Guilde* est aussi de la partie. Qu'est-ce que c'est ?

Grigán fut comme pétrifié.

— Tu es sûr ?

— C'est ce qu'il a dit. Et alors ?

Le guerrier et Corenn échangèrent un regard sombre qui ne présageait rien de bon. Aucun des autres ne comprenait.

— La Grande Guilde, commença sans joie Corenn, est le regroupement plus ou moins organisé de la plupart des bandes criminelles. En gros, ça veut dire que les Züu ont une *armée* à leur disposition. Plusieurs centaines d'hommes, voire des milliers.

Yan comprenait mieux. Grigán ne pouvait que se féliciter d'avoir pris un surplus de précautions pour parvenir jusqu'à Berce. Toutes les routes, toutes les villes devaient être surveillées par des malfrats comme ceux qu'il avait rencontrés dans le village.

— Comment le sait-il ? demanda le guerrier en se lissant la moustache.

— Je ne sais pas. C'est tout ce qu'il m'a dit.

Grigán et Corenn semblaient très affectés par cette nouvelle. On ne leur laissait décidément aucun répit.

— Il faut y aller, conclut finalement le guerrier. Ce Rey est peut-être un des nôtres. Yan ?

Le Kaulien tressaillit. Il n'avait pas réalisé que Grigán aurait *encore* besoin de lui : mais il lui fallait reconnaître son sauveur de la nuit précédente. Dommage, il aurait bien aimé passer un peu de temps avec Léti, dans l'espoir d'arranger les choses avant la fin du jour...

Léti ! Pourvu qu'elle ne se mette pas en tête de les accompagner ! Il s'y opposerait encore de toute façon, mais n'avait vraiment pas envie d'une nouvelle dispute.

Grigán donna rendez-vous aux autres à la petite maison abandonnée où ils s'étaient installés deux nuits auparavant. Apparemment, Léti n'avait aucune objection à formuler. Mais Yan vit avec surprise que Bowbaq ne venait pas avec eux.

Il les regarda s'éloigner tous trois en train de discuter. Sa présence était sûrement une des raisons de la docilité de Léti, mais tout de même... Quelqu'un d'aussi fort pourrait être d'une aide précieuse !

Grigán sauta en selle et Yan l'imita, toujours sous le coup de l'étonnement.

— Pourquoi n'emmène-t-on pas Bowbaq ?

— Il n'aime pas se battre. Allons-y.

— Mais moi non plus ! Et il est tellement fort !

— Il a juré de ne jamais tuer personne.

— Quoi ? Mais *pourquoi* ?

Yan allait de surprise en surprise. C'était la première fois qu'il entendait un truc pareil.

— Je ne le lui ai jamais demandé, alors il ne me l'a jamais dit, c'est tout, répondit le guerrier un peu agacé. Allons-y, maintenant, ou nous n'y serons jamais à temps !

Rey avait un peu le trac. Pas seulement l'appréhension mineure qu'il ressentait avant chaque représentation, mais la véritable inquiétude, plus rare chez lui : se demander s'il se souviendrait de tout son texte, si sa prestation serait bonne, s'il plairait au public...

C'était bien là la question, aujourd'hui : allait-il plaire au public ?

Non pas qu'il ait absolument besoin de se faire aimer des héritiers. À la limite, il s'en fichait comme d'une peau de margolin, et se moquait même de ces traditionalistes ridicules et de leurs histoires du siècle passé. Mais il avait besoin de leur aide, de leurs informations.

Il avait *vu* les Züu, il avait *vu* le danger de l'omniprésence de la Grande Guilde. Et était arrivé à cette conclusion : s'il existait une chance de salut, elle n'était pas dans la fuite... mais dans l'affrontement direct.

Les héritiers survivants devaient unir leurs forces afin de trouver *qui* avait commandité leurs assassinats. Et régler le problème *d'une façon ou d'une autre*.

Son seul espoir était de trouver des oreilles attentives... et des esprits pas trop endormis. Sinon, eh bien... Il s'arrangerait seul, comme d'habitude.

Il quitta l'accueillant banc de sable fin sur lequel il était étendu et fit quelques pas en observant l'orée de la forêt. L'apogée était passé, maintenant, et il n'allait pas tarder à avoir de la visite... Enfin, peut-être.

Il revint au banc de sable et s'y assit, prenant son mal en patience. Il fut peu après récompensé de son attente, quand le jeune Kaulien de la nuit précédente sortit enfin des sous-bois.

Rey poussa un soupir de soulagement, en le saluant d'un signe de main. Malgré sa débrouillardise, il n'avait aucune envie de continuer à lutter seul plus longtemps.

Le jeune Yan arrêta son cheval à une dizaine de pas. Rey ne bougea pas.

— Tu n'es pas seul, j'imagine ? Dis-leur de venir, ce n'est pas un piège.

— Il faut d'abord que vous posiez vos armes, annonça Yan d'un air désolé.

Rey l'aurait parié. Il ôta l'épée qu'il avait dans le dos, puis le couteau qu'il portait à la ceinture. Pour faire bonne figure, il jeta aussi la dague qu'il avait cachée à la cheville.

— Et voilà. Allez, dis-leur de venir, j'ai l'impression d'être nu comme ça. Je pourrais attraper un rhume.

Yan sourit de la plaisanterie et fit un signe vers les bois, d'où sortit Grigán, à pied et l'arc bandé.

— Bouh ! Qu'il a l'air redoutable, celui-là, se moqua Rey. Hé, je le reconnais : c'est l'homme qui n'aime pas les gamins pyromanes. C'est bien ma veine !

Yan sourit encore. Avec l'acteur en plus de Bowbaq, il allait bientôt y avoir beaucoup d'animation dans le groupe.

— Vous n'êtes pas que deux, quand même ? continua Rey. D'accord, lui, il a un arc, mais ça risque quand même d'être léger pour prendre d'assaut *et* Zuïa *et* la Grande Guilde.

— Il y en a trois autres, dont une qui a un couteau, répondit Yan en s'esclaffant.

— Ah bon ! ça va. Un moment, j'ai eu peur...

Grigán les rejoignit enfin. Il n'était pas du tout dans le même état d'esprit plaisantin que les deux jeunes hommes.

— C'est lui ? demanda-t-il à Yan.

— C'est lui. Enfin, j'ai dû beaucoup m'approcher pour en être sûr, mais c'est lui. À ce propos, ces vêtements vous vont beaucoup mieux que les autres, qui avaient besoin d'un bon nettoyage !

— Je te remercie, fit Rey avec une petite révérence.

— Moi, je ne te reconnais pas, lança Grigán sérieusement. Qui es-tu ?

— Vous savez, je vous aurais répondu même sans être menacé d'une flèche.

— Alors ?

Rey donna son vrai nom, et convainquit Grigán en donnant une foule de détails sur sa grand-mère Zatelle, son cousin Mess, et quelques bribes de souvenirs des réunions. Le guerrier baissa enfin son arc.

— Tu as toujours envie de mettre le feu ? dit-il sur un ton qui se voulait amusant.

— Personne n'a jamais compris que c'était un accident. C'est tout le drame de ma vie, fit semblant de se plaindre Rey. Alors, c'est bon, vous me croyez maintenant ?

— Je te crois.

— Bien. Surtout, n'ayez pas de réflexe malheureux, il faut que je ramasse quelque chose.

Rey ne se dirigea pas vers ses armes, comme on aurait pu s'y attendre, mais se pencha vers le sol dont il retira avec précaution une arbalète tendue, à peine dissimulée sous une couche de sable.

— On n'est jamais trop méfiant, vous êtes d'accord ?

Grigán ne répondit pas. Yan, qui commençait à bien le connaître, savait que le guerrier allait considérer ça comme une défaite. Tant pis, Rey semblait être un homme de ressources.

— Tu n'aurais eu qu'un seul d'entre nous, finit par dire Grigán.

— C'est vrai. Qui, à votre avis ?

Le guerrier fixa l'acteur un instant, qui ne s'en rendit même pas compte, occupé qu'il était à se réarmer de la tête aux pieds. Puis il se détourna pour regagner la forêt.

Yan attendait que Rey soit prêt à partir, en laissant son regard errer sur l'horizon. À huit journées de voyage, la mer n'était déjà plus la même qu'à Eza... La même eau, les mêmes vagues, mais pas la même mer.

— C'est l'île Ji, qu'on voit là-bas ? demanda-t-il à Rey.

— C'est ça. Dis-moi, tu ne connaîtrais pas un dieu qui ne prendrait pas trop cher pour l'engloutir dans les flots, elle et sa malédiction ?

— Sa malédiction ?

— Un pressentiment que j'ai. Que j'ai depuis *vingt-six ans*, ajouta-t-il. Ji, c'est un porte-malheur, quoi.

Yan observa la petite tache sombre sur le gris-bleu de l'eau. Ça avait juste l'air d'une île rocailleuse...

— Vous y êtes déjà allé ?

Rey, chargé de ses armes et des sacs qu'il avait récupérés non loin, y jeta un dernier regard.

— Non. Mais quelque chose me dit que cette affreuse lacune sera bientôt réparée.

Malgré le peu de considération qu'il avait pour l'acteur, Grigán se résolut à entamer une discussion. Il avait besoin de certaines réponses.

— Alors ! C'est quoi, ton histoire ?

Il n'avait pas voulu être si agressif, mais, trop tard, c'était fait. Rey esquissa un sourire et laissa passer un temps avant de répondre.

— Sans vouloir vous offenser, Grigán, j'aimerais autant attendre que tout le monde soit réuni. Nous avons à discuter de beaucoup de choses, et, malgré mon goût pour les récits, je n'aimerais pas avoir à faire le mien *deux* fois dans la même journée.

Grigán lâcha un unique « bon », qui tenait plus du grognement râleur que du langage humain. Yan se dépêcha d'intervenir avant que n'éclate une dispute.

— Vous étiez à Berce depuis longtemps ? demanda-t-il.

— Depuis plus d'une décade. Je commençais à me demander si je n'étais pas le dernier encore en vie !

— Vous n'avez vu aucun autre héritier ?

— Non. Enfin, je n'ai reconnu personne, mais ça ne veut rien dire. Il y a un type qui fait des signes avec un miroir, à partir des collines, depuis quelques jours. Mais il se déplace sans arrêt et ni moi, ni les Züu n'avons réussi à le rejoindre.

— On est plus malins que toi, alors, intervint Grigán sur un ton cynique.

— Vous l'avez trouvé ? dit Rey, sans s'étonner. Vous avez buté dedans par erreur, ou quelque chose comme ça ?

— L'erreur *serait* de buter dedans, répondit Yan en riant. Vous le connaissez peut-être : c'est Bowbaq.

— J'imagine que pour toi, ce nom est lourd de signification, mais pour moi il sonne aussi sourd que celui de ma dixième putain.

— Comme tout le monde semblait bien le connaître, je croyais... expliqua Yan. C'est un Arque, un géant ! On dit qu'il peut parler aux animaux, ça vous rappelle peut-être quelque chose ?

— Oh ! Je vois. Effectivement, il doit entretenir de bonnes relations avec certains d'entre vous.

— Ce n'est pas avec une telle attitude que vous en ferez autant, grinça le guerrier, qui avait compris l'allusion sans l'apprécier aucunement.

Puis il se planta devant l'acteur et poursuivit :

— Notre groupe est pour l'instant stable, et composé seulement de gens de bonne compagnie. J'en chasserai personnellement le premier qui s'avisera d'y semer la discorde, ou de le mettre en danger. Héritier ou pas. C'est bien compris ?

— Si vous pensez à moi, n'ayez aucune crainte, répondit Rey tout aussi sérieusement. Je ne me *mêlerai* à vous que le temps de régler notre petit problème, voire seulement le temps d'en discuter.

— Fort bien.

Grigán mit fin à la conversation comme à son habitude, en tournant le dos et en s'éloignant à pas si pressés que même son cheval semblait avoir du mal à suivre.

— Tu crois qu'il va se mettre en colère, si je lui dis que son accent est pire que celui d'un marin mestèbe ?

— À votre place, j'attendrais un peu, répondit le Kaulien, glacé d'effroi rien qu'à l'idée. Il le ferait vous savez.

— Oh ! Mais j'en suis sûr. C'est pour ça que c'est amusant.

Yan se dit que les jours prochains promettaient d'être riches en émotions. Entre sa propre dispute avec Léti et l'antipathie évidente qu'il y avait entre l'acteur et le guerrier, Corenn allait devoir déployer tous ses talents de diplomate pour maintenir la paix dans le groupe.

— C'est vous qui avez répondu aux signes de Bowbaq ?

— Par tous les dieux, cesse donc de me vouvoyer ! J'ai l'air si vieux ou coincé, pour mériter ça ?

— Non, non...

— Enfin, pour revenir à ta question, *oui*, c'est moi qui ai répondu aux signes du miroir. Pendant trois jours. Mais je n'ai jamais pu rejoindre ce Bowbaq. Je suis curieux de voir la tête du bonhomme.

— Vous risquez... heu ! tu risques d'être surpris.

— Eh bien voilà ! Ça rentre ! Maintenant, la même phrase en ajoutant un juron.

Yan le regarda sans comprendre.

— Mais non, je plaisante. Tu es assez crédule, tout de même, non ? Je sens qu'on va bien s'entendre. Au fait, lequel de nos singuliers ancêtres a l'honneur de t'avoir pour descendant ? Se pourrait-il que nous soyons cousins ?

— Non. Je ne suis pas l'un des vôtres. Il y a deux décades encore, j'ignorais presque toute l'histoire.

— Heureux homme ! soupira Rey. Tu es donc là par curiosité ?

— Je voulais accompagner mes amis. Ça se passait plutôt bien... jusqu'à l'abandon d'un *certain* cadavre dans une *certaine* écurie de Berce.

— C'est amusant ! Il m'est arrivé exactement la même chose, pas plus tard que cette nuit. Ça nous fait déjà un point commun !

Yan sourit. Il avait un peu de mal à suivre la

discussion du Lorelien, mais une fois que l'on avait saisi son humour, c'était très agréable.

Pourvu que les autres partagent son avis...

Corenn apprit à Bowbaq tout ce qu'il ignorait sur les Züu et leurs méfaits. La bonne humeur du géant diminua peu à peu au cours du récit, pour disparaître tout à fait quand la Mère énuméra les noms des victimes. Il n'était pas dans son intention de le meurtrir, mais elle se devait de lui dire la vérité.

Après quelques paroles réconfortantes, Corenn laissa le géant se recueillir et s'éloigna en entraînant Léti avec elle. Pauvre homme. Il avait abandonné sa famille, voyagé pendant plusieurs décades, enduré la solitude, dans l'espoir de prévenir quelques-uns de ses amis du danger qui les menaçait, alors qu'il était *déjà trop tard.*

Léti aussi venait de prendre un coup au moral. La triste énumération de leurs amis disparus les avait tous affligés. Mais le moment n'était pas aux lamentations.

Corenn s'efforça de faire bonne figure. Elle était *Mère* et se devait de symboliser, dans l'esprit de chaque Kaulien, la sécurité, la quiétude, l'autorité.

— Je vais avoir besoin de toi, Léti. Nous allons préparer un festin tellement savoureux que tous ces hommes vont se demander à quoi ils peuvent bien servir dans ce voyage.

La jeune fille acquiesça, heureuse de pouvoir fixer ses pensées sur autre chose. Corenn savait aussi choisir les mots adéquats.

— Après tout, continua-t-elle, c'est un peu la réunion des héritiers, non ? Nous allons la célébrer comme il se doit.

Les Kauliennes firent d'abord l'inventaire de leurs provisions avant de choisir la composition du repas. Corenn envoya ensuite Bowbaq à la recherche de certains légumes, racines, aromates ou autres champignons qui lui manquaient... ou pas. L'important était d'empêcher le géant de ruminer de noires pensées, assis contre un arbre, la tête entre les mains.

Grigán avait abattu bon nombre de pièces de gibier au cours de ses reconnaissances de la veille. Heureusement, car Corenn savait le Nordique incapable – pour des raisons morales – de tuer autre chose que des poissons.

Chacun se mit au travail. Et quand Grigán, Yan et Rey arrivèrent au campement, à la tombée de la nuit, ils furent accueillis en premier par un agréable fumet de viande rôtie.

Corenn, Bowbaq et Léti avaient ainsi préparé et accommodé trois faisans marins et plusieurs corioles, avec beaucoup de délicatesse. Ils avaient aussi mis à cuire dans la braise divers champignons et légumes sauvages, dont l'odeur était tout aussi appétissante. Enfin, Bowbaq avait réussi – en utilisant quelques planches tirées de la masure – à installer une table et des bancs très acceptables. Léti s'était occupée d'embellir tout cela avec quelques bougies et un petit bouquet. Elle était en train de disposer une corbeille de fruits tout juste cueillis quand débarquèrent Yan, Grigán et l'inconnu.

— Bienvenue aux héritiers ! clama Corenn, beaucoup plus gaiement qu'elle ne l'aurait fait d'ordinaire.

Elle voulait prévenir toute objection de Grigán quant aux nombreux foyers qu'ils avaient allumés. Le guerrier n'oserait pas jouer le rabat-joie avec elle.

— Merci de votre accueil, mais je crains d'être venu seul, plaisanta Rey d'entrée.

— Alors, j'espère que vous avez faim, monsieur le solitaire. Voici donc le petit-fils de Zatelle ?

— Et vous devez être Corenn. Ma grand-mère avait beaucoup de respect pour vous, et si j'en crois mon odorat, je gage qu'il était mérité, conclut-il avec une petite révérence.

— Grand merci. J'avais décidément une bien mauvaise image des mendiants loreliens, dit-elle en riant.

— Espérons que vous ne changerez pas d'avis après m'avoir vu manger. Mais qui est cette jeune personne dont on m'a caché jusqu'ici l'existence ? Auriez-vous la bonté de nous présenter ?

Corenn s'exécuta en souriant.

— J'ai la joie de vous présenter Léti, fille unique de ma défunte cousine Norine. Léti, je te présente Reyan de Kercyan, *le Jeune*, qui descend évidemment du sage du même nom.

— J'ai la faiblesse de préférer *Rey* à Reyan, intervint l'acteur. Par tous les dieux, si l'on m'avait révélé la présence de si charmantes personnes parmi les héritiers, jamais je n'aurais manqué à ces réunions. Dites-moi que vous n'êtes pas encore unie à quelqu'un ?

Yan eut comme un hoquet étranglé. Alors qu'il peinait depuis des années à conquérir Léti, alors que sa plus grande angoisse était d'aborder avec elle le sujet de la Promesse devant Eurydis, son nouvel ami Rey l'Audacieux lui faisait des avances dès leur première rencontre. Il guetta avidement la réponse de Léti.

La jeune fille était subjuguée. Elle avait remarqué la beauté de l'acteur dès le premier instant. Le regard troublant de ses yeux profondément bleus... La crinière un peu rebelle, formée par ses longs cheveux de couleur sable... Son aisance de mouvements... Ses vêtements originaux, dont on ne pouvait dire s'ils étaient plus luxueux que confortables. Comme, par exemple, cette chemise immaculée, incontestablement d'étoffe riche, mais qu'il portait comme une simple tunique de travail. Ou encore ces bottillons d'excellente facture, qui semblaient faits sur mesure... Peut-être l'étaient-ils.

Le personnage avait aussi un petit côté étrange, ou original. Un ruban dans les cheveux, une cape de cuir fin, une bague discrète, par exemple, lui donnaient un air mystérieux. L'épée qu'il portait dans le dos et les dagues à sa ceinture en faisaient un protecteur. Derniers traits – mais pas des moindres –, ses belles manières, son instruction et ses mots d'humour en faisaient un charmeur.

Oui, Léti était subjuguée.

— Je ne suis unie à personne, messire. En fait, on n'a même encore jamais requis ma Promesse.

Elle ne faisait que dire la vérité, mais avait étrangement l'impression de mentir. Tout le monde, à part Rey, eut l'air gêné de sa réponse.

— Je ne puis croire cela ! dit l'acteur. A moins que les hommes ne soient trop impressionnés par votre beauté pour oser seulement vous adresser la parole. Oui, ce doit être cela.

Léti le remercia d'un sourire mais n'ajouta rien. C'était bien la première fois qu'elle recevait autant de compliments, et quels compliments ! Rey avait réussi à la troubler.

Yan, quant à lui, se demandait si l'acteur était toujours aussi clairvoyant. Comment avait-il deviné que Léti intimidait ses courtisans ? Ou plutôt, l'intimidait, lui ?

Corenn finit les présentations avec Bowbaq qui, sans aller jusqu'à faire tournoyer le Lorelien, le salua maladroitement en le serrant contre lui.

— Je ne sais pas si tu te rappelles, dit le géant en souriant, mais on était très amis quand tu étais plus jeune.

— Nous le sommes toujours, j'espère. Je n'aimerais pas te savoir en colère contre moi, ajouta l'acteur en évaluant l'imposante masse musculaire du Nordique.

— J'ai du mal à imaginer notre Bowbaq en colère, plaisanta Grigán.

— En fait, je me souviens de toi, maintenant. Tu n'avais pas de barbe, et tu passais tout le temps des réunions à jouer avec les gamins. C'est ça ?

— Mais oui. Et tu ne pouvais pas t'empêcher de tricher. Il a même dû y avoir quelques fois où je ne m'en suis pas rendu compte !

— *Quelques* fois ? Des dizaines !

Ils rirent de bon cœur. Rey était agréablement surpris. Il craignait de tomber au milieu d'une bande d'imbéciles vénérant presque religieusement des types qui, bien que de leurs familles, n'en étaient pas moins morts depuis presque un siècle. Et il trouvait des gens agréables, tous prêts à l'accueillir à bras ouverts... Enfin, presque tous, corrigea-t-il en repensant au sermon de Grigán.

— Je vous propose de passer à table tout de suite, annonça Corenn. La cuisson doit être à son terme, et vous mourez sûrement de faim.

— Avec plaisir, répondit Rey. Je n'ai rien mangé depuis l'aube, et j'ai l'intention de faire honneur à *chacun* de vos plats.

Il se débarrassa de ses bagages et se hâta de proposer son aide à Léti, pour retirer des flammes les divers gibiers et accompagnements.

Yan et Grigán échangèrent un regard morose qui en disait long, attachèrent leurs chevaux et vinrent s'attabler avec les autres à pas traînants.

Le guerrier craignait de perdre son autorité sur le groupe, et donc d'en mettre les membres en danger. Le pêcheur craignait de perdre Léti, et donc tout ce qui faisait sa vie jusqu'à présent.

Il n'était en colère contre personne. Léti n'était liée d'aucune façon, et se trouvait donc libre de répondre aux avances de quiconque. Et Rey, qui la trouvait naturellement à son goût, n'avait que le tort de la hardiesse.

Le seul à blâmer, c'était lui-même. Il aurait dû se déclarer depuis longtemps. Maintenant, il était *trop tard*. Il ne s'imaginait absolument pas vaincre l'acteur dans une compétition amoureuse.

Il ne lui restait qu'à prier pour que ça n'arrive pas.

Le repas préparé par Corenn, Léti et Bowbaq fut unanimement reconnu comme délicieux. Rey ne tarissait pas d'éloges sur les corioles farcies aux noyaudes, alors que Grigán s'extasiait sur les champignons gris cuits dans la cendre.

Bowbaq sortit de sa besace une gourde pratiquement pleine de liqueur dont il servit de généreuses rasades. Puis ce fut au tour de Rey, qui partagea une riche bouteille de vin vert junéen. Il n'expliqua pas, toutefois, comment ni pourquoi il l'avait en sa possession.

Seul Yan, qui n'avait pourtant rien mangé de la journée, ne partageait pas l'enthousiasme de ses compagnons. Il ne pouvait s'empêcher d'observer Léti et Rey, et ça lui coupait tout appétit. Il était évident qu'elle était sensible au charisme de l'acteur... Et lui, pauvre pêcheur, ne savait que faire.

La petite voix cruelle de sa conscience lui murmurait : *Si tu avais fait ta demande plus tôt... Si tu lui avais parlé...* Et il n'arrivait pas à la faire taire. Tout ce qu'il avalait prenait le goût amer des regrets. Il finit par renoncer à manger et fut tenté un instant de boire à la place, mais abandonna aussitôt cette idée. Déjà d'habitude, l'alcool ne lui réussissait pas très bien, et il ne l'aiderait sûrement pas plus maintenant. Il n'avait vraiment aucune envie de faire la fête, et écoutait la conversation de ses compagnons sans y prêter une réelle attention.

— Moi qui ai été seul pendant si longtemps, disait Bowbaq, je vous garantis qu'il est agréable de parler à quelqu'un.

— Eh oui, acquiesça Corenn. Nous voilà six, maintenant.

— Pensez-vous qu'il y ait d'autres héritiers à Berce ?

— Je ne crois pas. S'il en vient maintenant, ce sera au jour du Hibou. Les autres sont cachés, comme Ispen et tes enfants, ou alors...

— Ou alors, ils sont morts, termina Grigán. Inutile de se voiler la face. Et si nous sommes là, c'est uniquement parce que nous avons eu de la chance.

— Je céderais avec plaisir la chance que j'ai d'être traqué par les Züu, intervint Rey. Ainsi que la chance d'avoir perdu mon cousin.

— Remerciez-la, plutôt. Pensez à ce qui se serait passé si vous étiez entré par la porte, au lieu de la fenêtre. Ou si Bowbaq ne s'était pas réveillé avant qu'ils n'arrivent chez lui. Ou encore, si Corenn n'avait pas deviné le danger en apprenant la mort de Xan.

— En somme, *Derkel*, vous êtes le seul à ne devoir votre survie qu'à vous-même ?

— Peut-être, *Kercyan*. Et ça continuera tant qu'on ne me mettra pas de bâtons dans les roues.

— Bien, dit fermement Corenn pour couper court à cette discussion dont le ton montait. Je pense que le problème qui nous préoccupe est ailleurs. Nous devrions tous consacrer notre réflexion au futur, plutôt qu'au passé. N'ai-je pas raison ?

— Je partage entièrement votre avis, répondit Rey.

— Allez-y, dit simplement Grigán.

— Nous devons profiter d'être réunis pour mettre en commun nos idées. Trois principales questions se posent à nous : *qui* est à l'initiative de tout cela, *pourquoi* s'intéresse-t-il aux héritiers, et enfin – et surtout – *comment* allons-nous y mettre fin. Je suis convaincue qu'il suffit de donner une seule réponse juste pour en déduire les deux autres. Toujours d'accord ?

Bien sûr, tout le monde opina. Si Corenn s'était jusqu'à présent effacée derrière Grigán, elle était maintenant bien déterminée à diriger les débats, ce qui était exactement dans ses compétences. Il semblait que le groupe allait avoir deux chefs : l'un guerrier, et l'autre diplomate.

— Avant d'avancer des hypothèses, continua-t-elle, nous devons rassembler et confronter nos informations. Chacun a raconté brièvement son histoire, mais je voudrais que vous fouilliez votre mémoire : est-ce que l'un des Züu que vous avez rencontrés a dit, fait, ou même seulement *suggéré* quoi que ce soit qui puisse nous guider ?

L'interrogatoire s'adressait surtout à Rey et à Bowbaq, ainsi qu'à Yan qui n'avait pas encore eu le temps de rendre compte de tout ce qu'il avait vu à Berce.

— Le mien m'a balancé une bonne série d'insultes, plaisanta l'acteur. Je veux bien vous les répéter, mais je doute que ça puisse être de quelque utilité !

— Ceux qui m'ont attaqué n'ont pas beaucoup parlé, et je ne comprenais pas leur langue. J'aurais peut-être pu en interroger un, mais Mir l'a tué trop vite...

— Mir, c'est *ton* lion des neiges, n'est-ce pas ? intervint Rey. C'est bien ce que tu as dit tout à l'heure ? Tu persistes ?

— Mais oui, répondit innocemment le Nordique. Enfin, ce n'est pas *mon*, mais *un* lion. Mir n'appartient à personne.

— Il persiste. Soit tu es plus sensible au vin que tu n'en as l'air, soit tu auras une démonstration de dressage à me faire un jour prochain.

— Ce n'est pas du *dressage*. C'est un dialogue. D'esprit à esprit.

— Tu me montreras, alors.

— Nous nous écartons du sujet, rappela Corenn.

Yan fouilla dans sa mémoire, mais ne trouva rien à ajouter. Tout ce qu'il avait à dire sur les Züu, les autres le savaient déjà. Il préféra se taire et continuer à souffrir de ses amours contrariées.

— J'ai trouvé un parchemin sur l'un d'entre eux, annonça Bowbaq après quelques instants de réflexion. Mais il était très abîmé et illisible, alors je l'ai détruit. Je n'aurais peut-être pas dû, conclut-il en baissant le front.

— Tant pis, commenta Grigán.

— J'en ai trouvé un aussi. Et il est en parfait état.

Rey alla jusqu'à ses bagages, dont il retira un papier ainsi qu'un objet enroulé dans un morceau d'étoffe.

— Qu'est-ce que c'est ? lui demanda Léti, pendant que Corenn se penchait sur le parchemin.

Rey lui tendit la chose en souriant. Il ne pouvait pas la regarder sans sourire, remarqua Yan avec une pointe de jalousie.

— Faites très attention de ne pas vous blesser. La moindre égratignure serait mortelle.

Léti libéra délicatement l'objet du tissu. Une dague. Une dague longue, fine, horrible, dont la pointe était fichée dans un petit morceau de bois.

— Une dague zü ? demanda-t-elle avec dégoût.

— En effet. Tout ce qu'il y a de plus authentique. Mais son ancien propriétaire n'est plus là pour le certifier.

— Tant mieux, annonça Léti sur un ton sinistre.

Elle empoigna fermement le manche de l'arme et l'observa à la lumière dansante des flammes. C'était une telle lame qui avait tué tous ses amis. C'était une telle lame que des hommes projetaient de planter dans son cœur. Presque aussi fine qu'une aiguille.

— J'aimerais autant que tu la reposes, demanda Grigán.

Léti fit comme si elle n'avait rien entendu, ôtant même le morceau de bois mouchetant la pointe. Ignorant la requête répétée du guerrier, elle prit une pomme salée dans un panier et y enfonça l'acier très délicatement. La pelure du fruit se flétrit et prit une teinte noirâtre, comme si on l'avait brûlée.

— Léti, pose cette horreur, ordonna Corenn sur un ton dont on l'aurait cru incapable.

Rey tendit la main, et Léti y posa l'étoffe et la dague avec résignation. L'acteur passa ensuite l'objet à Bowbaq, qui y jeta un simple regard écœuré, puis à Yan, qui le posa devant lui afin de l'examiner en détail.

— Je me demande comment ils font pour ne pas se blesser, dit Bowbaq.

— Oh ! ça doit leur arriver, comme à tout le monde. Mais les Züu ont un énorme avantage sur leurs victimes : un *antidote*.

Rey sortit d'une de ses poches une petite boîte renfermant une pâte légèrement humide et de couleur sombre, qu'il présenta à ses compagnons.

— Attention : ce n'est pas une certitude. J'ai aussi trouvé une petite fiole, qui *apparemment* contiendrait le poison, si j'en crois l'odeur rappelant celle de la lame. Mais ça pourrait très bien être l'inverse ; comme il se pourrait que cette pâte n'ait rien à voir du tout avec la dague...

— J'avais trouvé les mêmes choses, dit Bowbaq. J'ai été stupide de ne pas les garder. Je vous demande pardon...

— Cesse donc de t'affliger ! clama Grigán. Tu es vivant, ta femme et tes enfants sont saufs, c'est tout ce qu'on te demande !

— Merci, mon ami.

— Il y a comme des entailles dans le manche, remarqua Yan.

— Je les ai vues, aussi. On y a gravé des dessins rappelant la forme d'un œil.

— Combien y en a-t-il ? demanda Grigán sans sourciller.

Yan se pencha de nouveau sur l'objet.

— Dix-sept.

— Reyan, en tuant ce Zü, vous avez vengé dix-sept de ses victimes. Au bas mot : car ils ne comptabilisent que leurs meurtres « officiels ». Leurs contrats, si vous préférez.

Yan repoussa la dague avec dégoût. L'objet ne le fascinait plus du tout. Il était tout simplement répugnant.

— Tante Corenn, ça va ?

La Mère n'avait plus rien dit depuis un moment, plongée qu'elle était dans la lecture du parchemin.

— Ça va, répondit-elle avec un soupir. J'étais perdue dans mes pensées. Apparemment, ce papier n'est qu'une liste. Une liste effroyable : celle de tous les héritiers résidant à Lorelia ou dans ses environs. Une douzaine de personnes. Et il y a une croix à côté de chaque nom, celui de Rey excepté.

Chacun comprit ce que cela signifiait.

— C'est tragique, mais au moins nous allons être fixés sur le sort de quelques-uns de nos amis, déclara Grigán. Dame Corenn, voudriez-vous nous lire ?...

Elle prit son courage à deux mains et se lança, énonçant chaque nom avec gravité, malgré la hâte qu'elle avait d'en avoir fini.

— Jalandre, Rébastide, Mess, Humeline, Tomah, Braquin, Nécéandre, Tido, Rydell, Lonic, Salandra, Darie, et Effene...

— Pauvre Humeline, murmura Bowbaq après quelques instants de recueillement. Pauvres, eux tous.

Sa peine était sincère, comme l'étaient celles de Corenn, Grigán ou Léti. Mais ils étaient en même temps libérés de la douloureuse incertitude qui les rongeait jusqu'alors, aussi ne s'affligèrent-ils pas plus avant. Ils pressentaient ces malheurs depuis bien longtemps.

— Le parchemin que tu as trouvé devait être une liste du même genre, remarqua Grigán. Mais toi et les enfants êtes les seuls héritiers arques, non ?

— Oui. La famille avait une autre branche, mais qui s'est éteinte avec le frère de mon grand-père.

— Comment les Züu ont-ils constitué ces listes ? demanda Léti.

— Excellente question. Elle rejoint l'une des trois qui nous intéressent : *qui* est à l'origine de tout cela ?

— Corenn, je suis certain que vous avez une réponse à nous proposer, lança Rey.

— Peut-être. Mais j'aimerais d'abord entendre vos avis. Si je vous la livre maintenant, elle risque d'influencer votre jugement.

— D'accord. Je vous propose d'éliminer tout de suite l'idée que les Züu soient seuls responsables : ils n'agissent jamais par eux-mêmes.

— C'est faux, objecta Grigán. L'histoire est pleine d'exemples contraires. Les Züu ont toujours usé de leur... influence pour conserver et agrandir leur territoire.

— Je connais, moi aussi, l'histoire de Kurdalène. N'oubliez pas que je suis lorelien. Mais les héritiers n'ont jamais projeté d'anéantir le « culte » de Zuïa, que je sache. Ni d'envahir leur île !

— C'est vrai, dit Bowbaq. Je ne connaissais même pas leur existence, deux lunes plus tôt.

— Toi, non, dit Corenn avec sérieux. Mais un autre héritier ? Ou plusieurs ?

— Tu penses qu'il pourrait s'agir de l'un de nous ? s'étonna Léti.

— Je ne sais pas. C'est possible. Ça expliquerait, en tout cas, la précision des listes.

— Les noms et les adresses ont pu être trouvés par la Guilde, proposa Rey. Quelques recherches, deux ou trois interrogatoires musclés, et les Züu avaient toutes les informations nécessaires.

— C'est une explication possible. L'autre, plus à craindre, consistant en la culpabilité ou la complicité d'un héritier...

— À moins, commença Léti sérieusement, que ce ne soit vraiment leur déesse qui nous juge.

Un silence s'installa, personne ne relevant cette idée, trop fantastique et effrayante.

— Bon, reprit Corenn. Réfléchissez. Qu'est-ce qui pourrait amener quelqu'un à déclencher tout ça ?

— J'ai envie de répondre la cupidité, car c'est souvent la bonne réponse, dit Rey. Mais je ne vois pas comment elle pourrait l'être dans notre cas.

— La vengeance, dit Grigán avec assurance. Je sais que vous ne partagez pas mon avis, Corenn, mais je suis presque convaincu d'avoir raison. Seule la vengeance peut amener quelqu'un à de telles horreurs.

— Qui voudrait se venger de nous ? demanda Bowbaq.

— Et pourquoi ? renchérit Léti, étonnée.

— Beaucoup de monde, peut-être. Les puissances qui portent le deuil de leurs émissaires, c'est-à-dire Goran ou Jezeba. Un descendant de Nol l'Étrange. Un héritier mécontent de son sort.

— Aucune de ces raisons ne me paraît constituer un prétexte suffisant pour faire assassiner quatre-vingts ou cent personnes, objecta Rey.

— Croyez-vous vraiment ? Je vais prendre un exemple, je vais prendre *votre* exemple. Nous savons tous que Reyan l'Ancien portait le titre envié de duc de Kercyan. Titre qui aurait dû vous revenir, ainsi que le domaine, le château et les richesses de la famille. Au retour du *voyage*, on lui a tout enlevé. Et vous n'avez rien reçu. Est-il vraiment inconcevable de penser que vous, ou n'importe lequel des héritiers dont les ancêtres ont connu la disgrâce, ayez pu développer au fil des ans une haine implacable, aveugle, teintée de folie ?

— Ça a l'air tellement vrai dans votre bouche que je me demande comment je n'y ai pas songé plus tôt, plaisanta Rey en faisant la grimace. D'accord, un point pour vous. Il reste tout de même une faille dans votre explication : comme je n'ai *rien*, comment aurais-je pu engager et payer les Züu ?

— Quelqu'un d'aussi fou et déterminé que je l'ai décrit peut très bien avoir dissimulé ses richesses pendant des années. Et je n'ai pas dit, non plus, que c'était vous.

— Ah ! bon. Je commençais moi-même à douter de mon innocence.

Grigán, dans votre hypothèse, pourquoi cet homme assoiffé de vengeance n'aurait-il pas attendu que nous soyons tous réunis ? Pourquoi les Züu font-ils tout leur possible pour nous empêcher de nous rencontrer ?

— Pour éviter ce que nous sommes en train de faire : trouver le coupable. Je suis sûr que nous le connaissons. Il suffit de chercher parmi ceux encore en vie.

— Le coupable peut très bien se faire passer pour mort, objecta Yan, qui se forçait à oublier ses soucis pour participer un peu à la réflexion commune.

— Nous ne le trouverons jamais, désespéra Bowbaq. On ne sait pas qui c'est, on ne sait pas ce qu'il veut...

— Nous le trouverons, déclara Corenn d'une voix ferme. Notre seule chance de nous en sortir est d'avoir une explication avec lui. Une *franche* explication.

— Je constate avec plaisir que tout le monde ici est bien conscient de l'inutilité de la fuite, lança Rey. À moins de s'établir au sommet d'une montagne inaccessible ou au fin fond d'un désert, nous serions débusqués un par un par les Züu et la Grande Guilde, à plus ou moins courte échéance.

— Merci, j'avais vraiment besoin qu'on me remonte le moral, dit Yan.

— Tante Corenn, nous n'avançons pas. Dis-nous ce que tu en penses.

Cinq visages attentifs se tournèrent vers la Mère, qui prit quelques instants pour rassembler ses idées.

— Bien. Je ne pense pas, moi non plus, que les Züu soient seuls à l'initiative de ces événements. Ils auraient agi par fanatisme religieux, et rien à notre connaissance ne les y a poussés. Ils ont donc été *engagés*.

Personne ne l'interrompit, attendant la suite avec impatience.

— C'est peut-être naïf de ma part, mais je ne pense pas que la vengeance puisse pousser quelqu'un, quand bien même il aurait perdu la raison, à faire assassiner des enfants qu'il ne connaît pas et qu'il ne connaîtra jamais. D'autant plus qu'ils partagent plus ou moins son malheur, et ne sont en rien responsables de celui-ci.

— Vous savez ce que je pense de la vengeance et de la folie, glissa Grigán.

— Je sais, oui. Mais à mon avis, quelqu'un d'aussi dérangé que vous l'avez décrit ne pourrait organiser quelque chose demandant autant de préparation. Et il me semble que son comportement nous aurait mis la puce à l'oreille depuis des années.

— Peut-être. Mais tous les héritiers ne venaient pas aux réunions.

— Logiquement, ceux qui ne venaient pas étaient ou désintéressés, ou totalement ignorants de Ji et du passé de leurs ancêtres. Donc, peu à même de nous haïr à ce point.

Grigán n'émit plus d'objections. Il n'était toujours pas d'accord, mais n'avait plus d'arguments à sa disposition.

— Je pense, malgré tout, qu'il s'agit de l'un d'entre nous, aussi terrible que ça puisse être. Les Züu sont trop bien informés sur notre histoire et nos traditions. Combien de personnes dans le monde connu sont au courant du jour de l'Ours ? Cent ? Cent cinquante ? Pas beaucoup plus. Et combien sont allés sur l'île ?

— Tu penses que ça a un rapport avec l'île ? demanda Bowbaq.

— J'en suis sûre. C'est le seul élément digne d'intérêt chez les héritiers. *Ce qu'il y a sur l'île.*

— Je ne vois pas en quoi ça nous désigne comme victimes, objecta Grigán. On ne sait même pas ce que c'est.

— Excusez-moi de vous interrompre, intervint Rey, mais quelqu'un pourrait-il me dire ce qu'il y a là-bas ?

Corenn et Grigán échangèrent un regard, mais leur décision était déjà prise.

— Je regrette, nous ne pouvons pas en parler, déclara Corenn. Nous avons déjà dépassé les limites...

— Attendez, attendez. Je suis, moi aussi, un héritier. J'aimerais qu'on garde ça à l'esprit, pour une fois que je peux en tirer avantage.

— Je ne suis jamais allé à Ji non plus, vous savez, dit Bowbaq à l'acteur. Ça n'est pas si important, ce n'est pas une obligation.

— Nous avons fait un serment solennel, grogna Grigán. Comme nos ancêtres l'ont fait avant nous. *Personne* ne l'a jamais rompu. On ne va pas commencer pour vous !

— Dommage. Moi qui pensais avoir trouvé des gens à l'esprit ouvert...

— Votre curiosité sera de toute façon bientôt satisfaite, déclara Corenn. *Nous irons sur l'île au jour du Hibou*. Comme chaque fois.

Yan, Bowbaq et Léti se figèrent. Cette réplique était si lourde de significations...

— Eh bien, alors ! Ça n'est que dans quelques jours, expliqua Rey. Un peu plus tôt, un peu plus tard, qu'est-ce que ça change ?

— Nous n'avons pas le droit d'en parler ailleurs qu'à Ji, formula distinctement Grigán. Il n'y a rien à ajouter.

Rey renonça à les faire changer d'avis, et pria d'un geste Corenn de continuer.

— Bien. Je disais donc qu'à mon avis, la seule chose qui puisse amener quelqu'un à s'intéresser aux héritiers, c'est le secret de l'île.

— Je vais avoir du mal à suivre, maintenant, railla l'acteur.

— C'est pourquoi, poursuivit Corenn, je suis

presque sûre qu'il s'agit de l'un d'entre nous. Seuls les héritiers sont au courant.

— Et encore, interrompit Rey.

— Corenn, je suis curieux d'entendre comment vous allez expliquer le rapport entre les assassinats et l'île Ji, demanda Grigán.

— Deux choses seulement peuvent en être à l'origine ; deux choses seulement, puisque nous avons écarté la vengeance, peuvent pousser un homme à de tels actes. *L'idéologie* et *l'intérêt*.

— Maintenant, c'est moi qui ne comprends plus, dit Léti. Qu'est-ce que l'idéologie ?

— Les convictions, les croyances morales, politiques, philosophiques, religieuses et autres, chez un individu ou un groupe. En simplifiant, ses opinions sur un sujet.

— Je ne vois pas en quoi les réunions des héritiers froissent l'individu, dit Grigán. Ou alors, nous parlons à nouveau de folie.

— Je ne pense pas, moi non plus, qu'il s'agisse d'idéologie. Je songe plutôt à *l'intérêt*.

— J'aurais dû maintenir ma réponse, tout à l'heure, plaisanta Rey. C'est un trésor qu'il y a là-bas ?

— J'aimerais autant, au moins tout serait clair, répondit Grigán. Quel intérêt ? L'intérêt de ne partager le secret avec personne ?

— Quelque chose dans le genre. Je pense que l'homme derrière tout ça en sait *beaucoup plus* que nous sur les mystères de l'île.

Corenn laissa passer quelques instants, le temps que tout le monde s'imprègne de sa déclaration.

— Il le sait peut-être depuis toujours, ou il l'a découvert récemment. Mais c'est évidemment quelque chose de fabuleux. Des richesses, un pouvoir sans pareil, une connaissance suprême. Vous savez que ça peut être n'importe quoi de ce genre.

Grigán acquiesça silencieusement. La théorie de Corenn était très acceptable.

— Quoi que ce soit, il ne veut pas que nous le découvrions. Il s'est passé, ou il va se passer, quelque chose de particulier à Ji. C'est pourquoi notre ennemi a tout fait pour nous empêcher d'y arriver. Et c'est pourquoi nous *devons* y aller.

Tous restaient silencieux, impressionnés par les facultés de raisonnement de Corenn, mais surtout par ses conclusions lourdes de conséquences.

— Qui crois-tu coupable ? demanda finalement Bowbaq.

— Je n'ai malheureusement pas de noms à proposer. De toute évidence, c'est quelqu'un qui dispose de moyens importants, mais...

— Mais les seuls héritiers riches, ce sont les descendants d'Arkane de Junine, conclut Grigán. Qui n'ont jamais participé aux réunions, Thomé mis à part.

— Et la lignée d'Arkane est sur le point de s'éteindre, renchérit Corenn. La reine Séhane mourra sans enfants ; les barons se disputent déjà son trône.

— Quand je disais que Ji faisait peser une malédiction, lança Rey. Mais cette reine n'en est pas moins notre principal suspect.

— En théorie, oui, répondit Corenn. Mais j'ai déjà eu l'occasion de la rencontrer, et elle n'a vraiment rien de machiavélique. C'est une femme âgée qui cultive la douceur et la politesse, quand les autres barons n'affichent que dédain. De plus, elle n'est pas dans le secret.

— Comme il me manque un élément plutôt important, vous m'excuserez de ne pas comprendre plus vite, dit Rey. Sait-on au moins si elle est en vie ?

— Elle n'est pas sur ma liste, ce qui laisse espérer...

— On pourrait peut-être lui demander de l'aide, proposa Yan. Elle le ferait, pour vos ancêtres.

— Et quelle aide veux-tu lui demander ? Nous ne serons pas plus en sécurité dans les Baronnies qu'ici, répondit Grigán.

— En fait, je pensais qu'étant reine, elle pourrait plus facilement retrouver la trace de tous les autres héritiers.

— C'est une idée, annonça Corenn après réflexion. C'est peut-être ce que nous ferons, si nous n'apprenons rien sur l'île.

— J'en ai une autre à vous proposer, annonça Rey. *Le marché du Petit Palais*.

— À Lorelia ? intervint Grigán. Que voulez-vous qu'on fasse là-bas ?

— Rencontrer les Züu. Et leur acheter des informations. C'est ce que j'avais projeté de faire avant de vous rencontrer.

— Rafraîchissez-moi la mémoire, demanda Corenn. J'en ai déjà entendu parler, mais les faits m'échappent.

— Une fois par décade, dans l'ancien palais du commissaire royal au commerce, se tient une vente un peu particulière. On peut y proposer n'importe quelle marchandise, même illégale. *Surtout* illégale, en fait, puisque c'est ce qui s'y échange le plus. Et les Züu ont là-bas... comment dirais-je ? une permanence ?

— Vous voulez qu'on *traite* avec eux ? s'insurgea Grigán.

— Pourquoi pas ? Si la possibilité de racheter ma vie m'est donnée, croyez bien que je n'hésiterai pas.

— Se présenter devant les Züu ne me paraît pas bon pour la santé, objecta Corenn.

— Le Petit Palais est zone de trêve. La Couronne s'en sert pour garder un œil sur les grands trafics, et l'endroit regorge d'espions. Les officiels veillent à filtrer les entrées et à garantir la sécurité. À ma connaissance, tout s'est toujours bien passé.

— Je vous préviens, Corenn, que je refuse de *marchander* ma vie avec des assassins.

— L'idée me répugne aussi, mais il faudra peut-être en passer par là, si la solution ne nous est pas livrée à Ji.

Le guerrier n'ajouta rien. Il comptait bien faire valoir son opinion quand le moment se présenterait.

— Bon. De toute façon, le mieux que nous ayons à faire pour l'instant est d'attendre l'Ours. Ça nous laisse deux jours pour réfléchir, conclut-il en se levant de table.

Il fut aussitôt imité par ses compagnons, puis chacun vaqua à ses préparatifs pour la nuit, sauf Léti, qui s'approcha du guerrier.

— Il reste *trois* jours, non ? lui demanda-t-elle.

— Deux. Tu as mal compté.

Léti se figea.

— Ça n'est pas possible ! Ça voudrait dire qu'aujourd'hui, c'était...

Elle ne parvint pas à terminer sa phrase, qui mourut dans un sanglot. Gêné, Grigán attendait désespérément qu'on lui vienne en aide, mais personne n'avait prêté attention à leur conversation.

— C'était le jour de la Promesse, oui, finit-il par dire. Je pensais que tu le savais. *Tout le monde* pensait que tu le savais...

Elle se retourna et observa chacun de ses compagnons. Yan donnait l'impression de la bouder.

— Je vais faire un tour, dit-elle à Corenn d'une voix larmoyante, avant de s'éloigner en courant.

Quatre regards interrogateurs se posèrent sur Grigán.

— Je n'y suis pour rien, grogna-t-il. Je ne peux pas régler *tous* les problèmes.

Il refusa de donner d'autres explications. Yan avait envie d'aller réconforter Léti, mais il s'y refusa.

Elle préférait sûrement que *Rey* le fasse.

L'attente du jour fatidique fut extrêmement longue pour tout le monde. Chacun était rongé par la curiosité et l'appréhension à l'idée d'aborder l'île Ji et ses mystères. Et les tensions régnant dans le groupe n'amélioraient en rien l'atmosphère.

Rey et Grigán avaient pris le parti de s'ignorer superbement, sauf quand l'acteur faisait une plaisanterie sur le dos du guerrier – ce qui arrivait assez souvent, et déclenchait systématiquement une joute verbale sur un ton plus qu'acerbe.

Léti ne savait quelle attitude adopter avec Yan, et lui ne savait plus que penser ni comment réagir. La jeune Kaulienne faisait de temps à autre des efforts de réconciliation, mais n'était-ce pas par pitié ? Elle passait aussi beaucoup de temps avec Rey. Il décida finalement de ne rien faire de décisif tant que les choses ne seraient pas plus claires. Léti fit bientôt le même choix, aussi en restèrent-ils au même point.

Grigán passa le plus clair de son temps à patrouiller dans les environs de leur campement, et surtout à surveiller l'île. Il ne revenait qu'à la tombée de la nuit, lorsqu'il n'était plus possible de distinguer une éventuelle embarcation accostant la petite terre. Sa plus grande crainte était de tomber tout droit dans un piège tendu par les Züu à Ji ; et même s'il n'en parlait pas, tout le monde ressentait la même chose.

La question de la traversée jusqu'à l'île avait bien sûr été prise en considération dès le début, mais le problème fut vite résolu. Les pêcheurs de Berce, comme de nombreux autres pêcheurs, laissaient tout simplement leurs barques sur la plage. Il suffirait donc d'« emprunter » l'une d'elles. Grigán avait même déjà fait son choix : une embarcation munie d'une voile et dont le propriétaire habitait à l'écart du village. L'esquif, éloigné des autres de plus de mille pas, échapperait peut-être à la surveillance probable des Züu.

Le reste des préparatifs ne représentait pas grand-chose. Le guerrier demanda que l'on fabrique quelques torches et que l'on mette à profit cette sédentarité forcée pour rassembler des victuailles de toutes sortes.

Il se chargea lui-même, comme à son habitude, de rapporter bon nombre de pièces de gibier.

Tout cela leur laissait finalement beaucoup de temps, qu'ils occupèrent de leur mieux. Rey essaya d'entraîner ses compagnons dans diverses compétitions de dés ithares, mais aucun d'entre eux n'était joueur, alors que l'acteur en avait une grande expérience et gagnait presque toutes les parties.

On crut un moment se distraire avec une démonstration du pouvoir de Bowbaq, qui ne put s'y soustraire devant l'insistance de Léti. Mais les résultats furent loin d'être spectaculaires : le cheval qui servit de cobaye ne fit que ruer et hennir, comme s'il était devenu fou. Dans un souci de discrétion, Grigán demanda alors qu'on arrête là l'expérience, à la grande déception de Léti, Yan et Rey.

La jeune Kaulienne, emportée, supplia alors sa tante de faire à son tour une démonstration de ses talents mystérieux, mais elle abandonna rapidement l'idée devant le regard grondeur qu'elle reçut comme seule réponse. Personne ne s'aventura à poser de questions.

Corenn mettait ce temps libre à profit pour étudier les listes d'héritiers, qu'elle avait mises à jour. En se basant sur les souvenirs de chacun, elle avait dessiné et complété de son mieux les arbres généalogiques des sept sages ayant survécu au *voyage*. Elle avait ainsi recensé soixante et onze personnes, sur les trois générations vivantes.

Sur ces soixante et onze, elle connaissait le sort d'au moins quarante-neuf : elle-même ainsi que Léti, Grigán, Bowbaq et Rey étaient – par la grâce d'Eurydis – toujours en vie. Quarante-quatre autres, recensées par la liste de Rey et la sienne propre, avaient été assassinées par les Züu.

Il ne restait que vingt-deux héritiers au sort incertain, auxquels il fallait éventuellement ajouter quelques personnes oubliées dans son recensement. Ce qui laissait au groupe, en définitive, peu d'espoirs de s'agrandir encore.

La logique lui disait que leur ennemi portait l'un de ces vingt-deux noms. Mais son intuition prétendait le contraire. Plus encore que n'importe lequel de ses compagnons, Corenn avait hâte d'aborder enfin l'île oubliée.

— Comment faites-vous pour vous repérer? La lune est mendiante; il n'y a même pas d'étoile!

Bien que Bowbaq eût murmuré, on devinait facilement son angoisse. Yan, au contraire, était parfaitement calme : la mer était belle, la nuit tranquille, et sa curiosité allait être assouvie sous peu, mettant enfin un terme à ces trois longues journées d'attente.

— C'est magique, répondit Grigán à la place du jeune Kaulien qui barrait. Je pense à un endroit, et le chemin apparaît simplement dans mon esprit.

— *Quoi*?

— D'accord, ce n'est pas magique. C'est grâce à cet objet : une boussole romine. Je ne te l'avais jamais montrée?

Le guerrier expliqua en quelques mots le principe de l'instrument. Bowbaq ne fut pas rassuré pour autant.

— Tu es sûr que ça marche ? Ça fait un moment déjà qu'on est sur l'eau, et on ne voit toujours pas l'île !

— Tant mieux. Ça veut dire que les Züu ne nous voient pas non plus.

— Ne t'inquiète pas, ajouta Rey. On ne va pas se perdre au large ! Regarde les petites lumières, là-bas. Tu les vois ?

— Oui, bredouilla le Nordique. Qu'est-ce que c'est ?

— Zélanos et ses enfants. Les phares de Lorelia, si tu préfères. Tant qu'on les voit, on sait où est la côte.

— C'est au moins à une journée de traversée, précisa Yan.

— Une *journée* ! s'affola le Nordique. Une journée ! On est si loin !

— C'est la première fois que tu navigues, ou quoi ? railla l'acteur. On dirait que tu n'as jamais vu la mer de ta vie !

— Ce n'est pas loin de la vérité, justement, s'expliqua Bowbaq. Vous allez trouver ça ridicule, mais j'ai une peur terrible de l'eau. Surtout maintenant ! On ne voit rien du tout !

— C'est pour ça que tu n'es jamais allé à Ji auparavant ? Et moi qui pensais que tu voulais rester avec les enfants, remarqua Corenn en se moquant gentiment.

— Oui, il y avait un peu de ça aussi... bredouilla le géant.

— Comment expliques-tu, alors, les centaines de livres de poissons que tu prends chaque année ? Ils ne viennent pas de l'eau, peut-être ?

— Ce n'est pas pareil, Grigán, mon ami. Une rivière, un torrent ou même un fleuve, on peut lui faire confiance. Il n'y a qu'à faire quelques pas, donner quelques coups de rames pour être sur la berge. Ici, il n'y a *nulle part* où remonter.

— Remarque, tu as peut-être pied, plaisanta Rey. Dix pas, douze pas, qu'est-ce que c'est pour un *grand* garçon comme toi ?

— *Douze* pas ! Profond de douze pas ! s'exclama le géant, avant de s'asseoir résolument au fond de la barque.

Léti vint aussitôt s'installer à côté de lui. Elle ne trouvait pas les mots qu'il fallait pour le rassurer, mais n'aimait pas voir son ami si gentil dans cet état.

Ils poursuivirent ainsi, silencieusement, pendant quelque temps encore. Enfin, Grigán pointa le doigt vers un point dans la nuit.

— Là, dit-il simplement.

Comme ils l'avaient convenu, Léti baissa silencieusement la voile pendant que Yan, Rey et le guerrier apprêtaient leurs arcs et arbalète. Les autres s'installèrent au fond du bateau, et ils firent le reste de la distance en dérivant lentement.

L'île émergea de la nuit, d'abord simple masse plus sombre que l'eau ; puis ses reliefs furent de plus en plus précis au fur et à mesure qu'ils se rapprochaient. Le silence n'était troublé que par les jeux d'une colonie de grenouilles marines.

— Ça a l'air calme, murmura l'acteur.

— Peut-être, répondit simplement Grigán.

— Mais il ne parierait pas sa vie là-dessus, ne put s'empêcher d'ajouter Yan.

Il gardait cette plaisanterie en réserve depuis longtemps déjà. Le guerrier se contenta de lui jeter un regard blasé, en coin, tandis que Léti pouffait de rire entre Bowbaq et Corenn.

La barque racla le fond sablonneux puis s'échoua pour de bon. Grigán attendit quelques instants avant de faire un signe à Yan, lequel descendit dans l'eau et progressa jusqu'à la plage, couvert par ses amis. Puis Rey en fit autant en se postant ailleurs. Enfin, le guerrier les rejoignit, les dépassa et s'enfonça un peu plus loin entre les rochers. Il revint peu de temps après, momentanément rassuré.

— Ça va, lança-t-il. Vous pouvez venir. Et allumer les torches.

Bowbaq sauta aussitôt dans l'eau et tira l'énorme barque, où attendaient encore Léti et Corenn, jusqu'à la plage, sans même se rendre compte de l'exploit que cela représentait.

— Le sol, enfin, le sol, clamait-il avec soulagement. Tu es sûr qu'on ne peut pas attendre l'aube, pour faire la traversée du retour ?

— Catégorique. On serait trop visible de la côte.

— Tant pis.

Le géant s'éloigna et posa les deux mains à plat sur un rocher, comme pour s'assurer de sa réalité et de sa solidité. Même ce paysage morne lui plaisait plus que la mer.

On avait dit à Yan que l'île était plutôt austère, mais il ne s'attendait pas à ce qu'elle le fût à ce point. Mis à part la petite plage nue où ils se trouvaient, le paysage n'était qu'énormes blocs de pierre. Comme si un dieu un peu paresseux les avait simplement entassés dans l'eau pour créer une terre nouvelle.

Elle était assez petite. On devait pouvoir en faire le tour en quatre ou cinq décans, à pied. En supposant que toutes les berges soient praticables, bien sûr, ce qui n'était pas le cas...

— Personne n'a touché aux torches de la dernière fois, dit Grigán en se penchant derrière un amas de rocs. Ça vous paraît un bon signe, dame Corenn ?

— On ne peut pas en conclure grand-chose, malheureusement... À part les personnes présentes, rien n'a changé ici depuis trois ans, *en apparence*.

— Dites, c'est bien là l'entrée du fameux labyrinthe, n'est-ce pas ?

Rey indiquait un étroit passage sablonneux, entre deux des plus grandes roches.

— Comment avez-vous deviné ? demanda Corenn.

— Les empreintes de pas de Grigán. Il est venu voir jusqu'ici avant de nous rejoindre.

— Bonne déduction, râla le guerrier. Et d'après vous, quelle est la direction à prendre, ensuite ?

— C'est vous le guide, guide. Je propose d'en finir au plus vite. J'ai hâte de voir enfin ce secret stupide qui fit la ruine de ma famille.

— Il ne faut pas dire ça, gronda Léti.

Plus que les autres, elle trouvait du charme à l'acteur. Sa bonne humeur, son personnage lui inspiraient beaucoup de sympathie. Sauf quand il parlait ainsi des sages et de leurs héritiers. Ces choses étaient sacrées à ses yeux. Plus encore maintenant, quand la plupart d'entre eux étaient morts. Manquer de respect à leur mémoire, c'était comme... comme insulter et abjurer Eurydis. Ce n'était pas *bien*.

— Bon, commença Corenn. Je pense que le moment est venu.

Tous se rassemblèrent devant elle et Grigán, venu se placer à son côté : Yan, Léti, Rey et Bowbaq, attentifs et impatients.

— Avant tout, et bien que j'accorde ma confiance à chacun d'entre vous, vous allez devoir prêter serment.

— Allons bon, râla Rey. C'est vraiment indispensable, toute cette cérémonie ? On ne pourrait pas plutôt aller voir ce qui se passe ? On va peut-être le louper ?

— On a encore le temps, grinça Grigán. Et tous ceux à qui ça ne plaît pas ne viendront pas. C'est tout.

— Allons-y, alors. Je promets de respecter et d'assumer toutes les obligations, contraintes, corvées et responsabilités que vous voulez, marmonna-t-il effrontément. On peut y aller, maintenant ?

— Reyan, ce n'est pas ce que nous vous demandons, répondit Corenn calmement. Le serment en lui-même n'a aucune valeur, puisque nous n'avons aucun moyen de vérifier s'il sera tenu. C'est simplement un petit moment de sérieux avant l'excitation prochaine ; un recueillement dans le but de vous faire prendre conscience de la gravité de la chose, et de l'importance de votre silence. Vous saisissez ?

L'acteur réfléchit quelques instants.

— Corenn, ma grand-mère ne m'avait pas menti sur votre compte, déclara-t-il. Vous avez un don pour obtenir ce que vous voulez des gens qui ferait pâlir d'envie un joaillier lorelien. Vous avez gagné, je vous écoute.

Corenn acquiesça et sourit en réponse. Puis elle commença son « sermon », sur un ton grave et didactique.

— Les choses que nous allons vous montrer sont inconnues de la plupart des gens, et cela doit rester ainsi, par la volonté de nos ancêtres. Chaque génération depuis plus d'un siècle a conservé le secret, et il vous appartiendra d'en faire autant, dans les années à venir.

— Excuse-moi de t'interrompre, Corenn, intervint Bowbaq, mais il y a une chose que je n'ai jamais comprise, et je crois que le moment est bien choisi pour demander. Si c'est un secret, pourquoi n'est-il pas mort avec nos aïeuls ? Pourquoi nous le livres-tu à ton tour ?

La Mère prit quelques instants pour réfléchir.

— Parce qu'il est trop lourd pour nos épaules... comme il l'était pour celles de nos ancêtres. Ils ont jugé souhaitable de le partager en partie avec les membres de leurs familles, comme je le fais maintenant avec Léti. Personnellement, je pense aussi que nous sommes devenus, en quelque sorte, les *gardiens* du secret de Ji, même si toutes ses implications nous échappent. Vous comprenez ?

— J'aurais une petite objection, intervint Rey. Loin, très loin de moi l'idée d'exclure notre ami Yan, mais il n'est pas l'un des nôtres. Vous rompez donc votre serment ?

— J'ai plus confiance en lui qu'en d'autres ici, dit Grigán sur un ton acerbe.

— Yan est, ou sera un jour, de la famille, renchérit

Corenn. Ce problème n'en est pas un. Mais nous pouvons voter...

— Ce ne sera pas la peine, coupa Rey. C'était juste une question théorique.

Yan s'était bien gardé d'intervenir. Il avait grande envie de satisfaire sa curiosité, et était donc très heureux des diverses déclarations faites sur son compte... Surtout celle émanant de Corenn. Pensait-elle à une Union entre lui et Léti ? Ou se faisait-il encore des idées ?

— Vous devez promettre de conserver le silence sur ce que vous allez voir, continua Corenn. Malgré la souffrance, le déshonneur, la solitude. *À vie*. Vous n'aborderez le sujet qu'avec les membres proches de votre famille, ou les autres héritiers. Pensez-y pendant quelques instants, et si vous êtes d'accord, dites-le, tout simplement.

— Je suis d'accord avec tout, dit aussitôt Rey.

Yan fit bien les choses et se recueillit, les yeux fermés, sur les paroles de Corenn et ses implications.

— Je suis d'accord, dit-il enfin.

Tous se tournèrent vers Léti qui conservait le silence.

La jeune fille était terrifiée. Depuis son plus jeune âge, elle attendait ce moment avec impatience. Depuis toujours, elle désirait partager le secret de ses ancêtres, et ainsi faire partie du groupe à part entière. Mais au jour dit, elle hésitait.

Tous ceux qui y allaient en revenaient plus *tristes*.

Et elle avait eu bien plus que sa part de peine.

Ce secret n'était-il pas plus beau en restant inconnu ?

— Léti ?

La jeune fille ouvrit les yeux à l'appel de sa tante.

— Je suis d'accord, dit-elle d'une voix qu'elle aurait voulue plus forte.

Une impulsion avait décidé pour elle.

— Bien, conclut Grigán. Allons-y. Je demande à chacun de faire le moins de bruit possible ; et cela concerne aussi, bien sûr, certaines langues bien pendues.

— Est-ce que je peux pousser un petit cri de douleur, si je tombe ? demanda Rey, acerbe.

— Seulement si vous vous faites *très* mal, répondit le guerrier sur le même ton. Vous me ferez plaisir.

Grigán prit la tête de la colonne et s'engouffra dans l'étroit passage, comme l'avait fait Nol l'Étrange plus d'un siècle auparavant. Rey lui emboîta le pas, suivi par Léti, Corenn et Bowbaq, Yan fermait la marche.

Son cœur battait la chamade. Tout cela était très excitant. Bien plus que son aventure à Berce : cette fois, il n'était pas seul. Et son esprit était stimulé comme il ne l'avait jamais été.

Même les choses les plus insignifiantes semblaient étranges, ici : la lumière dansante des torches sur les rochers... L'écho déformé de chaque bruit... La disposition particulière des énormes blocs, qui donnait à l'ensemble une réelle allure de labyrinthe.

Au bout d'un décime environ de cette marche silencieuse, Grigán mena le groupe à l'intérieur d'une grotte. Yan retint son souffle, certain qu'ils touchaient au but.

— C'est ici ? murmura Rey.

— Non. Taisez-vous.

Après quelques instants de voyage souterrain, ils sortirent de l'abri naturel par une petite ouverture que l'on ne pouvait franchir qu'accroupi – c'est-à-dire pratiquement en rampant pour Bowbaq.

Le guerrier les fit patienter là un moment, épiant la petite issue avec un arc bandé en main. Il semblait que c'était là une procédure habituelle, visant à décourager toute tentative de filature, car Grigán donna rapidement l'ordre de se remettre en route sans qu'il se soit rien passé.

Plus occupé à observer le paysage qu'à retenir le chemin, Yan était déjà perdu. Ils avaient changé de direction une bonne vingtaine de fois, laissant des passages à main gauche ou droite, pour en emprunter d'autres qui semblaient pourtant aller dans la même direction. En cas de nécessité, il parviendrait peut-être à retourner seul sur la plage, mais certainement pas par le même chemin.

La rencontre avec une tortue baveuse de bonne taille les obligea à faire un détour supplémentaire. Le reptile, dérangé en pleine ponte, s'était montré aussi menaçant que pouvait l'être un charognard de cette espèce. S'il était lent comme tous ses congénères, la puissance de sa mâchoire était tristement connue, et Grigán préféra imposer un demi-tour au groupe plutôt que de lui imposer une traversée périlleuse.

— Bowbaq aurait peut-être pu nous négocier un passage, murmura Rey. Peut-être même qu'on aurait pu obtenir des renseignements.

— Ça n'aurait pas marché, objecta sérieusement le géant. Uniquement avec les animaux qui allaitent.

— Tant pis. Peut-être qu'on rencontrera une chèvre ou une vache égarée pour discuter le bout de gras...

— Ça suffit, vous deux ! lança Grigán. J'aimerais un peu plus de silence !

— Vous savez, continua Rey effrontément, ces efforts de discrétion sont parfaitement inutiles, tant que l'on conserve ces torches allumées...

— C'est à moi d'en juger. Vous êtes avec nous, vous faites comme nous.

— C'est vous le guide, guide. En espérant que, si un type se planque là-bas, il soit aveugle plutôt que sourd.

Grigán préféra ne pas répondre. Il avait déjà renoncé à discuter avec l'acteur, qui faisait manifestement tout pour le provoquer.

S'il avait été seul, il se serait passé de torche, bien sûr. Mais il était évident qu'en se déplaçant tous à tâtons dans ce labyrinthe, ils feraient plus de bruit qu'un cochon rouge en chaleur... Ça lui paraissait enfantin. Parfois, il avait l'impression que personne ne faisait d'efforts pour le comprendre.

— Attendez-moi ici. Et en silence, si possible, ajouta-t-il en lançant un œil noir à l'acteur.

Ils le regardèrent s'éloigner à pas de loup. Bowbaq se dit qu'il lui aurait fallu une excellente raison pour en faire autant. Le guerrier n'avait même pas emporté de torche.

Il revint peu de temps après, par un autre chemin aboutissant juste derrière Yan, qui sursauta.

— Je n'ai rien vu, dit-il à l'adresse de Corenn. Tout a l'air normal.

— J'ai presque envie de dire : *dommage*, répondit-elle. Ça aurait été un début de réponse.

— Rien n'est perdu. Peut-être plus tard. Quand ça se sera produit, ce qui ne devrait plus tarder, d'ailleurs. Hâtons-nous.

Tous repartirent à la suite du guerrier infatigable, leur curiosité de nouveau attisée. Il les emmena tout droit vers une nouvelle grotte, qui ne possédait aucun signe particulier la distinguant de celle qu'ils avaient traversée ou de celles qu'ils avaient aperçues.

L'entrée se présentait sous la forme d'une arche naturelle, donnant sur une première salle de dimensions réduites. Ce n'est qu'après l'avoir parcourue dans toute sa longueur qu'ils aperçurent à main droite une sorte de couloir descendant en pente douce. Grigán s'y engagea sans ralentir.

— C'est sûrement ici, déclara Rey. La roche porte des traces de suie. Les torches...

— Excellente remarque, Reyan. Je n'y avais jamais songé. Il faudra que nous pensions à les nettoyer.

— Si nous en avons encore l'occasion, marmonna Grigán.

Il venait de renoncer définitivement à faire garder le silence aux membres indisciplinés de son petit groupe. C'était vraiment au-dessus de ses forces.

L'excitation de chacun était à son comble. Yan se demandait ce qui faisait le plus de bruit, entre ses pas et les battements de son cœur. Léti craignait une découverte morbide, et cette descente n'était pas pour la rassurer. Bowbaq était très mal à l'aise, supportant mal d'être ainsi enfermé sous le sol. Le bruit d'eau que l'on entendait plus bas ainsi que les gouttes ruisselant des murs ajoutaient encore à son angoisse. Rey laissait travailler son imagination sur ce qu'ils allaient trouver ; sur cette chose si importante dans leurs vies à tous, mais qu'ils ne connaissaient pas.

— J'espère qu'il ne faudra pas nager, râla Bowbaq. Ou alors, ne comptez pas sur moi. Je remonte aussitôt.

— Ne crains rien. Tu risques seulement de te mouiller les pieds.

Cette longue descente s'acheva au bord d'un lac souterrain, assez grand pour que l'autre rive disparaisse dans les ténèbres. Grigán attendit qu'ils soient tous rassemblés.

— C'est beau, déclara simplement Léti, soulagée de ne rien découvrir de plus effrayant.

Yan s'accroupit, prit un peu d'eau dans sa paume et y trempa les lèvres.

— Elle est salée, grimaça-t-il. C'est de l'eau de mer.

— En fait, dit Corenn, c'est bien de l'eau douce, mais les rives du lac sont couvertes de sel.

— Grigán, mon ami, implora Bowbaq, ne me demande pas de traverser *ça*.

— Tu n'as rien à craindre, t'ai-je dit. On va en faire le tour.

Ce qu'ils firent, l'un derrière l'autre, sur une étroite et inégale corniche tout le long de la paroi. Ils perdirent bientôt de vue le chemin par lequel ils étaient arrivés.

La salle du lac devait faire cent vingt pas de diamètre, se dit Yan. Peut-être plus ; impossible de le savoir sans en faire un tour complet, ou l'illuminer complètement, ce qui n'était pas possible pour l'instant. Ils avaient déjà bien du mal à se concentrer sur leurs pieds, pour ne pas faire de faux pas et glisser dans l'eau sombre.

Mais l'obstacle fut franchi sans problèmes, l'unique endroit un peu périlleux consistant en un effondrement déjà ancien de la corniche, qui obligeait les marcheurs à faire un saut d'un peu plus d'un pas. Seule Corenn fut réellement mise en difficulté, peu confiante dans ses capacités physiques, avant que Bowbaq ne la porte littéralement au-dessus du trou.

— Dommage qu'on ne puisse pas laisser de traces de notre passage, remarqua la Mère remise sur pied. Ça me démange depuis des années d'installer une petite passerelle à cet endroit.

— On pourrait toujours cacher une poutre quelque part, proposa Yan. Et l'enlever chaque fois.

— Voilà une idée qui mérite réflexion.

Cette marche en terrain difficile prit fin peu de temps après. La corniche se terminait au pied d'une paroi percée d'une mince faille de trois pas de hauteur. Grigán demanda une torche, empoigna son cimeterre et s'engouffra dans l'étroit passage, suivi par Rey armé de son arbalète puis de tous les autres.

Bowbaq crut qu'il allait mourir dans les crocs de la terre. Pour pouvoir progresser dans le petit espace laissé par la roche, il était obligé de se mettre de profil, ce qui gênait ses mouvements. Il avait l'impression de s'enfoncer dans un piège monstrueux qui allait l'écraser ou l'emmurer d'un instant à l'autre. Il se demanda, un court instant, s'il ne préférait pas encore être sur l'eau.

Puis, peu à peu, la faille s'élargit, pour devenir ensuite un couloir large, et bientôt très large. Enfin, ils débouchèrent dans une nouvelle salle.

— Arrêtez, ordonna Grigán.

Le guerrier promena son regard perçant dans les ténèbres. Léti le trouva un peu ridicule ; il ne pouvait rien voir du tout. À moins qu'il n'écoute ? Elle tendit l'oreille, mais ne perçut, comme tout le monde, que les bruits lointains de la mer.

Grigán fit quelques pas d'inspection avant de revenir vers eux. Il y avait quelque chose d'étrange, dans cette scène où un homme vêtu tout de noir errait dans les ténèbres, à la seule lueur dansante de sa torche.

— Il n'y a rien, Corenn. Personne.

— Ça voudrait dire que je me suis trompée...

— Peut-être, peut-être pas. Nous verrons quand ça se produira.

— À ce propos, interrompit Rey, et maintenant que nous avons rempli toutes les conditions, serait-il possible d'avoir *enfin* quelques explications ?

— Mieux vaut avoir la surprise, répondit Grigán. Mais je vais toujours vous montrer quelque chose. Suivez-moi, mais faites très attention où vous posez les pieds.

Ils s'exécutèrent, mis à part Corenn qui s'assit dos contre la paroi, après avoir coincé sa torche dans une faille. Yan en déduisit que tout allait se passer ici.

Pourtant, l'endroit n'avait rien d'extraordinaire. Ça semblait une caverne comme les autres ; peut-être plus petite que celle du lac, mais c'était, encore une fois, difficile à dire sans en faire un repérage.

Ils parvinrent au bord d'une mare dans laquelle Grigán entra sans hésiter, suivi aussitôt par Léti, Yan et Rey. Bowbaq se domina suffisamment pour ne pas rester en arrière. Mais l'étendue d'eau faisait moins d'une quinzaine de pas... Le guerrier s'arrêta sur l'autre berge, le temps que les autres le rejoignent. On entendait beaucoup mieux le bruit de la mer de cet endroit.

Le reste de la distance fut franchi avec précaution. Grigán s'arrêta finalement au bord d'un gouffre sombre, qui occupait tout le fond de la caverne.

— Voilà. Je voulais vous dire de faire attention à ça.

— Moi qui pensais que vous ne m'aimiez pas, railla l'acteur. Vous voilà en train de me materner.

— Tombez si vous voulez, ça m'est égal. Mais je voulais prévenir les autres.

— C'est profond de combien ? demanda Bowbaq, presque timidement.

— Vingt ou trente pas. C'est selon la marée ; la mer vient jusqu'en dessous. Tout le sous-sol de l'île est rongé par l'eau.

— Ce n'est tout de même pas *par là* que nos ancêtres ont embarqué ? demanda Léti.

— Eh non. En fait, *ils ne sont jamais allés plus loin qu'ici*. Mais je te mets au défi de trouver quoi que ce soit.

Grigán la mettant au défi : rien d'autre ne pouvait plus stimuler la jeune fille. Elle se mit aussitôt à chercher dans tous les coins de la salle, aidée de Yan, embauché d'office mais pas moins curieux. Bowbaq retourna simplement auprès de Corenn, tandis que Rey procédait à ses propres recherches, tout en s'efforçant de le cacher.

Ils furent rapidement obligés de s'avouer vaincus. L'exploration complète de la salle, du sol et des parois n'avait apporté aucun indice. Léti se sentait de plus en plus frustrée. Corenn s'en aperçut et décida d'intervenir avant que cela ne dégénère en une nouvelle crise nerveuse.

— Bowbaq, peux-tu m'accompagner, s'il te plaît ?

Le géant s'exécuta docilement et ils rejoignirent la jeune femme qui examinait une petite faille dans le rocher. Ils se rassemblèrent tous auprès d'elle.

— Allez, je vais t'aider un peu. Grimpe sur les épaules de Bowbaq. S'il n'y voit pas d'objection, évidemment...

— Absolument pas. Ça me rappellera l'époque où elle était plus jeune.

Il la souleva tout simplement avant de la faire passer au-dessus de sa tête, pour l'asseoir sur sa nuque. Mis à part Grigán, tous étaient curieux de voir comment ça allait finir.

— Maintenant, va explorer un peu les parois près du petit lac, conclut Corenn avec un sourire mystérieux.

Bowbaq s'y rendit aussitôt, pressé par les injonctions de Léti qui retrouvait sa gaieté. Même avec les pieds dans l'eau, le géant amenait la jeune femme à une hauteur jusque-là hors d'atteinte.

Ils commençaient à comprendre. Le plafond de la caverne, ainsi que ses parois les plus élevées, échappaient à la simple lumière d'une torche. Il fallait avoir l'idée de les observer.

Rey s'éloigna un peu des autres et lança sa propre torche en l'air. Il n'atteignit pas la roche mais put voir un instant la paroi supérieure. Elle était au moins à vingt-cinq pas.

— J'ai trouvé ! s'exclama Léti.

Elle l'avait découvert presque tout de suite. C'était là, sous sa main, sous ses yeux. Bien qu'elle ne sache pas au juste de quoi il s'agissait, elle était certaine d'avoir raison.

Yan et Rey se rapprochèrent le plus possible, espérant discerner quelque chose.

— Je ne vois rien, déclara Rey. Montre-le du doigt.

— Là ! s'exclamait Léti. Et là ! Et là encore, et ça monte très haut, conclut-elle en indiquant divers points de la paroi devant elle.

— D'ici, on ne voit que la roche, objecta Yan timidement.

— Je vois, moi, dit Bowbaq, qui n'était pas beaucoup plus bas que la jeune femme. On dirait que la pierre est sculptée.

— C'est bien ça, dit simplement Corenn.

— Yan ! appela Rey, avec un signe indiquant qu'il voulait lui faire la courte échelle.

Le Kaulien put ainsi s'élever et observer à son tour les hauts-reliefs. Effectivement, ça ne pouvait être un phénomène naturel. Des formes géométriques variées, tout en courbures, avaient été taillées dans la paroi rocheuse, dans une bande d'un pied de large qui montait verticalement et disparaissait plus loin dans les ténèbres.

Les motifs les plus bas étaient aussi les plus grossiers, effacés presque dans leur intégralité. Mais ceux placés plus haut semblaient étonnamment fins et précis.

Yan descendit et rendit le même service à l'acteur, tout aussi curieux.

— Qu'est-ce que c'est ? demanda-t-il après examen. Un genre d'écriture ? Ou c'est simplement décoratif ?

— Nous ne savons pas, malheureusement, répondit Corenn. En son temps, le sage Maz Achem avait trouvé une ressemblance entre ces signes et ceux de la langue ethèque.

— Que plus personne ne parle, bien sûr, railla l'acteur en regagnant le sol. Enfin, puisqu'il était Maz, je suppose qu'il fallait s'attendre à ce genre de délire semi-religieux.

Léti fronça les sourcils. Elle n'appréciait toujours pas ce manque de respect envers les sages dont faisait preuve Rey.

— Les dessins vont jusqu'en haut ? demanda Bowbaq.

— Et même encore plus, répondit Grigán avec un petit rire.

Yan et Rey échangèrent un simple regard avant de se rendre tout droit au pied de la paroi opposée. Sans un mot, l'acteur fit la courte échelle au Kaulien, qui se hissa.

On retrouvait les mêmes signes de ce côté.

— Personnellement, je préfère ceux à main gauche, déclara Corenn en plaisantant. Le tracé en est plus fin.

Léti se fit transporter par Bowbaq jusque-là, afin de se rendre compte par elle-même.

— Il a dû falloir des années pour faire tout ça, déclara-t-elle avec admiration.

— Je suppose que les motifs courent aussi sur le plafond ?

— C'est exact.

— Qu'est-ce que c'est, tante Corenn ? Des signes magiques, ou quelque chose comme ça ?

— Exactement, répondit-elle avec gravité. Ces dessins ont un *pouvoir*, mais nous ignorons comment il fonctionne.

Cette dernière réplique fut suivie d'un long silence. Chacun tentait de remettre de l'ordre dans ses idées.

Les traditions arques voulaient que l'on respecte et que l'on craigne ce qui échappe à l'esprit des hommes, et c'était bien ici le cas. Aussi Bowbaq avait-il hâte que tout cela soit terminé, qu'ils sortent de ce trou, qu'ils franchissent ce maudit bout de mer, qu'ils reviennent enfin vers des choses *normales*.

Léti avait depuis longtemps accepté l'existence de la magie, des dieux, et autres faits et légendes non expliqués, les pouvoirs de sa tante, les mystères entourant leurs sages ancêtres... Mais c'était la première fois qu'elle allait enfin au fond des choses. Qu'elle allait vraiment y assister. Et elle était autant enthousiasmée qu'effrayée.

Yan se sentait changé. Deux décades plus tôt, il n'aurait pas cru – même si on le lui avait prédit – qu'il serait bientôt en fuite et traqué par une importante bande d'assassins. Pourtant, ça s'était produit. Il n'aurait pas cru risquer sa vie dans une petite ville lorelienne dont il ignorait jusqu'à l'existence, et pourtant, ça s'était produit aussi. Il n'aurait pas cru voyager en compagnie d'inconnus, il n'aurait pas cru se disputer avec Léti, il n'aurait pas cru faire toutes ces choses hors du commun. Mais il les avait bel et bien vécues.

Maintenant, on lui parlait de magie. Et il était prêt à croire n'importe quoi pouvant satisfaire la soif d'expérience qui grandissait en lui jour après jour. Yan était certainement le plus heureux d'entre eux.

Seul Rey doutait encore. Ses contacts avec des prétendus magiciens se résumaient à l'observation de quelques numéros de passe-passe, effectués sur les places des marchés de grandes villes. Des numéros entièrement truqués. Aussi avait-il un peu l'impression qu'on se payait sa tête, et, en outre, plus qu'assez d'attendre qu'on veuille bien lui en dire davantage.

— Bon, déclara-t-il sérieusement. Assez de devinettes, maintenant. Corenn, je vous supplie de m'expliquer clairement quelque chose, *n'importe quoi*.

La Mère réfléchit un instant.

— Qu'est-ce que c'est, à votre avis ? Même s'il vous paraît stupide ?

— À mon avis ? Je dirais : des signes vraiment très bizarres, taillés on ne sait quand, ni comment, ni pourquoi, dans le fond d'une grotte perdue, sous une petite île lorelienne dont tout le monde se fiche comme d'une peau de margolin.

— Une porte, proposa Yan doucement.

— Quoi ?

— À mon avis, c'est une porte. L'ensemble des dessins forme comme une arcade sur les parois de la caverne...

— Et où est la poignée ? railla l'acteur.

— Yan a raison, intervint Grigán, heureux de pouvoir contredire Rey.

— Vous allez devoir beaucoup, mais alors vraiment beaucoup argumenter pour me faire avaler cette histoire

— Nous n'en aurons pas besoin, déclara Corenn. Ça ne devrait plus tarder, maintenant. Venez tous de ce côté, conclut-elle en les entraînant à sa suite.

— Nous ne devons pas être sur le chemin de la porte quand elle va s'ouvrir, c'est ça ? demanda Yan.

— Non, ça n'a pas d'importance. Mais j'ai froid aux pieds !

Le Kaulien réalisa qu'ils étaient tous à patauger dans la petite mare depuis un bon moment. Il avait complètement perdu conscience du reste.

— Comment sais-tu que ce moment est bientôt arrivé ? demanda Léti, que Bowbaq reposait à terre.

— Ça se produit toujours à peu près à ce moment de la nuit, c'est tout. Il y a longtemps que je projette d'amener une clepsydre, qui serait un informateur plus précis, mais il s'est toujours trouvé une raison pour m'en empêcher.

— Dis-moi, amie Corenn... commença timidement Bowbaq. Ce... cette *chose* que nous attendons, ça n'est pas dangereux, n'est-ce pas ? Je veux dire, sacrilège, ou quelque chose comme ça ?

— On ne t'aurait pas demandé de venir, sinon, répondit Grigán à la place de la magicienne. Tu n'as plus confiance en nous ?

— Oh ! si, bien sûr que si, s'excusa le géant avec ferveur.

Mais une partie de son esprit continuait à s'angoisser.

La conversation mourut. Un par un, ils s'étaient tus pour simplement attendre, en fixant le vide sombre où il était censé se passer quelque chose.

Même Rey avait renoncé à interroger ses compagnons. Après quelques instants de patience, Bowbaq s'assit sur le sol. Le contact de la pierre froide et légèrement humide eut l'étrange effet de le détendre. Elle lui rappelait un peu la glace des plaines d'Arkarie.

Il fut bientôt imité par Corenn, vaincue par la fatigue. Les autres restèrent debout. Par précaution, pour Grigán : le guerrier ne relâchait pas facilement sa vigilance. Et par énervement pour Yan, Léti et Rey.

Ils ne savaient trop à quoi s'attendre. L'imagination de Yan travaillait tous azimuts. Léti patientait simplement, de plus en plus émue. Et Rey méditait sur le bien-fondé de ses certitudes.

Il se rapprochait fréquemment de l'arcade, tous ses sens en éveil, à la recherche du moindre signe de changement. Et revenait chaque fois de plus en plus mécontent et frustré.

Au retour de son huitième voyage, il se dirigea tout droit vers Grigán.

— On ne va quand même pas attendre toute la nuit ! Vous voyez bien qu'il n'y a rien, clama-t-il en désignant les ténèbres.

Comme pour répondre à son appel, un léger bourdonnement naquit, puis monta en puissance pour devenir rapidement un sifflement strident.

— Qu'est-ce qui se passe ? demanda Bowbaq en élevant la voix pour couvrir le bruit.

— Ce n'est rien, c'est normal, le rassura Corenn.

Le temps qu'elle dise ces mots, le bruit s'était tu sur une sorte de hoquet. L'instant qui suivit vit naître un silence absolu.

Tous restaient immobiles, parce qu'ils étaient impressionnés, mais aussi parce que tout se passait très vite.

Le centre de l'arcade resta sombre. Puis les ténèbres s'agitèrent, s'éclaircirent. Une lumière parut : d'abord seulement un petit point, mais qui grandit aussitôt à la taille de la caverne, l'illuminant entièrement.

L'effet était saisissant. Ils avaient devant eux une *forme* lumineuse, comme si le soleil lui-même tentait d'entrer dans la caverne par une porte tout juste créée.

Une porte grande de vingt-cinq pas.

La lumière décrut lentement, se fit moins aveuglante et fit place à une vision trouble, comme masquée par de la fumée. Puis le brouillard se dissipa peu à peu, laissant Yan, Léti, Rey, Bowbaq, Corenn et Grigán percer ses secrets.

C'était comme s'ils regardaient à travers un mince voile d'eau. Tout semblait si proche, mais, en même temps, comme hors de portée, une simple image en trompe l'œil légèrement trouble.

Yan se frotta les yeux avant de les écarquiller. Il avait bel et bien devant lui un *jardin*.

Sous ses pieds : le sol rocheux de la caverne, et jusqu'au bord de la mare. À partir de là, l'eau, bien sûr. Et, trois pas après la berge, il voyait, *il y avait*, de l'herbe. Tout le reste de la grotte avait disparu, *tout* !

La porte était une frontière étrange entre l'endroit où ils se trouvaient et *l'autre*, tableau vivant où l'aube se levait sur un paysage magnifique, une vallée verdoyante dans un décor montagneux.

Yan fixa toute son attention sur la limite entre les deux mondes. C'était quelque chose... d'inexplicable.

Bowbaq n'osait pas bouger. Il était lui aussi sous le charme de la vision enchanteresse. Il avait l'impression qu'en faisant un mouvement, il mettrait fin au spectacle... ou lui donnerait une tournure beaucoup moins agréable.

Rey cherchait le *truc*. L'astuce qui pouvait permettre un tel tour. Mais il ne le voyait pas. Il décida d'aller voir de plus près, et posa un pied dans la mare.

— Écoutez ! dit Léti, sourire aux lèvres, en plaçant un doigt sur la bouche en signe de silence.

Elle entendait quelque chose. Derrière les bruits causés par elle-même et ses compagnons, il y avait...

Elle parvint enfin à l'identifier. Des chants d'oiseaux. Même s'ils étaient très lointains, elle pouvait *entendre* l'autre monde ! *L'autre monde !*

Chacun lui sourit d'un air complice. Ils avaient fait la même expérience.

Rey franchit la distance le séparant du phénomène et empoigna la dague qu'il avait au mollet.

— Ne fais pas ça, implora Bowbaq.

L'acteur resta sourd à ses prières et enfonça délicatement l'extrémité de la lame dans la surface à l'apparence aqueuse. Ne sentant aucune résistance, il poussa jusqu'à la garde. Puis recommença en prenant pour cible une fleur supposée être juste à ses pieds.

Les résultats ne le satisfirent pas. Tout cela n'était qu'une illusion sans consistance.

Léti décida de ne pas demeurer en reste. Elle rejoignit l'acteur, fit face au paysage et prit une profonde respiration.

— Léti ? appela Yan timidement.

Quoi qu'elle projette de faire, il n'était pas sûr que ce soit une bonne idée...

La jeune fille fit soudain un grand pas qui aurait dû l'amener sur le sol juste devant. Et elle disparut aux yeux des autres !

Simultanément, ils entendirent un grand « plouf » suivi de plusieurs clapotis. Avant de voir revenir Léti trempée jusqu'aux genoux *à travers* la vision. Comme si elle sortait d'un nuage...

— Tu aurais pu me prévenir, grogna-t-elle après sa tante.

Je t'assure que je n'avais pas compris ce que tu t'apprêtais à faire, déclara Corenn très sincèrement.

— Je suis certain que de l'autre côté, tout est noir, annonça Rey. Ça n'est qu'une illusion, un tour de passe-passe.

Il disparut à son tour derrière le phénomène, pour en revenir quelques instants après, grave et silencieux. Yan franchit à son tour la frontière.

Il s'était plus ou moins attendu à ressentir quelque chose, mais ce ne fut pas le cas. Il avançait tout droit, lentement, en fixant un point précis dans le paysage. Et l'instant d'après, il se retrouvait face au fond de la caverne.

Il se retourna, curieux de ce qu'il allait découvrir. Il avait toujours en face de lui une vallée magnifique, mais pas la même. Ou plutôt, le même endroit, mais vu sous un autre angle. Comme celui qu'on verrait peut-être, en tournant le dos à la porte dans l'autre monde.

Une énorme main émergea lentement du ciel, s'y promena un instant, puis disparut. Un pied, puis toute une jambe prirent le relais, suivis aussitôt du reste du corps de Bowbaq.

Le géant avait l'expression d'un enfant hébété. Il ne savait s'il devait rire ou pleurer. Quoi que cette *chose* soit, elle était *belle*. Et impossible.

Ce qu'ils faisaient était sûrement interdit. Il avait l'étrange impression de violer un secret. Et ça lui rappelait trop un épisode désagréable de son passé, qu'il voulait oublier.

Il retourna de l'autre côté, laissant Yan seul face à ce paysage.

Tout y avait l'air si paisible. Si calme. Et d'autant plus beau que cela semblait inaccessible. Comme si rien n'était vrai.

Pourtant, il *voyait* ces choses. Il pouvait les entendre. En scrutant avec beaucoup d'application, il pouvait même distinguer le balancement des fleurs au gré d'une brise légère, ou surprendre le vol d'un oiseau.

Il se concentra et se pencha vers le phénomène, comme pour caresser la feuille d'une plante superbe et étrange. Mais ses doigts ne rencontrèrent que le vide. Il en fut plus attristé qu'il ne l'aurait cru.

Il se releva et s'apprêta à rejoindre ses amis, dont il entendait les rires de l'autre côté de la porte, quand son regard fut attiré par quelque chose.

Il y avait *quelqu'un* dans le paysage.

— Venez voir ! Vite !

Tous ses compagnons le rejoignirent aussitôt. Et restèrent muets devant la découverte.

À environ deux cents pas – en considérant qu'un pas suffit à les amener sur l'herbe – un jeune garçon se promenait en admirant le ciel.

On lui aurait donné quatre ou cinq ans. Il avait le type des habitants des Hauts-Royaumes, et pouvait être aussi bien lorelien qu'ithare ou romin. Ou d'un tout autre pays encore... La blondeur de ses cheveux et sa nudité totale renseignaient peu sur ses origines.

Léti lui fit instinctivement un signe de la main, avant de s'apercevoir qu'il ne regardait pas dans leur direction. Elle se mit alors à l'appeler aussi fort que possible, dans l'espoir d'attirer son attention.

L'enfant s'assit dans l'herbe à un peu plus de cent pas, en leur tournant le dos. Il n'avait pas entendu... ou les ignorait totalement.

— Yan, aide-moi ! demanda Léti.

Le Kaulien acquiesça. Et ils crièrent en même temps, de toutes leurs forces.

Le garçonnet releva la tête et se tourna vers eux. Il ne semblait ni joyeux, ni effrayé. Il les regardait simplement de ses grands yeux ouverts.

Léti lui fit un petit salut de la main. Tous retenaient leur souffle. Bowbaq se forçait à sourire, sans savoir pourquoi.

L'enfant se leva et vint vers eux, en flânant tranquillement. Il s'arrêtait de temps en temps pour contempler telle chose ou telle autre sur son chemin, et ne reprenait sa route que lorsque Léti l'encourageait.

Il s'arrêta à moins de dix pas pour les dévisager avec calme, une main dans la bouche. Léti répéta son salut pour la douzième fois au moins.

Le garçonnet sourit et imita maladroitement son signe, l'air joyeux.

La jeune fille ressentit un bonheur démesuré, sans qu'elle sache expliquer pourquoi.

Yan en avait déduit quelque chose. Si l'enfant pouvait les voir, comme eux voyaient l'autre monde, c'était la preuve qu'il existait. *Il existait !*

— Bonjour ! commença Léti doucement, sans cesser de sourire. Comment tu t'appelles ?

Il la regarda sans réagir. Il venait de fixer son attention sur Grigán, qui s'était gardé jusqu'alors de faire le moindre geste. Le guerrier, mal à l'aise, fit un petit signe de la main. Ce qui eut l'air de suffire à contenter l'enfant, qui lui répondit aussi chaleureusement qu'à Léti.

Tous se mirent alors à lui faire des « coucou » et des « bonjour », qui eurent chacun leur réponse. Mais le garçon ne parlait toujours pas.

Jusqu'au moment où il tourna la tête vers sa gauche, son attention déviée par autre chose. Et, malgré les efforts désespérés de Léti pour le retenir, il se rendit tout droit dans cette direction en échappant à leurs regards.

Comme pour marquer la fin de la représentation, l'image se troubla, devint opaque, avant de se changer en une lumière éblouissante qui diminua progressivement, laissant la place aux ténèbres de la caverne. Un sifflement monta puis se tut.

C'était fini.

Ils restaient là, sans parler, sans bouger. C'était parti. La magie avait disparu.

Léti sentit une larme couler sur sa joue, puis une autre, puis d'autres encore. Elle pleurait ainsi silencieusement, sans savoir pourquoi. En se tournant vers ses compagnons, elle s'aperçut que plusieurs avaient les yeux brillants. Même le fier, le terrible Grigán.

Elle comprenait, maintenant, pourquoi chacun des héritiers revenait de l'île plus triste.

— Ça fait ça chaque fois ?

— Surtout à la première, lui répondit sa tante. Ensuite, on s'habitue, comme à tout. Et on ne pense plus qu'à la beauté de la chose.

— Qu'avons-nous vu, exactement ? demanda Rey. Vous savez où se trouve cet endroit ?

— Vous avez enfin fini par l'accepter, railla Grigán.

— *Il est le fort des sages de savoir se tromper*, dit le proverbe. J'ajouterai que vous n'avez pas beaucoup cherché à me convaincre !

— Les faits parlent mieux d'eux-mêmes, conclut Corenn. Pour répondre à votre question : non, malheureusement, nous ne savons pas où se trouve cet endroit. Mais c'est *là* que Nol l'Étrange a emmené nos ancêtres.

— Et alors ? demanda Léti en essuyant ses larmes. Qu'ont-ils vu là-bas ?

Corenn soupira avant de répondre. On sentait ses regrets rien qu'au ton de sa voix.

— Cette partie du secret a disparu avec eux. Ils n'en ont jamais parlé.

Chacun médita sur cette révélation. Bowbaq était heureux qu'il ne soit rien arrivé de fâcheux. Léti et Rey étaient frustrés de ne pas en apprendre davantage. Et Yan avait l'impression que sa vie venait de prendre une autre direction. Il savait dès lors que son esprit curieux ne connaîtrait pas de repos, ni d'ennui, tant qu'il n'aurait pas percé le mystère de la porte.

— Les sages ont-ils dit comment ils sont passés de l'autre côté ? Je veux dire, je suis sûr qu'il ne nous manquait pas grand-chose pour en faire autant. Peut-être un objet, une formule magique...

— À ce que l'on dit, ils se sont simplement donné la main avant de poser le pied sur l'herbe, répondit Corenn. Mais nous avons déjà essayé, en vain, ajouta-t-elle, devant le regard surpris des jeunes gens. Depuis tout ce temps, les héritiers ont tout essayé pour passer de l'autre côté. Sans résultat.

— Sauf une fois, corrigea Grigán.

— Sauf une fois, c'est vrai. Queff, le propre grand-père de Bowbaq, avait tendu une noyaude à un petit garçon de l'autre côté, qui s'était approché comme celui de tout à l'heure, avait tendu la main et pris le fruit.

— Vous êtes bien en train de dire que le gamin est sorti de la vision, qu'il a pris la noyaude et qu'il est reparti sans même dire un mot ? s'exclama Rey.

— Juste sa main, corrigea Corenn. Mais je ne peux pas le confirmer, aucun de nous n'était né à cette époque.

— Peut-être que la porte ne marche que dans un sens, proposa Léti.

— Non, puisque les sages l'ont utilisée, objecta Grigán.

— Vous savez qu'on pourrait se faire une montagne d'or, avec ce truc ? annonça Rey en souriant.

Cinq regards sceptiques se tournèrent vers lui.

— Je plaisante, je plaisante, se défendit-il sincèrement. Rassurez-vous, j'ai bien l'intention de respecter mon serment.

— Ça vous a appris quelque chose, dame Corenn ? Je veux dire, sur notre ennemi ?

— Malheureusement, non, Yan. Nous avons eu la chance de voir l'un des enfants, ce qui est assez rare, mais il ne s'est rien produit de particulier, comme je l'avais supposé.

— À mon avis, dit Rey, le type qui a lancé les Züu à nos trousses a trouvé le moyen de passer de l'autre côté, *lui*. Et il n'aimerait pas qu'on y arrive à notre tour, pour une raison connue de lui seul.

— C'est aussi ce que je pense, dit Corenn. Mais je m'attendais à le voir ce soir. À moins, peut-être, que sa découverte ne soit encore plus fabuleuse, et qu'elle ne lui permette de franchir cette porte, ou une autre, à n'importe quel moment...

— *Une autre porte ?* répétèrent quatre voix à l'unisson.

Corenn les regarda un par un, comprenant que, mis à part Grigán, ses compagnons ignoraient de quoi elle parlait.

— J'ai décidément beaucoup de choses à vous raconter, commença-t-elle. Nous savons que celle-ci existe, et nous supposons qu'une porte similaire se trouve de l'autre côté. Ce qui a amené nos ancêtres à penser : pourquoi n'y en aurait-il pas d'autres ? Ils se sont donc mis à leur recherche, aussi discrètement que possible – car ils étaient toujours, à l'époque, espionnés par leurs propres gouvernements. Et ils ont trouvé trace de deux autres portes, en fouillant dans des archives d'instituts géographiques.

» La première se situait en Jérusnie, la province la plus à l'ouest du royaume romin. Mais l'indication de son emplacement était peu précise, et elle ne fut jamais retrouvée. Ce fut plus facile pour la deuxième, renommée dans les Hauts-Royaumes. Il s'agit de *l'Arche sohonne*.

— La Grande Arche ? s'étonna Bowbaq. *La Grande Arche d'Arkarie*, une porte ?

— Qu'est-ce que c'est ? demanda Léti.

— Un genre de pont au milieu de nulle part, répondit Rey. La légende dit qu'il s'agit d'une des cinq plus anciennes œuvres humaines du monde connu, avec les marches du mont Crépel, le temple de Kenz, les pyramides fossiles et les colonnes de Corosta. Mais ça n'est quand même qu'un pont inutile au-dessus de la neige !

— Ce n'est pas un pont, objecta Corenn. Un pont aurait été dessiné différemment, à moins d'être très mal conçu. C'est une *porte*.

— Je suis moi-même allé jusque-là, intervint Grigán. À certains endroits encore intacts, l'intérieur de l'Arche est orné avec les mêmes motifs qu'ici.

— Ça fait un peu beaucoup pour cette nuit, déclara Rey. À vous entendre, le surnaturel serait partout...

— Mais *il est* partout ! Je suis Mère chargée des Traditions au Conseil permanent du Matriarcat de Kaul, déclara pompeusement Corenn. On me demande rigueur, logique et intelligence. Mais puis-je expliquer les pierres ézomines ? Les lianes de Karadas ? L'arbre calcaire ? Non. Et pourtant, ces choses existent, même si elles échappent à notre entendement. Puis-je expliquer la porte de Ji ? Non. Mais elle *existe* aussi. Ainsi que toutes les autres.

Rey prit un instant de réflexion avant de répondre.

— D'accord, je vous crois. Pourquoi pas, après tout, conclut-il en souriant.

Yan rêvait à tous ces noms mystérieux qu'il venait d'entendre. Il se promit d'interroger bientôt Corenn au sujet de toutes ces choses. Le monde lui paraissait soudainement très vaste.

— Je propose qu'on finisse cette discussion un peu plus tard, dit Grigán. Nous devons avoir quitté l'île avant l'aube.

Une suggestion du guerrier faisant office d'ordre, ils se dirigèrent avec regret vers la sortie, après s'être assurés de ne pas laisser de traces de leur passage. Et ils prirent le chemin du retour.

— Tante Corenn, à ton avis... L'autre côté, *qu'est-ce que c'est ?*

— Je dirais, peut-être... Quelque chose que l'on retrouve dans toutes les religions... *Le paradis ?*

Le retour s'effectua dans un silence de deuil. Rey ne put le supporter longtemps. Il était triste, *inexplicablement* triste, à l'instar de ses compagnons. Aussi décida-t-il de réagir symboliquement en s'adonnant à son occupation favorite ; agacer Grigán.

— On est vraiment obligés de marcher si vite ? Ça fait deux fois que je manque de tomber !

— Quand ce sera fait pour de bon, faites-moi signe, Kercyan, lança le guerrier. Les dames ne se plaignent pas, elles.

— Quelle délicatesse, commenta Léti. Puis-je savoir pourquoi nous aurions plus de raisons de nous plaindre que vous, les *hommes* ?

Le guerrier ne répondit pas. Il avait appris à ignorer les révoltes de la jeune fille et les provocations de l'acteur. Cela lui facilitait la vie, mais n'arrangeait pas – bien au contraire – ses aigreurs à l'estomac.

De toute façon, sa priorité était pour l'instant de leur faire quitter l'île et rejoindre le continent avant l'aube. Ce qui ne serait pas possible s'ils continuaient à traîner comme ils l'avaient fait dans la caverne de l'arche.

Ce à quoi s'attendait Corenn ne s'était pas produit ; c'est-à-dire un événement plus particulier encore que d'accoutumée, ou une rencontre avec leur ennemi. Cette visite à Ji ne leur avait pas fourni de réponse ; elle avait simplement permis d'éliminer quelques hypothèses.

Mais l'instinct de Grigán ne le trompait pas. S'il n'y avait personne dans la caverne, alors *on* les attendrait sûrement au retour. Il ne se l'expliquait pas mais en était certain. Et ce genre d'intuition lui avait sauvé la vie à plus d'une occasion.

— Grigán, mon ami, dit Bowbaq, on dirait que tu as passé toute ta vie sur cette île. Tu te déplaces entre ces rochers comme si tu connaissais le chemin depuis des années.

— C'est le cas, figure-toi. C'était la neuvième fois que j'assistais au spectacle.

Il se tut, hésitant à continuer.

— J'espère qu'il y en aura d'autres. J'ai toujours aimé les chiffres ronds, ajouta-t-il pour dédramatiser.

— À ce propos, combien de gens avez-vous déjà tués ? demanda Léti.

— Je ne tiens pas ce genre de compte, grinça-t-il. Je laisse ça aux Züu.

— Je viens d'avoir une idée, continua-t-elle. Et si on embauchait un Zü pour nous débarrasser des autres ?

— Cette petite a de la ressource, commenta Rey.

— Je ne suis pas *petite*.

— Mille pardons. Mais j'étais sincère pour le compliment.

Rey pouvait être charmant et détestable en même temps. Léti ne savait jamais comment réagir avec lui :

tomber amoureuse ou le prendre en grippe. Au moins, avec Yan, elle était sûre de ses sentiments. Mais le jeune homme était toujours si réservé...

— Éteignez vos torches, demanda Grigán. On approche de la plage. Et à partir de maintenant, je vous demande de faire le moins de bruit possible, et de le faire *vraiment*.

Ils s'exécutèrent. Le guerrier grimpa sur un rocher et épia quelques instants en direction de leur barque. Rey l'imita peu après.

— Vous voyez quelque chose ? chuchota Bowbaq.

— Je crois que nous sommes sur une île, répondit Rey. Il y a de l'eau partout autour.

— Je sais que nous sommes sur une île, expliqua le géant. Quelquefois, ami Rey, j'ai du mal à te comprendre...

— C'était unc plaisanterie, ami Bowbaq, dit l'acteur en descendant. Juste une plaisanterie. On ne voit rien du tout.

— Ce qui ne veut pas dire qu'il n'y ait rien, précisa Grigán. Allons-y, mais en douceur.

Ils suivirent le guerrier pendant un moment, jusqu'à ce qu'il leur fasse signe de s'arrêter.

— Je pars en avant, murmura-t-il simplement. Attendez-moi là.

Il s'éclipsa dans la nuit, arc en main, comme il l'avait déjà fait tant de fois pour ses compagnons.

Mais cette fois, les choses ne devaient pas se passer aussi bien.

Il refusait de l'admettre, bien sûr, pour des raisons morales. Mais il avançait bien plus vite, bien plus discrètement, et donc bien plus sûrement, quand il était seul.

Malgré la bonne volonté de la – presque – totalité de ses compagnons, le groupe faisait une proie facile. Ils étaient trop nombreux, trop bruyants, et malheureusement en majorité non combattants.

Aussi Grigán avait-il un peu l'impression d'être responsable d'eux, comme un père de ses enfants. Et il devait faire de son mieux pour leur sécurité. Il s'était chargé lui-même de cette tâche et en ressentait une certaine fierté, malgré les désagréments qui étaient son lot quotidien.

Il franchit comme une ombre un espace un peu plus grand que les autres, séparant deux blocs plantés dans le sable. La plage n'était plus très loin. Il pouvait déjà entendre la mer.

Il s'accroupit et se déplaça à petits pas, masqué par un rocher incliné. Il y avait bien longtemps qu'il ne se préoccupait plus du ridicule de telles positions. Bien des combats ont été gagnés par des hommes dits ridicules, ou excessivement précautionneux.

Il s'adossa contre la pierre, tous les sens en éveil, analysant la disposition du terrain. Où un homme normal se cacherait-il pour une embuscade ? Là-bas, sûrement. Dans le coin formé par les deux grands monolithes.

Il entreprit de le contourner, tirant parti de chaque abri, chaque relief, chaque endroit un peu plus sombre. Et fut bientôt à proximité de son but.

Il se débarrassa de son arc et de son carquois, s'armant simplement d'une dague de jet. Puis il sortit lentement la tête de sa cachette, juste assez pour jeter un coup d'œil.

Il avait eu raison. Et ça ne lui apportait qu'un mince plaisir.

Un homme était caché là, adossé à la roche, une épée en main. Il lançait de temps à autre des regards en direction du chemin... Le chemin que lui, Corenn et les autres auraient dû prendre.

Ça n'était pas un Zü, plutôt une petite frappe de la Guilde, du genre de ceux décrits par Yan et Rey. L'homme connaissait mal son affaire, en tout cas. Grigán était sûr de pouvoir s'en débarrasser en moins de deux battements de cœur.

Mais *quand il y en a un, il y en a d'autres*, dit le proverbe. Peut-être beaucoup d'autres. Certainement mieux embusqués.

Dans ces conditions, une reconnaissance jusqu'à la plage était impossible. Les abris y étaient trop peu nombreux. Et il fallait absolument prévenir ses compagnons, avant qu'ils ne se remettent à faire du bruit.

Le mieux à faire était de perdre leurs ennemis dans le labyrinthe ; peut-être, de les éliminer en combat isolé. À l'aube, on aviserait selon la situation.

Tout à ces réflexions, il entama le voyage du retour quand un cri déchira le silence.

C'était la voix de Léti.

Grigán était parti depuis longtemps et Rey commençait à s'impatienter. Il avait déjà du mal à supporter l'attitude du *vieux*, comme il l'avait irrespectueusement surnommé, et sa manie de vouloir tout contrôler.

Mais qu'il lui fasse perdre son temps *en plus* était très difficile à avaler.

Les autres attendaient docilement, adossés aux rochers ou assis dans le sable. Ils étaient tous de braves gens, mais beaucoup trop soumis à son goût. Mis à part Léti, peut-être, ils semblaient tous accepter les ordres du guerrier comme s'ils l'avaient fait toute leur vie. Rey n'était pas d'accord.

Il grimpa sur un des monolithes et tenta pendant quelques instants de percer l'obscurité de la nuit. Mais il ne pouvait voir que la mer, de couleur un peu plus sombre que l'île, et il abandonna.

Il était avant tout un citadin. Rey n'avait voyagé jusqu'alors que pour se rendre d'une ville à une autre, par le plus court chemin possible. Sur cette île inhabitée et désolée, il n'était pas dans son élément. Comme si... comme s'il s'était rapproché du territoire de la mort. De *sa* mort.

Il tenta d'oublier cette pensée désagréable. À Lorelia, les rues étaient constamment éclairées et rarement désertes. La vie grouillante de la cité, ses nombreux jours de fête et l'importante densité de tavernes et autres lieux de plaisir n'y encourageaient pas le pessimisme. Tandis qu'ici...

Il finit par l'admettre : oui, il regrettait la vision qu'ils avaient eue de *l'autre monde*. Il ressentait une sorte de tristesse, de frustration inexpliquée comme il n'en avait jamais connues. Et il n'était pas le seul, à en croire les expressions lunatiques de ses compagnons.

Tant pis pour les exigences du vieux, il allait briser ce silence tellement important. Il avait besoin de parler.

Il s'approcha de Léti en cherchant une ouverture amusante à la conversation... et s'arrêta dans son mouvement, les yeux fixés dans une direction.

Un homme venait d'apparaître dans le passage.

Rey bondit sur lui si rapidement qu'il en fut lui-même étonné. L'inconnu, surpris lui aussi, avait réagi beaucoup moins vite et se retrouva dos contre terre, une dague posée sur la gorge, avant même d'avoir pu lever son glaive.

S'il avait été seul, Rey n'aurait pas hésité un seul instant à faire glisser l'acier sur la peau crasseuse. Mais une certaine pudeur vis-à-vis de ses naïfs compagnons – et aussi en souvenir de *l'autre monde* – l'empêcha de tuer l'inconnu de sang-froid.

Tout se passa très vite. Rey sentit l'effroyable haleine de l'homme. Il lut la panique dans ses yeux. Puis entendit Léti pousser un cri terrible. Et quelque chose le frappa brutalement à la tête.

Léti avait vu Rey se mettre à courir sans raison apparente. Elle s'était aussitôt levée pour découvrir l'acteur en train de maîtriser un inconnu armé.

Personne ne l'avait entendu arriver. Yan, assis près d'elle, rêvait éveillé comme ça lui arrivait souvent. Bowbaq se perdait dans la contemplation des étoiles, et Corenn se reposait les yeux fermés.

La première émotion de la jeune fille fut d'être soulagée. Cet inconnu était sûrement un ennemi, mais tout allait bien, puisqu'il avait été maîtrisé, et sans même l'aide de Grigán...

Puis aussitôt, elle ressentit de la colère. De la colère envers elle-même, parce qu'elle n'avait pas réagi aussi bien, aussi vite, que l'acteur. Elle n'avait même pas réagi *du tout*.

Puis, de toutes ses émotions, l'hystérie prit le dessus quand elle aperçut d'autres malfrats. Elle s'entendit crier pour prévenir Rey et vit, impuissante, l'un des inconnus abattre une massue sur la nuque de l'acteur.

Elle brandit son couteau devant elle, devant ses ennemis, dans une posture de combat improvisée. Elle ne se souvenait même pas d'avoir empoigné l'arme.

Bowbaq se mit entre elle et eux, bloquant le passage de toute sa masse corporelle. Léti sentit qu'on la tirait par les vêtements. Elle pivota entièrement sur elle-même, la rage au corps, prête à en découdre avec n'importe quel ennemi.

Ce n'était que Yan. Elle se souvint qu'il l'appelait depuis quelques instants déjà. Comme si elle n'entendait que maintenant ce qu'il venait de lui dire.

— Viens ! Il faut partir ! *Léti, viens avec moi !*

Elle le suivit sans savoir pourquoi. Peut-être, parce que c'était Yan. Parce qu'il l'avait appelée.

Elle n'arrivait plus à raisonner normalement. Tout ce qu'elle voulait, c'était garder son couteau.

Elle crispa sa main sur l'arme, serra les dents et se mit à courir comme elle ne l'avait jamais fait.

Bowbaq avait spontanément fait face aux inconnus, sans savoir quelle suite il allait donner aux événements. Il se réjouit d'entendre Yan et Léti s'enfuir. Puis il remarqua que Corenn était la plus menacée d'eux tous, et fit une enjambée de deux pas pour se mettre devant elle.

Les assassins étaient nombreux. Il pouvait en voir au moins cinq, mais les éclats de voix et les bruits métalliques qu'on entendait aux alentours étaient de mauvais augure.

Le géant ne savait quoi faire. Les hommes massés devant lui n'avançaient pas, gênés par le corps de Rey et impressionnés par la taille de ce nouvel adversaire.

Il fit un pas en avant, doucement, en plantant son regard dans celui de l'homme le plus proche. Il avait souvent vu Mir en faire autant avec ses proies.

L'assassin fit inconsciemment un pas en arrière, obligeant ses comparses à en faire autant.

Bowbaq lança son énorme bras en avant et arracha la massue des mains de son propriétaire. Il s'était interdit de tuer qui que ce soit, mais ses ennemis l'ignoraient. Et malgré tout, il se sentait un peu mieux ainsi que les mains nues.

— Lâche ça ! entendit-il derrière lui.

Bowbaq jeta un rapide coup d'œil en arrière sans cesser de surveiller ses adversaires. Mais ce qu'il vit lui ôta le faible espoir qui l'animait.

D'autres hommes les avaient contournés et bloquaient l'autre issue du passage rocailleux. Parmi eux, plusieurs avaient des arcs.

Lui, Corenn et Rey étaient pris au piège.

Grigán n'aimait pas ça, mais alors pas du tout. Leurs ennemis semblaient nombreux, et il lui semblait bien entendre des bruits de bataille là où il avait laissé ses compagnons.

En fait, tous les assassins se précipitaient dans cette direction, et il avait de plus en plus de mal à progresser sans se faire repérer. Une fois déjà, il n'avait eu que le temps de se jeter dans un coin sombre pour éviter de tomber nez à nez avec trois des étrangers.

Grigán était courageux, certainement très courageux, mais pas stupide. S'il continuait à courir ainsi, il ne tarderait pas à se faire prendre. S'il attendait, il serait bientôt *vraiment* un guerrier solitaire... et portant le deuil de ses amis.

Il entendit un bruit de course... Quelqu'un venait dans sa direction. Grigán se fondit dans l'ombre et empoigna une dague. Au dernier moment, il tendit sa jambe en avant, faisant chuter l'homme pressé. Celui-ci partit tête la première contre une rocaille et s'assomma sans avoir le temps de pousser le moindre cri.

Le guerrier regretta avec une pointe d'ironie que ça ne soit pas toujours aussi facile.

L'homme étendu venait de lui donner une idée. Un peu ridicule, très risquée sûrement, mais la meilleure qu'il eut pour l'instant. La seule, en fait.

Il dévêtit rapidement sa victime et enfila ses frusques au-dessus des siennes.

Puis il se joignit à la bande d'assassins qui couraient vers ses amis.

Léti allait beaucoup, beaucoup trop vite. Yan l'avait volontairement laissée partir devant, au début, afin de pouvoir la protéger... et aussi l'empêcher de retourner au milieu des combats. Mais elle était maintenant *trop* loin devant lui, et il la perdait de vue de plus en plus fréquemment. Forcer l'allure n'était pas une bonne solution : dans cette obscurité, ils pouvaient très bien tomber ou rentrer de plein fouet dans un rocher... ou encore dans un des assassins qu'ils fuyaient.

Partir au plus vite lui avait semblé ce qu'il y avait de mieux à faire, tout à l'heure. Yan avait compris qu'ils n'auraient pas le dessus dès que Rey avait été touché. La seule chance de survie possible était dans la fuite, même Grigán aurait été d'accord sur ce point.

Il essayait de ne pas penser à Corenn et aux autres. Pas tout de suite. Il fallait d'abord mettre sa fragile Léti hors de danger, et retourner là-bas ensuite, pour aider ses amis... si c'était encore possible.

Yan ralentit sa course, à bout de souffle. Le chemin qu'il suivait depuis un moment était en pente; ils avaient fui complètement au hasard, et il était totalement perdu.

Il n'avait plus aperçu Léti depuis un moment. Elle devait avoir plusieurs dizaines de pas d'avance. Il tendit l'oreille, en essayant de calmer sa respiration haletante.

Il ne l'entendait même plus. Il se concentra, cherchant des bruits de course dans le silence de la nuit. Mais en vain.

Il avait perdu Léti.

Corenn avait suivi leurs ennemis sans chercher à résister. Il lui était très vite apparu que toute lutte serait inutile, contre l'impressionnante bande de malfrats et d'assassins que l'on avait lancée contre eux.

Ces hommes ne les avaient pas occis sur place, ce qui laissait quelque espoir. D'autant plus que le sort de

Grigán était incertain, et que Léti et Yan avaient réussi à s'enfuir. Quoi que ces individus projettent de faire, la meilleure solution pour l'instant était d'essayer de gagner du temps. Par tous les moyens.

Elle mit aussitôt cette idée en application en simulant une claudication très prononcée. Mais l'affreux qui marchait derrière elle la poussa brutalement, après quelques décilles seulement de ce manège, en lâchant une bordée de jurons dont la Mère ignorait jusqu'à l'existence. Elle n'arrêta pas pour autant, se contentant de boiter un peu plus vite en lâchant de temps à autre un petit cri de douleur. Il ne fallait pas qu'ils se doutent de quoi que ce soit.

Elle se débrouilla tout de même pour rattraper Bowbaq et se placer devant lui, avant de ralentir l'allure. Le géant progressait jusque-là à son train normal, qui était *beaucoup trop rapide*.

Leur seule chance était de gagner du temps, se répéta-t-elle. Pour Grigán, pour Léti, pour Yan. Et aussi, pour lui permettre de réfléchir.

Les assassins avaient même emmené Rey pour cette promenade forcée, alors que l'acteur semblait plus mort que vivant. Deux malfrats l'avaient désarmé et le transportaient sans ménagement. Corenn en conclut qu'il n'était pas dans leur intention de les tuer. Pas tout de suite, en tout cas...

Néanmoins, ils étaient traités ni plus ni moins que comme des ennemis. Aucun des membres de la Guilde – ce qu'ils étaient vraisemblablement – ne leur avait adressé la parole pour lancer autre chose que des insultes et des menaces. Mieux valait ne pas se faire d'illusions quant à leurs intentions.

— Où allons-nous ? se risqua-t-elle à demander.

— Ferme-la, la vieille ! fut la seule réponse qu'elle reçut.

Corenn s'en tint là, ne voulant pas aggraver les choses. Mettre l'un des affreux en colère entraînerait sans aucun doute d'autres violences et leur ôterait toutes chances de s'en tirer par la diplomatie... Celles-ci étaient déjà suffisamment minces.

— Il est réveillé, je te dis ! râla une voix lorelienne.

L'un des deux porteurs de Rey laissa volontairement tomber l'acteur sur le sol. Effectivement, le jeune homme blond avait déjà repris conscience, suffisamment, en tout cas, pour protester à sa manière contre ce mauvais traitement.

— Dites donc ! J'ai l'impression que vous ne m'aimez pas, vous. Cette façon de me faire tomber sans prévenir est un manque *flagrant* de délicatesse.

— La ferme ! Debout ! lui lança le porteur en lui donnant un coup de pied dans le ventre.

Rey s'agrippa à la jambe de l'homme et fit chuter ce dernier, avant d'essayer de s'emparer de son épée. Mais celle-ci s'était coincée sous son propriétaire, et la tentative de l'acteur mourut dans l'œuf. Le second porteur lui flanqua un grand coup de pied dans les côtes avant de l'obliger à se relever en le menaçant de sa lame.

— Je savais que vous ne m'aimiez pas, lança Rey en grimaçant de douleur.

— La ferme !

La petite colonne se remit en marche. Corenn savait où on les emmenait : sur la petite plage où ils avaient débarqué, plus tôt dans la nuit.

La pire de ses craintes était qu'on les emmène tous les trois *immédiatement*. Qu'elle soit séparée des autres, sans aucun moyen de savoir ce qu'il allait advenir d'eux.

Bowbaq eut une quinte de toux exagérée. Corenn se retourna vers lui, intriguée. À sa connaissance, le géant n'était pas malade...

Bowbaq la fixait avec des yeux aussi grands que des œufs. Il lui fit un petit signe de tête vers le côté.

Corenn y porta le regard aussi discrètement que possible. Quoi, il n'envisageait tout de même pas une tentative de fuite, *maintenant ?* Il était trop tard pour ça.

Mais ce que le géant avait vu, c'était un signe de piste. Grigán devait être à l'origine de ce singulier assemblage de branches, de pierres et de coquillages. Malheureusement, Corenn était incapable de le décrypter.

De toute façon, quel que soit le message du guerrier, il ne pouvait sûrement rien faire pour eux.

Léti venait de craquer. Son équilibre mental, déjà beaucoup trop mis à l'épreuve au cours des deux dernières décades, venait de basculer complètement.

Elle avait une forte envie de pleurer. Mais les larmes ne venaient pas. Elle se serait crue devenue insensible, sans ce goût amer qu'elle avait dans la gorge, et cette migraine qui l'empêchait de raisonner.

Elle avait l'impression d'avoir fui toute sa vie. Fui la disparition de ses proches, fui l'amour des vivants. Fui les épreuves et les joies. Fui les vérités et les mensonges.

Tout à l'heure, elle avait encore fui. Si vite, si *égoïstement*, qu'elle avait même perdu Yan de vue. Et quand elle s'en était rendu compte, il était déjà presque trop tard.

Maintenant, agenouillée dans l'herbe, elle tremblait encore à ce souvenir. Elle avait couru, couru, et couru encore, comme pour fuir toutes ses craintes en même temps. Elle avait couru comme une folle. Et avait failli en mourir.

Elle n'avait vu le danger que dix pas environ avant l'abîme. Et en avait mis sept ou huit pour s'arrêter.

Le chemin n'allait pas plus loin. Au hasard de sa course, elle était parvenue au sommet d'une falaise donnant sur la mer... quarante pas plus bas.

Pendant un petit moment, elle avait observé les vagues se fracassant sur les rochers. Les rejoindre pourrait être une solution, un soulagement...

Mais *non*, c'était encore une faiblesse.

Elle ne pouvait pas courir plus loin ? Très bien. C'était peut-être un signe du destin.

Elle ne fuirait *plus jamais*.

Elle assura sa prise sur le couteau et commença à redescendre vers le labyrinthe d'un pas assuré.

Trois hommes armés en sortirent en file indienne et se déployèrent pour lui couper le passage. L'un d'eux lui cria quelque chose en lorelien, probablement des insultes ou des menaces.

Elle remonta calmement au sommet de la falaise, se retourna et les attendit d'un air déterminé.

Elle ne fuirait plus jamais.

Grigán avait fait aussi vite que possible, mais cela avait été insuffisant. Il était arrivé auprès de ses compagnons bien après la courte bataille, et n'avait pu qu'assister à la capture de Corenn, Bowbaq et Rey.

Les malfrats emmenaient déjà ces derniers sous bonne escorte. Le guerrier hésita à s'y mêler, mais c'était trop risqué. Certains parmi eux pouvaient avoir son signalement, il valait mieux qu'il reste un peu à l'écart.

Il avait donc suivi la petite colonne à distance, plus impuissant, torturé et angoissé que jamais.

Il eut vite fait de comprendre qu'on emmenait ses amis sur la petite plage, seul endroit où débarquer sur l'île de toute manière. Il avait alors précédé le groupe afin de laisser un signe à Bowbaq, en espérant que le géant ne passe pas à côté sans l'apercevoir.

C'est tout ce qu'il pouvait faire pour l'instant : signifier sa présence non loin d'eux.

C'était peu de chose.

Bowbaq eût bien aimé être ailleurs. Plus il réfléchissait, plus il se disait qu'ils n'auraient pas eu tous ces ennuis en évitant la caverne. Une fois encore, il avait transgressé un interdit et en subissait maintenant les conséquences... désagréables.

Ses regrets n'étaient pas pour lui, mais pour sa femme et ses enfants. Le petit groupe d'héritiers qu'ils avaient formé, lui et ses amis, venait d'échouer à contrer le dessein de leur ennemi inconnu. Et les Züu allaient donc poursuivre leur sale besogne... Jusqu'à l'avoir complètement achevée.

S'il était resté en Arkarie, Bowbaq aurait peut-être pu faire quelque chose pour eux... ou peut-être pas. De toute façon, le passé était le passé et on ne pouvait rien faire pour le changer.

La colonne parvint à la petite plage. La barque des héritiers était toujours là, et quatre autres, de bonne taille, s'y étaient ajoutées. Bowbaq s'y attendait, comme il s'était attendu au reste, beaucoup plus inquiétant.

Pas moins de *cinq* tueurs züu patientaient là. Semblables en tout point à ceux qu'il avait déjà affrontés : tunique rouge, crâne rasé, regards de déments.

Un seul se démarquait des autres : son visage, ou plutôt sa tête entière, était peinte de couleurs noire et blanche. Le tout symbolisait un monstrueux crâne humain, uniquement habité par deux yeux qui semblaient vouloir consumer leurs cibles.

Même les malfrats étaient impressionnés par les fanatiques. Bowbaq remarqua qu'aucun d'eux ne s'approchait des Züu s'il pouvait l'éviter. La plupart, même, préféraient ne pas quitter les assassins du regard. Apparemment, le bien-fondé de leur sinistre réputation n'était pas remis en cause par les *frères* loreliens.

Deux des Züu avaient leur terrible dague en main. Deux autres étaient armés chacun d'une arbalète, non moins dangereuse. Seul l'homme peint ne portait rien. Pourtant, c'était bien lui qui semblait le plus redoutable...

— Où sont les autres? demanda-t-il à l'un des voleurs.

Son lorelien était parfait, mais voir ainsi cet énorme crâne parler avait quelque chose de très déroutant. L'homme déglutit péniblement en maudissant les dieux d'avoir été choisi par l'assassin.

— Les deux gamins se sont écha... seront bientôt ramenés ici, corrigea-t-il aussitôt.

— Et le Ramgrith ?

L'homme fit un pas en arrière et baissa les yeux sans répondre. Il craignait plus son employeur que lui-même avait peur de ses ravisseurs, remarqua Bowbaq.

Le Zü se détourna et fit quelques pas.

— Votre travail n'est donc pas terminé, annonça-t-il d'une voix claire. Vous savez ce qu'il vous reste à faire.

Le malfrat ne se le fit pas dire deux fois et partit aussitôt vers l'intérieur de l'île. Six de ses comparses se lancèrent derrière lui, trop heureux de pouvoir s'éloigner des déments aux dagues empoisonnées.

Les deux hommes qui gardaient Corenn, Rey et Bowbaq s'apprêtèrent à en faire autant, mais le Zü le leur interdit d'un simple froncement de sourcils. Puis il s'approcha des prisonniers, lentement, très lentement.

Reyan rit bruyamment. Le Zü se planta devant lui, bras croisés, et planta son regard dans le sien, ce qui n'eut pas l'effet escompté d'impressionner l'acteur.

— Ce numéro, tout de même ! s'esclaffa ce dernier. On joue des pièces avec des méchants, on les trouve tellement stupides, ridicules, fous et ringards qu'on n'imagine pas qu'il en existe *réellement* d'aussi tarés. Et pourtant, c'est vrai. Félicitations, vraiment, félicitations, conclut-il avec un nouvel éclat de rire.

Le Zü sourit légèrement, un court instant, et lança deux doigts tendus dans la gorge de Rey si rapidement que l'acteur ne vit même pas le coup venir. Sa respiration fut subitement coupée, et ne revint qu'après un moment qui lui parut beaucoup trop long, dans les efforts qu'il faisait pour amener l'air dans ses poumons.

Il fut alors pris d'une nausée effroyable et se retourna pour rendre, en hoquetant sous la douleur dans sa gorge.

— Vous avez eu de la chance, déclara le Zü. Quatre fois sur cinq, ce geste suffit pour se débarrasser de n'importe quel hérétique.

Bowbaq n'arrivait pas à y croire. Ces types étaient vraiment *fous*.

— Bien, reprit l'assassin. Nous allons avoir une petite discussion. Vous, moi, et Zuïa.

Léti ne s'était jamais sentie aussi vivante.

Trois assassins avançaient vers elle, armes à la main. Elle n'avait aucun moyen de s'enfuir. Aucune aide à attendre. Et un simple couteau de pêche pour se défendre.

Mais sa rage de vaincre était infinie.

Toute la haine, toute la colère, tous les regrets qu'elle avait accumulés jusqu'à présent contre les Züu et tous les autres lui revenaient en mémoire.

Et elle ne ressentait plus que de la *fureur*.

Jamais elle ne s'était sentie aussi en forme. Aussi... *puissante*. Tout son corps répondait présent au bouillonnement de son esprit. Jusqu'à ses sens qui semblaient s'être amplifiés.

Elle entendait chacun des pas, chacun des bruits causés par ses ennemis qui approchaient. Elle notait chacun de leurs changements d'expression : tour à tour goguenards, moqueurs, curieux ou cruels. Elle sentait le sable crisser sous ses pieds, le vent caresser ses cheveux, le manche rugueux du couteau frotter contre sa paume.

Elle dut se dominer pour parvenir à desserrer sa mâchoire. Si son corps était plus leste qu'il ne l'avait jamais été, tout son visage était crispé dans une grimace agressive.

Les trois hommes furent auprès d'elle. Elle voyait chacune des caractéristiques de leurs visages, chaque détail de leurs vêtements. Ces images seraient gravées à jamais dans sa mémoire. Mais elle se força à observer le reste, qui était d'un intérêt plus vital pour l'instant.

Deux des hommes portaient une épée. Le troisième avait un poignard. Le barbu portait son arme de la main gauche. L'homme au poignard était manchot. Le chauve paraissait l'adversaire le plus redoutable. Elle devrait se débarrasser de lui en premier.

— Suis-nous sans faire d'histoires, lança-t-il.

Léti ne répondit pas, continuant à les menacer de sa lame.

— Allez, laisse tomber, reprit-il. Tu vas te faire mal.

La pointe du couteau passa à moins d'un pied de son visage. Léti n'avait pas voulu le blesser... Elle se refusait encore à frapper la première. Mais il n'était pas question pour elle de céder à quoi que ce soit.

Le chauve lâcha une insulte et se mit en garde, prêt à répondre à toute nouvelle attaque.

— Attends, dit le manchot. Ne l'abîme pas tout de suite. Ça peut être amusant.

Léti simula une attaque vers lui. L'homme eut un geste de recul, puis revint avec un petit rire stupide. Léti le repoussa, mais il approcha plus près encore, en riant plus fort.

Le barbu trouva ce jeu à son goût et imita son comparse en attaquant la jeune fille sur son autre flanc. Léti faisait danser la lame dans les airs, simulant des attaques sans vraiment les lancer. Bientôt, les deux hommes s'amusèrent à la toucher de leur main en se retirant aussitôt, sous l'œil réjoui du chauve.

Léti recula un peu plus haut sur la falaise. L'abîme n'était plus très loin derrière elle.

— Eh ! Je parie que tu n'arrives pas à la déshabiller sans te faire mordre !

— Tenu !

Les deux hommes recommencèrent leur manège, une lueur grivoise dans les yeux. Le manchot déchira une pièce de la tunique de Léti en poussant un cri de victoire.

La jeune fille fulminait. Une main se posa sur son épaule. Elle s'abandonna complètement à ses réflexes et son couteau entama la chair d'un poignet.

— La catin ! lança le barbu en pressant la plaie.

Il s'éloigna de quelques pas et lâcha son épée.

— Pourriture ! Je saigne comme un cochon !

Le jeu ne lui semblait plus drôle du tout. Ainsi qu'aux autres, d'ailleurs, qui adoptèrent une réelle posture de combat avant de s'approcher d'elle.

Maintenant, c'était pour de vrai.

Le Zü marchait de long en large devant eux, comme cherchant ses mots. Mais il devait avoir pensé à tout cela bien avant de venir, se dit Corenn.

Il s'arrêta et contempla un long moment l'aube qui se levait sur la mer Médiane. La Mère doutait qu'il puisse être sensible à la beauté du spectacle. Enfin, il se retourna vers eux.

— Pour deux d'entre vous, c'était la dernière fois que le soleil se levait.

Rey, Corenn et Bowbaq échangèrent quelques regarda. Bien que s'attendant plus ou moins à de très mauvaises nouvelles, ils trouvèrent choquante la vérité crue. Rey tenta de dire quelque chose, mais les coups qu'il avait encaissés l'avaient démoli, tout particulièrement celui dans la gorge. Le sarcasme qu'il allait lancer mourut dans une quinte de toux.

L'assassin les dévisagea un par un avant de continuer.

— Zuïa offre son pardon au premier d'entre vous – et seulement à celui-là – qui le demandera.

Personne ne fit le moindre geste. Le Zü laissa passer un temps avant de reprendre.

— Celui qui sera pardonné devra condamner ses anciens complices. C'est-à-dire, essentiellement, indiquer leurs noms et l'endroit où ils se cachent. À commencer par le Ramgrith, s'il n'est pas sur l'île.

Il n'y eut pas plus de réactions. Le Zü eut l'air contrarié.

— Nous aurons de toute façon ces renseignements. C'est juste une question de temps et de douleur.

— Vous êtes vraiment la personne la plus mauvaise que j'aie jamais rencontrée, commenta Bowbaq. Mir ne voudrait même pas de vous comme nourriture.

Le Zü vint se planter devant lui, du feu dans les yeux. Le géant se couvrit inconsciemment la gorge d'une main.

— Je vaux *cent fois* plus que vous, s'emporta l'assassin. N'importe quel messager de Zuïa mérite plus de respect que tous vos rois réunis ! Parce que la grandeur de la déesse rejaillit sur nous, conclut-il en levant les bras au ciel.

Il était vraiment complètement fou.

— Regardez-vous, les... héritiers. Un fermier, un vaurien, une femme, deux gamins... Vous n'êtes *rien* comparés à la déesse. Vous n'êtes rien face à son jugement.

Corenn avait pris sa décision dès le début du sermon de l'assassin. Il était maintenant clair qu'ils n'avaient aucun espoir de pouvoir négocier avec ce dément. Leur seule chance était donc, malheureusement, dans l'action.

Mieux valait agir vite, tant que leurs ennemis n'étaient pas plus nombreux. Pendant que le Zü s'adressait à Bowbaq, elle lança un petit coup de coude et un regard complice à Rey. L'acteur comprit que la Mère allait tenter quelque chose et se prépara à agir, bien qu'il soit blessé et nauséeux.

Corenn ferma son esprit le plus possible à ce qui l'entourait, pour ne plus se consacrer qu'à l'arbalète tenue par le Zü le plus proche. Elle banda sa Volonté puis la laissa grandir seule, se contentant de la contrôler comme elle avait appris à le faire. Sa chaleur corporelle augmenta légèrement et des impulsions envahirent son esprit. Puis elle lâcha sa Volonté et la corde de l'arbalète claqua d'un coup sec, rendant l'objet inutilisable.

Son propriétaire se pencha pour l'étudier et tous se tournèrent vers lui avec curiosité. Rey fit volte-face, attrapa le bras du malfrat placé derrière eux et lui mordit violemment la main avant de prendre sa dague.

Non ! C'était trop tôt ! Corenn n'avait pas eu le temps de neutraliser l'autre arbalète. Le Zü allait tirer sur lui !

La magicienne ne pouvait pas faire appel à son pouvoir une deuxième fois, si vite après la première. Cet exercice, par manque d'entraînement, lui coûtait presque toutes ses forces !

Elle vit avec horreur l'assassin lever son arme et viser l'acteur, qui n'avait pas le temps de se mettre à l'abri.

Puis elle vit avec étonnement l'empenne d'une flèche émerger subitement de l'œil du Zü. Puis, peu après, une deuxième, puis une troisième toucher un autre assassin à la jambe et à la poitrine.

Elle fouilla les environs du regard, n'osant croire encore à ce miracle. Grigán était installé à trente pas, debout sur un promontoire, tirant flèche après flèche.

Corenn fit quelques pas vers lui, encore trop fatiguée par l'usage récent de son pouvoir pour courir ou même réfléchir. Elle entendit Bowbaq crier derrière elle et se retourna pour le découvrir à terre, gémissant, les mains crispées sur le manche d'une dague plantée dans son ventre.

Le Zü au visage peint venait de lancer cette arme. Dans sa direction.

Une flèche lui transperça le thorax et il tomba à genoux. Rey, qui venait enfin de se débarrasser de l'autre malfrat, lui lança un grand coup de pied en pleine gorge.

Le Zü cracha du sang avant de s'écrouler face contre terre.

Corenn contempla la petite plage autrefois si tranquille. Elle portait maintenant sept corps, dont celui d'un de ses amis.

Rey se précipita à côté de Bowbaq et sortit la petite boîte qui contenait – peut-être – un antidote au poison des Züu. Il en fit avaler au géant qui gémissait de douleur, et en appliqua sur la blessure petite mais profonde.

— Il s'est jeté devant la dague, annonça Rey. Il s'est jeté devant vous pour vous sauver. C'est la première fois que je vois ça. La première fois.

L'acteur était vraiment ému. Corenn le dévisagea en reprenant ses esprits. Rey avait du sang sur le visage, mais son expression était celle d'un enfant...

Elle le repoussa doucement et termina de nettoyer la blessure du géant. Il était toujours conscient, bien que grimaçant de douleur. Il ne saignait pas beaucoup. L'effet du poison des dagues züu était connu pour être très rapide. Si Bowbaq n'était pas déjà mort, alors, c'est qu'il vivrait.

Grigán fut enfin auprès d'eux.

— Comment va-t-il ? s'enquit-il aussitôt.

— Ça va, mon ami, répondit le géant en haletant. J'aimerais juste être ailleurs.

— Compte sur moi, mon ami, répondit le guerrier. Désolé de ne pas être intervenu plus tôt. Mais je ne pouvais rien faire tant que les deux arbal...

Il ne finit pas sa phrase. Corenn venait de se plaquer dans ses bras. Il les referma maladroitement sur elle, plus gêné que s'il s'était promené nu dans un temple eurydien.

La Mère avait eu *besoin* de cette étreinte. Mais elle reprit bientôt le contrôle d'elle-même et se dégagea, aussi gênée que le guerrier.

— Allons chercher Yan et ma petite Léti, vous voulez bien ?

C'était presque une prière.

Yan se sentait plus stupide que jamais. Il tournait en rond depuis un long moment sans retrouver Léti. Il ne savait même plus quelle direction prendre pour retourner à la barque, ou pour s'enfoncer dans l'île.

Tout le monde, à Eza, avait eu raison de le traiter comme un bon à rien. Il n'avait pas su aider ses amis. Il n'avait pas su protéger Léti. Et il n'était même pas capable de retrouver tout seul son chemin...

Il aurait fait un drôle de compagnon pour Léti.

Il s'aperçut qu'il venait de penser à ce projet en y renonçant. Après tout... Même si tous deux réussissaient à survivre à cette journée, il n'était pas assez bien pour elle. Il n'était pas *digne* d'elle.

L'Aïeule du conseil d'Eza lui avait dit, un jour où il ruminait de telles pensées, que *chaque homme possède un talent qui en fait l'égal des autres*. Mais lui n'avait aucun talent. Il n'était bon qu'à faire les choses à moitié. Et s'il était encore en vie, maintenant, alors que ses compagnons affrontaient certainement des épreuves difficiles, c'était tout simplement parce qu'il s'était tellement perdu qu'il devait être au beau milieu du labyrinthe.

Il s'assit pour réfléchir à ce qu'il pourrait faire de mieux que s'apitoyer sur son sort. Et repartit aussitôt en courant.

Il venait d'entendre des cris.

Parmi eux, la voix de Léti.

Il ne prit aucune des précautions qu'il s'était jusque-là obligé à suivre. Arriver au plus vite auprès d'elle, voilà ce qui était important.

D'autres cris. Des menaces, des bruits de lutte. Léti était en train de se battre.

Il déboula au bas de la falaise et ne prit que le temps de ramasser une pierre, avant de monter à l'assaut des étrangers en poussant des cris furieux.

Un homme barbu vint à sa rencontre, une épée en main. Il était blessé au poignet et tenait assez mal son arme.

Les deux autres se retournèrent par réflexe, à son arrivée. Léti semblait tenir debout, mais son état était lamentable. Même à cette distance, Yan pouvait voir des coupures sur ses bras et sur ses jambes. Ils avaient osé lui faire mal !

Il eut du mal à croire ce qu'il vit ensuite. Léti jeta la main en avant et l'un des hommes hurla de douleur en portant les mains à son œil. Il tomba à terre en pressant sa blessure.

Le dernier homme redoubla alors les attaques qu'il

lançait contre la jeune fille, qui ne pouvait que reculer pour les éviter.

Puis Yan vit avec horreur Léti se jeter contre son adversaire, lutter un moment et basculer dans le vide avec lui.

Il s'entendit crier un long « Non ! » sans pouvoir y mettre fin.

Il était maintenant suffisamment proche de l'homme à l'épée. Il lui lança la lourde pierre en plein visage, ses forces décuplées par l'horrible scène à laquelle il venait d'assister.

Son projectile fit mouche avec un bruit sourd, mais Yan ne s'arrêta pas pour juger du résultat. Il courut jusqu'au plus haut de la falaise et se pencha au-dessus de l'abîme en redoutant ce qu'il allait voir.

— Yan !

Léti n'était qu'à deux pas en dessous. Elle s'agrippait d'une main blanchie par l'effort à un petit piton rocheux.

— Yan, vite ! Je n'ai plus de forces !

Elle ne plaisantait pas. Elle était à la limite de la panique.

Le Kaulien regarda frénétiquement autour de lui, mais il n'y avait rien, *rien*, qui pouvait servir de corde. Même ses vêtements n'étaient pas assez solides pour supporter le poids de la jeune fille.

Il se mit à genoux et passa une jambe dans le vide. Son pied trouva une résistance et il bascula l'autre jambe.

— Non ! Non ! On va mourir !

Maintenant, elle était paniquée.

Yan continua sa descente téméraire, prenant à peine le temps d'assurer ses prises. Mais il ne pourrait pas descendre jusqu'à Léti. Tout au plus, en se penchant un peu, pourrait-il lui tendre la main... mais il n'aurait jamais assez de force dans l'autre bras pour les porter tous les deux.

Son pied glissa et Léti cria, terrifiée.

Yan hésita, chercha d'autres prises, une autre solution. Mais il n'y en avait pas.

Soudain, les choses furent claires, très claires dans son esprit.

Ils vivraient tous les deux, ou mourraient ensemble.

Il lui tendit la main en bandant ses muscles le plus possible. Léti l'empoigna avidement et fit de son mieux pour soulager Yan de son poids, en utilisant les moindres prises pour ses pieds et son autre main.

Mais c'était encore insuffisant.

Yan ne pouvait pas la remonter.

L'un de ses bras allait faiblir, et il allait la lâcher ou perdre sa prise sur la paroi. D'un côté comme de l'autre, c'était fini.

Il voyait les rochers, quarante pas plus bas, et tout près de lui le visage suppliant de Léti. Et son bras faiblissait.

Non!

Non, c'était trop bête, il devait pouvoir y arriver. Il fallait qu'il y arrive. Il *voulait* y arriver.

Il serra les dents et concentra toute sa volonté sur la force de ses bras. Au bout de quelques instants, il fut en nage; le sang martelait ses tempes comme un tambour de jour de Terre. Il ne sentait plus rien d'autre que sa propre main tenant celle de Léti, et la volonté qu'il avait de la tirer à lui.

Il gagna quelques pouces et continua à forcer. Bientôt, il eut gagné un pied de hauteur. Puis, progressivement, il put se redresser et ce fut plus facile.

Enfin, Léti fut assez haut pour basculer tout son poids sur le piton rocheux qui lui avait sauvé la vie. Elle et Yan se reposèrent un moment contre la paroi, en soufflant bruyamment.

— Ce que tu as fait, c'était impossible, Yan, déclara Léti.

Le Kaulien ne répondit pas. Il sentait venir un malaise. Il se mit à remonter aussitôt, pour ne pas le subir dans une position aussi périlleuse.

Il se sentait complètement vidé, et avait très froid. Léti fut en haut avant lui et elle dut l'aider à se hisser sur le sommet, où il s'écroula sur le dos. La tête lui tournait.

Mais il avait réussi.

Grigán reconnut pour lui-même – et pour la première fois – que Rey avait sa place dans le groupe. Il avait très bien réagi pendant la bataille, et même auparavant, à en croire les dires de Corenn. Il avait peut-être contribué à sauver la vie de Bowbaq, et s'était spontanément proposé pour aller à la recherche de Léti et de Yan.

Tout de même, ses plus gros défauts – à savoir l'irrespect et la provocation – étaient difficiles à supporter. Même les Züu étaient d'accord.

Mais pour l'instant, Rey se taisait et obéissait en tout point aux ordres du guerrier. Leur association était efficace car ils avaient déjà rencontré et terrassé dans le labyrinthe trois des malfrats travaillant pour les Züu.

Enfin, au détour d'un chemin, ils tombèrent nez à nez avec les deux jeunes Kauliens. Yan semblait très affaibli, et Léti était couverte de coupures et d'ecchymoses, dans une tenue totalement débraillée.

Le guerrier poussa un soupir de soulagement. Ils avaient eu beaucoup de chance, cette nuit. *Énormément*, même. Il se promit de faire plus attention la prochaine fois.

— Les autres vont bien ? murmura Yan difficilement.

— Bowbaq est blessé, mais ce n'est pas grave, répondit Rey. On s'en va.

Léti s'approcha de Grigán et l'empoigna fermement, mais sans agressivité, par le devant de ses vêtements noirs.

— *Vous allez m'apprendre à me battre*, articula-t-elle en le fixant dans les yeux.

Le guerrier attendit, avant de répondre, que Léti l'ait lâché.

— D'accord, si ça t'empêche de faire des bêtises. Mais ça ne sera pas aussi drôle que tu le penses.

— Je ne pense *pas* que ça sera drôle, conclut la jeune fille en retournant auprès de Yan, qui se demandait s'il avait bien compris le sens de cette conversation.

Ils furent rapidement de retour sur la plage. Quelques malfrats qui patientaient là les invectivèrent, mais Grigán les tint à distance en les menaçant de son arc.

— Ceux-là ont déjà dû remarquer les beaux trous que j'ai faits dans leurs bateaux, déclara Rey. Ma cote de popularité n'a jamais été plus basse qu'aujourd'hui.

— Qu'est-ce qui s'est passé, ici ? demanda Léti en voyant les cadavres.

— On s'expliquera plus tard.

Grigàn fit un signe vers la barque, où s'étaient installés Corenn et Bowbaq pour les attendre au large. La magicienne amena l'esquif jusqu'à eux et ils repartirent aussitôt, soulagés de retrouver enfin une relative sécurité.

Chacun raconta son aventure. Corenn n'était guère emballée par la nouvelle idée de Léti et de Grigán, mais elle remit à plus tard une discussion à ce sujet. Elle fut par contre extrêmement intéressée par l'expérience de Yan sur la falaise.

Après un long moment de réflexion, elle rompit le silence dans lequel ils s'étaient tous installés.

— Yan, il faudra que nous ayons une grande discussion, tous les deux, dit-elle simplement. Tu devrais trouver cela intéressant.

Petite encyclopédie anecdotique du monde connu

ALIOSS

Celui qui Conduit. C'est le dieu ramgrith des pères de famille, des chefs de clan, des rois des grandes tribus. Son culte est réservé aux hommes des castes honorables – guerriers, prêtres, nobles et artisans , les femmes, les mendiants et les criminels se voyant interdire une simple citation du nom de l'Éternel.
La déesse Aliara remplit un rôle similaire pour la gent féminine des Ramgriths, sans avoir le même prestige. En effet, aucun temple ne peut être construit dans les Bas-Royaumes sans autorisation du roi. Et aucun roi ne permettrait à des femmes de se réunir dans un temple.

ALPHABET ROMIN

C'est l'alphabet le plus complexe encore utilisé dans le monde connu. Il se compose de trente et un signes de base, dont dix-sept peuvent s'accentuer. Mais les quarante-huit signes ainsi obtenus ne sont pas associés à des sonorités. Seules les combinaisons de deux, trois ou plus encore de ces éléments de base forment des syllabes. Et une syllabe s'écrit de différentes manières selon les syllabes qui l'entourent ! Les Romins eux-mêmes utilisent généralement une version simplifiée. L'alphabet original n'est plus utilisé que pour certains textes officiels, et par les musiciens les plus lettrés. En effet, la variation des signes est telle qu'elle permet de

transcrire les moindres inflexions de voix, et d'immortaliser ainsi de véritables partitions vocales.
L'alphabet romin est aussi étudié par les érudits de tous les royaumes pour sa rigueur mathématique.

ALT

C'est le plus grand fleuve du monde connu. Il prend sa source dans les plus hautes montagnes du Rideau, traverse le royaume ithare et le Grand Empire, avant de se jeter dans l'océan des Miroirs.
Une légende goranaise prétend que, le moment venu, les morts descendront le cours du fleuve sur d'immenses bateaux fantomatiques et se vengeront des atrocités subies de leur vivant. Régulièrement, il se trouve quelqu'un pour déclarer avoir vu l'avant-garde de l'armée des ténèbres. Certains ports refusent même l'accès à toute embarcation une fois la nuit tombée.

ALUÉN

Bien que les dates exactes soient tombées dans l'oubli, on tient pour sûr qu'Aluén a régné sur Partacle à la fin du huitième éon, pendant la chute de l'Empire ithare.
Alors que ses anciens conquérants se tournaient vers la religion, suite à la deuxième apparition d'Eurydis, les peuples libérés se lançaient dans de meurtrières guerres civiles, ayant pour enjeu les richesses abandonnées par leurs anciens maîtres. On dit qu'Aluén rassembla ainsi un tel trésor qu'il surpassait même celui de l'empereur de Goran.
Mais de ce trésor, on ne trouve aucune trace. La légende veut qu'une partie ait été cachée dans le tombeau de son propriétaire. Mais cette époque est si lointaine qu'il est difficile d'identifier cette sépulture avec exactitude. Sept ont ainsi déjà été fouillées en pure perte. Les chasseurs de trésors ne désespèrent pas pour autant.

AMARICIEN

Les prêtres amariciens sont entièrement dévoués à leur culte. La plupart passent toute leur existence dans l'enceinte d'un temple communautaire, s'appliquant à respecter la tradition religieuse et ses exigences.

Quelques amariciens voient dans la conversion la meilleure preuve d'amour envers leur dieu, aussi passent-ils leur temps à parcourir les routes à la recherche d'« âmes à sauver ».

Les amariciens ne reconnaissent pas les théoriciens, qu'ils jugent présomptueux de prétendre pouvoir interpréter la volonté divine. Les cultes amariciens sont nombreux – peut-être aussi nombreux qu'il y a de villages dans le monde connu – mais le plus répandu dans les Hauts-Royaumes semble être celui du dieu Odrel.

AÒN

Fleuve des Bas-Royaumes, prenant sa source dans les Hauts-de-Jezeba, et se jetant dans la mer de Feu à son embouchure au niveau de la ville de Mythr. La plupart des grandes villes des Bas-Royaumes ont été bâties sur les rives de l'Aòn : La Hacque, bien sûr, mais également Quesraba, Tarul, Irzas...

Une rumeur persistante prétend qu'à la saison chaude, de nombreux prédateurs marins, attirés par les ordures des civilisations humaines, remonteraient le fleuve jusqu'à la capitale et seraient la cause de plusieurs disparitions. Mais même si l'on a relevé quelques accidents mettant en cause des ipovants et, à une occasion, un sagre vorace, ces incursions restent exceptionnelles.

APOGÉE

Le moment où le soleil est au plus haut : midi, dans notre monde. On considère généralement que la fin du troisième décan marque l'apogée.

ARGOS

Les falaises d'Argos sont situées dans les Bas-Royaumes, à l'extrémité orientale de la chaîne des Hauts-de-Jezeba. Elles doivent leur renommée à leur écho, le plus remarquable du monde connu, tant par sa puissance que par les légendes qui courent à son sujet.
L'on dit en effet que l'écho d'Argos est doué de mémoire et que, si l'on se montre suffisamment patient et silencieux, les falaises livreront les secrets séculaires qui leur ont été confiés.

ARQUE

Natif du royaume d'Arkarie. Principale langue parlée dans cette contrée.

AVATAR

Matérialisation ou incarnation d'une divinité sous une autre apparence que la sienne.

BAS-ROYAUMES

Désigne selon les cas les territoires s'étendant au sud de la Louvelle, ou l'ensemble formé par ces mêmes territoires et les Baronnies.

BELLICA

C'est une espèce d'araignée répandue dans les royaumes septentrionaux des Baronnies. Sa morsure n'est pas mortelle pour l'homme, et elle n'est agressive qu'à deux occasions : lorsque son nid est menacé, ou lorsqu'elle est confrontée à l'une de ses pareilles. Cette particularité en a fait une bête de combat idéale. Les duels d'araignées bellica sont monnaie courante dans les Bas-Royaumes, enjeux de paris enfiévrés et de tournois acharnés.
La lutte à mort opposant deux individus est en elle-même un

spectacle impressionnant. En premier lieu, les bêtes larges comme la main se font face, dressées sur leurs quatre pattes arrière, essayant d'intimider l'adversaire de plusieurs manières : mouvements de mandibules, petits sauts nerveux, « chant guerrier » tout en percussions...
Il est toutefois rare que l'un des adversaires abandonne à ce stade. S'ensuit alors une lutte farouche, au cours de laquelle les morsures et les projections de venin et de toile abondent. Les retournements de situation sont fréquents ; on a vu des araignées simuler l'agonie pour surprendre leur adversaire, ou gagner avec plusieurs pattes en moins.
Macabre rituel, le vainqueur dévore toujours la tête du perdant. Uniquement la tête. Une araignée à qui l'on retire ce privilège, même une seule fois, perd toutes ses capacités et se laisse mourir.

BLANC PAYS
Autre nom donné au royaume d'Arkarie.

BROSDA
C'est une divinité dont le culte est surtout répandu au Matriarcat de Kaul. Brosda serait le fils de Xéfalis et d'un reflet d'Echora.
Brosda est le dieu des Pêcheurs : son royaume n'est ni celui des eaux, ni celui de la terre, mais celui qui se trouve à la frontière des deux. C'est une divinité neutre, que l'on craint ou que l'on adore selon les endroits et les époques. Quelques histoires de monstres marins – appréciées surtout des enfants – alimentent le culte.

CALENDRIER
Celui utilisé dans les Hauts-Royaumes est le calendrier ithare. Il comporte 338 jours, regroupés en 34 décades et en 4 saisons L'année commence au jour de l'Eau, marquant le

printemps. Deux décades ne comportent que neuf jours au lieu de dix : celles qui précèdent le jour de la Terre et le jour du Feu. On dit être passé à un nouveau jour lorsque le soleil s'est levé. Chaque jour, ainsi que chaque décade, porte un nom significatif se référant originellement au culte de la déesse Eurydis, que les prêtres moralistes portèrent jusque dans les endroits les plus reculés. Mais l'usage et les années ont opéré des changements plus ou moins profonds selon les régions. Ainsi, le jour du Chien, sans particularité dans le Grand Empire, s'est vu rebaptiser jour du Loup dans les environs de Tolensk, et correspond à une fête locale très attendue. De même, la décade des Foires, débutant au jour du Marchand, est connue de toute éternité par les Loreliens, mais ne représente rien pour les Mémissiens.
Peu de gens connaissent tous les jours du calendrier, et moins encore savent ce qu'ils représentent dans le culte d'Eurydis – mis à part les prêtres, bien sûr. Dans les Hauts-Royaumes, il est utilisé naturellement, comme on parle du jour ou de la nuit, et bon nombre de personnes ignorent même son origine religieuse. D'autres calendriers sont utilisés dans le monde connu ; ils sont issus de décrets royaux, d'autres cultes que celui de la Sage, ou tout simplement de la tradition tribale. Beaucoup sont à référence lunaire, comme l'ancien calendrier romin : 13 cycles de 26 jours.

CLOCHES (de Leem)
Leem connut à une certaine époque une telle vague de criminalité que la ville semblait sous l'entière domination des voleurs, pilleurs, incendiaires et assassins de tout acabit. On eut beau doubler, puis tripler les rondes de nuit de la garde, les malfaiteurs restaient insaisissables car trop bien organisés. Le prévôt de l'époque eut alors l'idée d'installer une cloche dans chacune des maisons des principaux personnages de la ville. Lorsque ces hautes gens étaient menacées ou témoins

d'un méfait, elles faisaient donner de la cloche et la garde arrivait aussitôt. Pas assez rapidement, en général, les mauvaises graines fuyant dès les premiers coups. Mais c'était déjà un mieux.

L'exemple fut imité par des citadins plus modestes, et l'on vit bientôt bon nombre d'artisans et de marchands équiper leur échoppe d'une cloche. Au bout de quelques années, il en existait tellement à Leem que la criminalité disparut presque entièrement.

Malheureusement, les malfrats trouvèrent une parade, en incendiant chaque maison – en guise de vengeance et d'avertissement – où l'on osait donner de la cloche.

Aujourd'hui, on compte encore plus de six cents maisons équipées de la sorte à Leem... Mais le bronze ne sert plus qu'à l'occasion de rares festivités.

CONCIL

Assemblée des chefs de clans arques.

CONQUE PROLIXE

Cet objet curieux, dont la légende a été répandue par les marins romins au temps des Deux Empires, est aujourd'hui plus souvent mentionné par les plaisantins que par les chasseurs de trésors. Il s'agirait d'un coquillage, du type giron d'Echora, où un démon aurait enfermé la voix d'une femme jugée trop bavarde. Mais même cette malédiction n'avait réussi à faire taire la malheureuse, et l'on dit que tous ceux qui entrent en possession de la relique, une fois leur curiosité assouvie, cherchent à s'en débarrasser tant ce babil incessant est difficile à endurer.

CONSEIL DES MÈRES

Haute assemblée dirigeante du Matriarcat de Kaul. Chacun

des villages dispose d'un tel conseil, présidé par la Mère élue, conseillée par l'Aïeule.

CREVASSE

Capitale de l'Arkarie et du clan du Faucon. Rares sont les étrangers au Blanc Pays à y être admis. Ceux qui ont eu cette chance comparent la ville à Lorelia pour sa taille, et à Romine pour la beauté de son architecture.
La légende veut que Crevasse ait été fondée sur l'emplacement de trois mines : une de fer, une de cuivre et, surtout, une mine d'or. De là viendrait la richesse proverbiale des souverains du clan du Faucon, suzerains des deux tiers des rois arques et, par conséquent, régnant sur la plus grande nation du monde connu.

DAÏ

C'est un petit serpent que l'on ne trouvera que dans les Bas-Royaumes, aux abords des reliefs montagneux. L'adulte fait environ deux pieds de long et peut vivre jusqu'à trois années. La couleur de sa peau va de l'ocre au jaune, selon les saisons. Son venin n'est pas mortel – en quantité normale – mais plonge sa victime dans une transe hallucinatoire euphorisante. En mordant régulièrement ses proies, le daï peut ainsi les conserver vivantes pendant plusieurs décades, dans un état de sommeil profond, à la manière des araignées.
Mais ce poison est une drogue recherchée des humains. L'élevage de serpents daï est une pratique traditionnelle des Bas-Royaumes. Se laisser mordre est même une preuve de grand courage dans certaines tribus – le venin étant difficilement extractible. Mais comme toutes les drogues, celle-ci mène les hommes à leur perte : les récits d'individus morts pour s'être volontairement plongés dans une fosse aux serpents ne sont pas rares.

DARN-TAN

Le seigneur Darn-Tan était comte d'Uliterre, autrefois province lorelienne coincée entre les duchés de Cyr-la-Haute et de Kercyan. Uliterre était alors, pour une raison oubliée depuis, en guerre contre la voisine baronnie d'Elisère, du seigneur Iryc de Vérone. L'usage voulait que, quelle que soit l'issue du conflit, les seigneurs, leurs familles et leurs demeures soient épargnés. Darn-Tan était connu pour être peu respectueux de cette règle ; quelques années plus tôt, il avait incendié le château du baron d'Orgeraie et pendu un vieillard et ses deux filles.

N'ayant aucunement l'intention de laisser la vie sauve à son ennemi, Darn-Tan conçut un piège complexe, misant sur le fait qu'Iryc de Vérone ne pourrait manquer de se méfier et d'éviter une fausse embuscade... pour se précipiter à son insu dans une vraie.

Mais Vérone n'avait aucune malice, et il échappa au piège en agissant comme Darn-Tan ne s'y attendait pas : naïvement.

DÉCADE

Dix jours. Division particulière du calendrier eurydien.

Les jours de chaque décade sont nommés d'après l'ordre chronologique. Le premier jour est prime, le dernier cime. Les autres jours sont, du second au neuvième : dès, terce, quarte, quinte, sixte, septime, octes et nones.

Les décades de la Terre et du Feu, qui ne comportent que neuf jours, ne possèdent pas d'octes. On y passe directement de septime à nones. Les Maz ont fourni une explication religieuse : l'omission des octes symbolise la victoire d'Eurydis sur les huit dragons de Xétame.

DÉCAN

Unité de temps d'origine goranaise, représentant un dixième de jour : environ 2 h 25 dans notre monde. Le premier décan commence au lever du soleil, à l'instant où se termine le dixième du jour précédent. L'apogée se situe généralement vers la fin du troisième décan.

C'est une unité utilisée grossièrement par les ignorants, mais avec beaucoup plus de précision par les savants de toutes les nations, qui se réfèrent non pas à un simple cadran solaire, mais à des calculs indiquant la position du levant sur la ville de Goran, selon les époques de l'année. Cette méthode est aussi la seule permettant de définir avec exactitude les changements de décans de nuit – du septième au dixième.

DÉCENNIE

Dix ans.

DÉCILLE

Unité de temps d'origine goranaise, représentant un dixième de décime : environ 1 minute 26 secondes terriennes. La plupart des gens considèrent qu'il est inutile de mesurer quelque chose qui prend moins d'une décille ; cependant l'unité est elle-même fractionnée en divisions – environ 8 secondes –, puis en battements – moins de 1 seconde.

DÉCIME

Unité de temps d'origine goranaise, représentant un dixième de décan : environ 14 minutes terriennes.

DÉS ITHARES

Il s'agit d'un jeu très répandu dans l'ensemble du monde connu. Si son origine reste incertaine, on sait cependant qu'il s'est propagé en même temps que l'armée de l'Empire ithare,

au septième et au huitième éon, pour être rapidement adopté par tous les peuples conquis.
Le dé ithare comporte six faces, dont quatre figurent les élémentaires : Eau, Feu, Terre ou Vent. Les deux faces restantes représentent l'un des élémentaires en double et en triple. Il existe donc quatre sortes de dés : un pour le Vent, généralement de couleur blanche ; un pour le Feu, rouge ; un pour la Terre, vert ; et un pour l'Eau, blanc.
Le nombre de dés utilisés change selon les règles du jeu choisi et les arrangements entre participants. Si un seul ensemble de quatre dés – un soldat – est en général suffisant, il n'est pas rare de voir des parties en requérant plusieurs dizaines.
L'étoile, le prophète, l'empereur, les deux frères et le guéjac sont certainement les règles les plus célèbres. Mais il en existe bien d'autres.

DONA

C'est avant tout la déesse des marchands. Fille de Wug et d'Ivie, Dona aurait, d'après la légende, créé l'or, pour s'en recouvrir et dépasser ainsi en beauté sa cousine Isée. Elle fit ensuite cadeau de sa création aux humains, afin que ceux qui – comme elle – étaient défavorisés par le destin puissent surpasser les autres par leur intelligence, symbolisée par la possession du précieux métal.
Malheureusement pour Dona, le jeune dieu Hamsa, qu'elle avait pris pour arbitre, renouvela son admiration pour Isée. Dona résolut alors de mépriser l'avis d'un seul et devint célèbre pour la multitude de ses amants. Elle est ainsi devenue également la déesse du Plaisir charnel.
Une coutume lorelienne veut qu'un marchand ayant conclu une affaire lucrative donne l'obole à une jeune fille inconnue, à l'allure pauvre. C'est « la part de Dona ». Cette coutume se perd, malheureusement, les pratiquants du culte estimant que

la part revenant au temple où ils sont affiliés est déjà suffisamment démonstrative de leur piété.
Aucun marchand heureux en affaires n'oublierait de glorifier Dona par ses dons, ne serait-ce que pour conserver l'affection de quelques « prêtresses » particulièrement dévouées à la déesse du Plaisir.

EMAZ
Figures principales et hauts responsables du Grand Temple d'Eurydis, c'est-à-dire du culte tout entier. Ils sont au nombre de trente-quatre, la charge se transmettant d'un Emaz à un Maz.

ÉRISSON
Arque. Animal légendaire du Blanc Pays. On le décrit comme un hérisson vigile atteint de gigantisme et pourvu de cornes tout le long de l'épine dorsale, ou comme une tortue capable de projeter des jets de salive si froids qu'ils se changent en dards avant de toucher leur cible. Malgré les différences évidentes entre ces deux descriptions, il se trouve toujours l'un ou l'autre ancien pour affirmer avoir vu l'érisson en chasse, une nuit où la lune était mendiante. Par politesse, les Arques acceptent les deux versions.

ERJAK
Arque. Titre d'un individu qui possède la faculté de communiquer d'esprit à esprit avec les animaux.

ESTIEN
Natif des contrées situées à l'est du Rideau.

EURYDIS
C'est la divinité principale des habitants des Hauts-Royaumes. Le culte d'Eurydis s'est répandu jusque dans les

coins les plus reculés du monde connu, sous l'impulsion des moralistes ithares.
La légende de la déesse est depuis toujours liée à l'histoire de la Sainte-Cité. Au sixième éon, le peuple ithare – qui ne portait pas encore ce nom – n'était qu'un regroupement bigarré de tribus plus ou moins nomades, rassemblées au pied du mont Fleuri, un des plus vieux sommets du Rideau. Il est dit que l'union originelle est le fait d'un seul homme, le roi Li'ut des Iths, désireux de créer une nation nouvelle et forte, rassemblant tous les clans indépendants à l'est de l'Alt.
Il consacra toute sa vie à ce rêve, mais la construction de la cité d'Ith – la Sainte-Cité, comme on l'appelle plus souvent de nos jours – mit plus de temps qu'il n'en avait à sa disposition. À sa disparition, les divisions ancestrales resurgirent au grand jour : sans l'art diplomatique de Li'ut, le beau rêve allait s'effondrer.
On dit que la déesse apparut alors au plus jeune fils de Li'ut, lui enjoignant de mener à son terme l'immense travail commencé par son aïeul. Comelk – tel était son nom – remercia la déesse de sa confiance, mais ne croyait pas pouvoir réussir tant étaient grandes les querelles tribales. Eurydis lui demanda alors d'aller quérir pour elle tous les chefs de clan, ce que fit Comelk avec promptitude.
Eurydis parla à chacun d'eux, leur enjoignant de suivre la voie de la sagesse. Tous écoutèrent avec respect, car tout barbares et braillards qu'ils étaient, leurs superstitions et traditions leur faisaient craindre la puissance divine.
Quand Eurydis se fut retirée, les chefs parlèrent et parlèrent longtemps, consultant les anciens et les augures. Tous les problèmes furent abordés, puis résolus, et ils se jurèrent la paix à jamais, sous le nom de l'Alliance ithare.
Les années passèrent, et Ith devint peu à peu une cité de taille honorable, puis vraiment imposante. À cette époque, seule Romine pouvait encore rivaliser avec la capitale du jeune

royaume. Les tribus s'étaient mêlées, et les anciennes querelles n'étaient plus que souvenirs. Ith avait tout pour devenir le phare du monde... et elle le devint, mais pas de la bonne manière.
Obnubilés par leur puissance nouvelle, si facilement acquise, les descendants des premières tribus se mirent peu à peu à parler de leur supériorité sur le reste du monde connu, puis quelques-uns eurent envie de la démontrer. Les Ithares se lancèrent dans de petits raids guerriers, puis dans des conflits frontaliers mineurs, pour enfin organiser des campagnes de conquête de plus en plus fréquentes et meurtrières.
À la fin du huitième éon, ils s'étaient rendus maîtres de tout le territoire situé entre le Rideau et le Vélanèse, à l'ouest, et de la mer Médiane aux environs de Crek, au nord. Les Ithares se comportaient comme de véritables conquérants : pillant, brûlant et ravageant sans vergogne, massacrant par milliers...
Un jour, alors que les chefs de guerre se réunissaient une fois de plus pour réfléchir à une invasion du territoire thalitte, Eurydis apparut pour la deuxième fois.
Il est dit qu'elle vint sous la forme d'une fille de douze ans à peine, telle qu'elle est le plus souvent représentée aujourd'hui, mais que plusieurs des vétérans chevronnés qui étaient là crurent mourir de peur tant la colère de la déesse était grande.
Elle ne parla pas, se contentant de planter son regard dans les yeux de chacun des puissants de l'Empire ithare, comme on l'appelait alors. L'avertissement fut suffisant pour les chefs de guerre, qui renoncèrent aussitôt à tout projet de conquête et prirent toutes les résolutions possibles afin que cessent les combats et l'occupation de terres étrangères. Chacun d'eux se sentait personnellement concerné par les changements majeurs qu'il fallait apporter aux modes de vie ithares.
À la génération suivante, tout le peuple ithare était tourné vers la religion. Il connut d'abord de grands malheurs, ses

anciennes victimes – comme le jeune peuple goranais – se conduisant à leur tour en bourreaux. Son territoire s'amenuisa, pour revenir à peu près à ce qu'il était à l'origine : c'est-à-dire Ith, ses environs et le port de Maz Nen.
Mais les années passèrent et les Ithares se lancèrent dans une nouvelle forme de conquête, plus conforme sûrement à l'esprit de la déesse : les Maz partirent dans toutes les directions, et jusque dans les endroits les plus reculés du monde connu, afin de porter la Morale d'Eurydis. Ces voyages profitèrent aux peuples les moins évolués, car les Ithares amenaient aussi leur civilisation : calendrier, écriture, arts, techniques... Tout ce qu'ils avaient appris au cours de leurs conquêtes passées.
Quelques théoriciens annoncent maintenant la troisième apparition de la déesse. Bien sûr, elle le fera, puisqu'elle est apparue deux fois. Mais la question principale que se posent les Ithares est : quelle sera la prochaine route à suivre ?

ÉZOMINES

Les pierres ézomines produisent de la lumière. Elles se présentent sous la forme de simples morceaux de quartz, et ne révèlent leur pouvoir que dans l'obscurité.
L'intensité de leur lueur est variable ; certains prétendent avoir vu des pierres éclairer jusqu'à cinquante pas et plus. Mais les plus courantes ne rivalisent pas avec la clarté d'une simple bougie.
La pierre perd son pouvoir une fois brisée. Les érudits se penchent en vain sur le mystère des ézomines depuis des éons. Aucune des théories qui ont été avancées sur l'origine de cette mystérieuse faculté n'a pu être vérifiée.
Ce sont en tout cas des objets très recherchés par les collectionneurs, les aventuriers, aussi bien que par des prospecteurs en quête de fortune rapide.

FOIRES (loreliennes)

Il s'agit d'une des plus vieilles traditions loreliennes. Pendant la dixième décade, allant du jour du Marchand au jour du Graveur, l'entrée et la sortie de toute marchandise – dont le commerce est autorisé par les lois du royaume – sont libres de taxes.

C'est bien sûr le moment que choisissent la plupart des trafiquants occasionnels, artisans éloignés, étrangers ou négociants en produits rares, pour trouver leurs acheteurs.

Les foires attirent en effet beaucoup de monde, dont un tiers environ ne vient pas pour faire affaire, mais simplement pour jouir des nombreuses attractions – spectacles de rue, jeux, banquets et autres – qui y sont proposées. Certaines d'entre elles sont gracieusement offertes par la Couronne, qui profite de l'occasion pour affirmer son prestige.

Les caisses du royaume ne perdent pas au change de toute façon, chaque négociant devant payer son pesant de terces avant de pouvoir installer la moindre échoppe dans la rue. Les contrôles sont stricts, et les contrevenants sévèrement punis : ni plus ni moins que la confiscation immédiate de l'ensemble des marchandises.

Les foires se déroulent aussi dans les autres grandes villes loreliennes : Bénélia, Lermian et Le Pont, avec un certain succès local, mais qui reste peu de choses comparé à celui de la capitale.

FRÈRE

Appellation que se donnent eux-mêmes les membres de la Grande Guilde, et toute guilde de malfrats en général.

Certaines d'entre elles vont jusqu'à rebaptiser leurs nouveaux membres, créent de fausses « familles », etc.

FRUGISSE

La corde à trois bouts de Frugisse tient son nom du légendaire roi magicien qui, dit-on, régna sur Lineh trois éons avant la ratification des Traités des Baronnies. On a décrit l'objet de diverses manières, la plus courante restant celle où trois filins étaient tressés deux à deux à partir de leurs moitiés, créant un cordage singulier de trois parties d'égale longueur. Selon les sources, cette longueur se situe entre six et quatre-vingt-dix-neuf pas.

La corde du roi magicien aurait l'étrange pouvoir de transporter quiconque escalade sa troisième extrémité à n'importe quel endroit où pendrait déjà une corde commune. Mais quand bien même un tel objet existerait vraiment, nul ne saurait aujourd'hui percer les secrets de son fonctionnement.

GISLE

Fleuve marquant partiellement la frontière entre le Matriarcat de Kaul et le royaume lorelien.

GRANDE GUILDE

On désigne sous ce nom le regroupement de la quasi-totalité des organisations criminelles des Hauts-Royaumes. Il ne s'agit pas de quelque chose de structuré ou de hiérarchisé, mais plutôt d'un accord garantissant le respect du territoire ou de l'activité d'une bande par les autres bandes, comme le font les guildes à l'échelle du royaume ou de la cité.

Malgré leurs nombreuses querelles internes, les groupes parviennent quelquefois à mettre en place des opérations combinées, notamment dans la contrebande.

La Grande Guilde ne donne pas officiellement dans l'assassinat, mais plutôt dans l'extorsion, l'enlèvement, l'escroquerie, la contrebande, et bien sûr toutes les formes de vol. Pourtant, on remarque que les organisations naissantes qui refusent de respecter les accords n'ont qu'une existence éphémère...

GRAND'MAISON

C'est le siège du pouvoir du Matriarcat de Kaul. Les Mères y tiennent leurs conseils, mais y ont aussi leurs appartements, ainsi que leurs études. N'importe qui peut venir à Grand'Maison exposer ses doléances ; une quinzaine de personnes sont là en permanence pour les accueillir. À diverses occasions de l'année, les salles de travail et de conseil de Grand'Maison sont ouvertes à tous les curieux.

GRAND'TERRE

Capitale et île la plus importante des archipels du Beau-Pays.

GUILDE DES TROIS-PAS

C'est le nom que l'on donne au regroupement des prostituées de la ville de Lorelia.
Le nom vient du fait que ce « commerce » était autrefois reclus dans le quartier dit de la ville basse. Mais les marchandes de charme étaient si nombreuses que les souteneurs, las des querelles dégénérant fréquemment en bagarres, finirent par attribuer à chacune d'elles une portion de rue mesurant exactement trois pas.
Certains souteneurs ont conservé cette tradition, bien que la plupart des prostituées sévissent maintenant dans le quartier du port, beaucoup plus grand.

HATI

Zü. Dague sacrée des tueurs züu. Le nom complet, tel qu'on le rencontre dans les textes, est *zuïaorn' hati*, mot à mot : un cil de Zuïa.
La *hati* est remise par un judicateur aux novices après qu'ils ont rempli leur première mission, généralement à mains nues.

Ils deviennent alors des messagers à part entière et gagnent droit de vie et de mort sur leurs compatriotes moins favorisés.

HAUTS-ROYAUMES
Désigne le groupe de contrées composé par le royaume lorelien, le Grand Empire de Goran et le royaume ithare, parfois le royaume de Romine également. Dans les Bas-Royaumes, désigne l'intégralité des pays au nord de la mer Médiane, c'est-à-dire ceux cités précédemment auxquels s'ajoutent le Matriarcat de Kaul et l'Arkarie.

HELANIE
L'une des cinq provinces du royaume de Romine, ayant pour capitale Manive, et comme symbole la rose de Manive.

JELENIS
Lorelien. Le corps des jelenis est le plus ancien des corps de gardes loreliens. Il s'est notamment rendu célèbre dans la protection du roi Kurdalène, au sixième éon.
Les jelenis sont les maîtres-chiens de la cour. Ils possèdent plus de soixante dogues blancs, espèce pourtant pratiquement exterminée en raison de la férocité de ses individus. Chacune de ces bêtes est estimée à plus de quatre cents terces et fait la fierté des monarques en place.
Il est dit qu'un jelenis accompagné de son chien ne peut être vaincu par des adversaires en nombre inférieur à cinq.

JERUSNIE
L'une des cinq provinces du royaume de Romine, ayant pour capitale Jerus, et comme symbole la croix de Jerus.

JEZ
Natif du sultanat de Jezeba.

JEZAC
Langue principale du sultanat de Jezeba.

JUDICATEUR
Chef religieux des messagers de Zuïa.

JUNÉEN
Langue parlée à Junine et dans la plupart des Baronnies. On différencie le *haut junéen*, langue des actes officiels, du commerce et de la littérature, du *petit parler*, autrefois un simple argot, mais qui s'est éloigné au fil des années de son modèle d'origine pour former pratiquement une langue à part entière.

KAULI
Langue principale du Matriarcat de Kaul.

KAULIÈN
Natif du Matriarcat de Kaul.

KURDALENE
Ce roi lorelien est célèbre pour avoir longtemps lutté contre les Züu. Le culte de la déesse justicière, à force de menaces, d'extorsions et de meurtres, avait alors une telle influence sur les nobles et les bourgeois du royaume que le monarque ne pouvait prendre la moindre décision si elle n'était avalisée par les assassins rouges.
À bout de patience, Kurdalène décida un jour d'y mettre fin, et consacra dès lors toute son énergie à l'anéantissement du culte – tout au moins en Lorelia.
Il survécut presque deux années, cloîtré dans une aile de son palais, entouré de gardes triés sur le volet, avant que les Züu ne parviennent à l'assassiner.

LA HACQUE

La légende veut que la cité marchande des Bas-Royaumes ait été fondée par un seigneur lorelien. Il s'agissait plus probablement d'un groupe d'armateurs fortunés dont le comptoir, sur les rives de l'Aòn, contribua au développement d'un village déjà ancien.
Il reste que la ville, que l'on décrit souvent comme la plus belle des Bas-Royaumes, comprend nombre de bâtiments inspirés de l'architecture lorelienne. Jusqu'au tracé de ses rues, dont certaines rappellent de manière flagrante l'avenue Kurdalène ou celle de Bellouvire.
La Hacque est longtemps restée la seule à échapper aux guerres tribales ravageant cette partie du monde connu. En 878, elle est pourtant tombée sous l'assaut des mercenaires de Yussa d'Aleb le borgne, roi de Griteh et de Quesraba. Depuis, l'on dit qu'il n'est plus de ville libre au sud de la Louvelle.

LERMIAN (rois de)

Lermian était encore, cinq siècles plus tôt, la capitale d'un riche royaume n'ayant rien à envier au Grand Empire naissant, ou au pays lorelien en pleine expansion. La famille royale était sur le trône depuis onze générations, et la dynastie ne semblait pas près de s'éteindre puisque Oroséléme, le monarque de l'époque, avait eu trois fils et deux filles de sa femme Fédéris.
Lermian avait traversé sans crise majeure les invasions romines, la domination ithare, puis les campagnes d'expansion goranaises. Il semblait qu'elle résisterait très bien aux tentatives d'influence de Blédévon, roi de Lorelia, visant à annexer ce royaume qui était comme une île dans le sien. Il n'était pas du genre de Blédévon de lancer une armée contre les murailles d'une ville dont il avait besoin comme frontière avec Goran ; Oroséléme le savait très bien et s'amusait des

jeux d'intimidation, de promesses et d'intrigues du roi lorelien.
Lermian aurait pu devenir – plus qu'aujourd'hui – une cité phare des Hauts-Royaumes si la fatalité n'avait pas frappé ses dirigeants. Orosélème mourut d'un mauvais plat qu'il avait mangé ; son fils aîné ne monta sur le trône que six jours, avant de périr d'une chute du haut de ses murailles. Le cadet régna un peu plus de huit décades, puis disparut purement et simplement. Comme le dernier fils était trop jeune, le prince consort fut désigné comme régent, mais on dut lui enlever cette charge moins d'un an après car il avait perdu la raison suite à une chute de cheval. Le mari de la seconde princesse refusa l'honneur de gérer les affaires du royaume et préféra s'exiler avec son épouse. La reine Fédéris demanda alors à ses conseillers de désigner par vote l'un d'eux comme régent. Un seul se présenta, mais il périt quelques jours plus tard, poignardé dans les rues de la ville par des voleurs.
Plus personne ne voulait assurer la régence. La reine, s'en sentant incapable, finit par accepter les accords proposés par Blédévon, qui faisaient de Lermian un simple duché de Lorelia, le royaume marchand apportant en retour la protection de ses armées.
La malédiction qui pesait sur la dynastie d'Orosélème sembla alors s'arrêter ; la reine Fédéris et son dernier fils échappèrent au trépas.
Il y eut de mauvaises langues pour parler de séries d'assassinats ; certains même mirent en cause le roi Blédévon. Mais le théoricien de la cour lorelienne sut dissiper les doutes en démontrant qu'il était de la volonté des dieux de rassembler les deux royaumes sous une seule couronne.
De ce tragique épisode vient l'expression populaire : aussi mort que les rois de Lermian.

LOUVELLE
Fleuve marquant la frontière entre les Baronnies et les Bas-Royaumes.

LUS'AN
Zü. Dans le culte de Zuïa, lieu mythique où les messagers sont accueillis par la déesse après leur mort. Ils y connaîtront la félicité et assisteront Zuïa dans sa Grande Œuvre.
Lus'an est aussi le nom donné à une petite province de l'île native des assassins. Seuls les judicateurs et leurs esclaves y résident, et l'accès en est interdit aux étrangers. Les rares aventuriers qui s'y sont risqués n'ont jamais été revus.
Les marais du Lus'an gardent prisonniers les esprits des messagers peu méritants, ou ayant trahi la déesse. Ils y errent pour l'éternité dans un ennui indicible.

LUSEND RAMA
Dieu au culte répandu dans le nord des Bas-Royaumes. C'est le dieu des cavaliers. Celui qui Chevauche, protecteur des nomades et des messagers. Il est aussi le gardien des lois régissant ces tribus, et l'on craint sa justice comme on admire son sens de l'honneur.
Le plus souvent, les artistes le peignent monté sur un puissant étalon à la robe noire et au regard aveugle, tel qu'il est décrit dans la *Chronique du roi des chevaux*, pendant son combat contre les deux géants d'Irimis. Mais on le représente parfois aussi en centaure, en référence au Taspriá, le plus ancien texte religieux des Bas-Royaumes.

MAÏOK
Arque. Maman.

MARGOLIN
Rongeur de taille moyenne – jusqu'à deux pieds de long pour un adulte – dont il existe plusieurs races : le cuivré, le criard, le glouton, entre autres.
Les margolins sont très répandus dans le sud et le centre des Hauts-Royaumes, et se développent aussi bien en plaine qu'en forêt ou en bord de rivière. Généralement considérés comme nuisibles en raison de leur prolifération rapide, de leur agressivité occasionnelle et du mauvais goût de leur chair, ils ne sont appréciés que pour leurs peaux dont les artisans font toutes sortes de fourrures, sacs, cuirs...

MASQUE
Le port du masque fait partie de la vie quotidienne des Ithares. Si le peuple religieux cultive la sobriété quant à son habillement, le masque est au contraire l'objet de toutes les attentions. Il n'est nullement obligatoire, et sur dix Ithares que l'on rencontrera dans une journée, quatre seulement porteront le masque. Mais la presque totalité des habitants de la Sainte-Cité avouent l'avoir fait à un moment ou à un autre de leur vie, et envisagent de recommencer dans leurs plus vieilles années.
L'explication, très certainement religieuse, s'est perdue dans les couloirs du temps. Le peuple ith, ancêtre des Ithares actuels, avait déjà semblable coutume.
La tradition a été annexée par les prêtres d'Eurydis, qui y ont vu une excellente manière d'accéder à la Tolérance, la troisième vertu de la Sage : effacer les différences, placer les beaux et les moins bien nés sur un pied d'égalité. Cette idée est toujours très contestée, mais les Ithares continuent de porter le masque.

MAZ
Titre honorifique relatif principalement au culte d'Eurydis, mais aussi à d'autres religions, la tradition ayant été reprise.

Le titre ne peut être transmis – à une exception près – que par un Maz à l'un de ses novices, ce dernier l'ayant mérité par son travail et sa dévotion. La transmission doit être validée par le Grand Temple, et prend effet immédiatement, ou à la mort du cesseur, selon l'arrangement. La règle interdit catégoriquement à un Maz de désigner un membre de sa famille.
L'exception consiste en l'élévation spontanée d'un novice, en remerciement d'un service rendu particulièrement grand. Le titre est souvent décerné à titre posthume – et ne peut donc être transmis – comme signe de gratitude pour une vie entière passée au service du culte. Ce pouvoir d'élévation reste le privilège exclusif des Emaz.
Les avantages concrets d'un Maz ne sont pas définis, car variant beaucoup selon les « carrières » de ces prêtres particuliers. Certains exercent de hautes responsabilités dans les principaux lieux du culte ; d'autres ne se voient confier que la formation occasionnelle de quelques novices ; d'autres encore ne seront jamais sollicités.
Le nombre des Maz vivants n'est pas connu, sauf des archivistes du Grand Temple, qui en font la mise à jour continuellement. Beaucoup de prêtres en terre étrangère s'octroient le titre sans le posséder, ce qui ne facilite pas les estimations. Mais la légende veut que les Maz furent à l'origine au nombre de 338, autant qu'il y a de jours ; de même, il y a autant d'Emaz que de décades.

MÈCHE

Petit fleuve entièrement situé dans le Matriarcat de Kaul, dont la capitale est d'ailleurs située sur ses rives. Affluent du Gisle.

MÉLOPÉE LURÉENNE

En ancien ithare, *lur* signifie guetteur. Mais Lurée est aussi le nom d'une divinité appréciée : Celui qui Veille, sur les nou-

veau-nés en particulier, et les familles unies en général. Ces deux faits seraient à l'origine de la mélopée luréenne.
Il est dit que tant que ce chant résonnera quelque part dans le monde, il portera bonheur aux personnes ayant récité au moins un couplet dans leur vie. À Ith, la mélopée ne connaît pas de trêve : des volontaires se pressent jour et nuit pour relayer l'une des cinq voix du chœur. Quelques-uns sont sincères, beaucoup, intéressés : mais tous s'acquittent de la tâche avec beaucoup de sérieux quand vient leur tour.
Le culte de Lurée est, comme celui d'Eurydis, une religion moraliste, ce qui est très perceptible dans les textes. Au fil des siècles, les Maz luréens ont ajouté plus de trente couplets aux dix-sept originaux, vantant la charité, la gentillesse, la fidélité, la sobriété et autres qualités honorables. La grande idée est que personne ne peut lire un texte à haute voix sans s'en imprégner un peu : graine au vent parfois donne arbre...

MÉMISSIE
L'une des cinq provinces du royaume de Romine, ayant pour capitale Jidée, et comme symbole le grand papillon de platine.

MERBAL
C'était le chef d'une légendaire bande de brigands, tristement célèbre pour la cruauté et la barbarie de ses membres. Il est certainement difficile, aujourd'hui, de discerner le vrai du faux parmi toutes les histoires horribles qui courent à son sujet. On tient néanmoins pour sûre la particularité morbide qu'avait Merbal de boire un godet de sang de chacune de ses victimes. Cette anecdote serait à la base des croyances de la secte des vampires de Jidée.

MISHRA
Le culte de Mishra est au moins aussi vieux que la Grande Arche sohonne. C'était déjà la déesse principale des Goranais

avant que l'armée ithare ne vienne enfin à bout des défenses de la ville, quelque part dans le huitième éon. Elle l'est redevenue à sa libération, lorsque les Ithares ont entièrement abandonné leurs mœurs guerrières pour se tourner vers la religion. Dans la période qui suivit, la cité de Goran devint peu à peu l'empire de Goran puis le Grand Empire, et le culte se développa dans le même temps.

Mishra est la déesse des Causes justes et de la Liberté. Tout le monde peut se l'approprier. On a vu ainsi des peuples vaincus par le Grand Empire invoquer l'aide de la déesse même de leurs conquérants.

Elle n'a aucune parenté divine connue ; quelques théologiens seulement la présentent comme la sœur de Hamsa. On lui a consacré très peu de grands temples – mis à part, bien sûr, l'impressionnant palais de la Liberté de Goran –, mais de très nombreux croyants vénèrent séparément des représentations miniatures de la déesse ou de son symbole : l'ours.

MOÄL

C'est un arbre poussant exclusivement dans les forêts des Petits Royaumes. Des tentatives ont été faites pour l'implanter ailleurs, sans succès, à la grande incompréhension des herboristes les plus habiles.

Le moäl ressemble beaucoup au très répandu grule, aussi est-il souvent difficile de faire la différence. Pratiquement, celle-ci n'est perceptible qu'au début de la saison de l'Eau, lorsque les branches du moäl se couvrent pendant quelques jours de nombreuses fleurs couleur céladon.

Il est dit qu'après avoir déposé une monnaie d'or au pied d'un moäl, si l'on contemple assez longtemps la lune lorsqu'elle est reine, on fera apparaître le farfadet habitant l'arbre. Ce dernier peut alors échanger la pièce d'or – s'il la trouve assez brillante – contre un vœu.

Même les moins superstitieux reconnaissent que briser une branche de moäl porte malheur.

MONARQUE
Monnaie d'or du royaume de Romine.

MORALISTE
Les prêtres moralistes utilisent les écrits et récits d'origine religieuse pour inculquer à tous les valeurs morales généralement admises comme les plus importantes : la pitié, la tolérance, le savoir, l'honnêteté, le respect, la justice, etc.
Ce sont souvent des enseignants et des philosophes, qui limitent – humblement – leur tâche à l'éducation d'une petite communauté. Le culte moraliste le plus répandu est celui de la déesse Eurydis.

NIAB
Kauli. Le niab est un poisson d'eau profonde qui ne remonte à proximité de la surface qu'à la nuit tombée. Les pêcheurs kauliens se servent d'une grande toile foncée qu'ils tendent sur l'eau entre plusieurs bateaux pour le leurrer. Il ne leur reste plus ensuite qu'à le « cueillir » en plongeant, le niab entrant dans un sorte de somnolence.
De là, l'insulte de niab pour une personne trop crédule, ou qui agit sans réfléchir.

NOMS
L'origine des noms propres est différente, bien sûr, selon le pays natal de son propriétaire. Mais si les noms kauliens, romins ou goranais sont tout simplement des noms répétés depuis des siècles, sans que plus personne ne se soucie de leur provenance, il en va différemment pour d'autres peuples du monde connu. Une coutume ithare veut que le nom donné à un nouveau-né soit le premier mot qu'il prononce. Comme le

moindre babil est considéré comme un mot, incompréhensible des hommes mais significatif pour les dieux, des noms ithares courants sont : Nen, Rôl, Aga et autres onomatopées. L'interprétation est laissée libre aux parents, et il est possible d'assembler plusieurs syllabes. Mais les noms ithares sont souvent très courts et à la prononciation facile. Le nom des Arques n'est pas définitif. Ils prennent le nom que les autres leur donnent au cours des différentes étapes de la vie. Ainsi, la plupart des bébés s'appellent Gassan (bébé) ou Gassinuë (tout-petit). Les Arques cherchent très tôt des particularités à leurs enfants et les appellent selon ces traits de caractère, jusqu'à ce qu'il soit justifié d'en changer. Ainsi, Prad pour le curieux, Iulane pour la jeune, Ispen pour l'adorable, Bowbaq pour le très grand, etc. Chacun fait de son mieux pour ne pas être affligé d'un nom comme le cruel, le pingre, l'infidèle ou autre qualificatif peu enviable. Bien sûr, la courtoisie du peuple arque l'empêche de désigner quelqu'un par une tare physique, mais cette règle est bien vite oubliée en cas d'inimitié.
Les Züu qui se mettent au service de la déesse justicière changent de nom quand prend fin leur noviciat. En signe d'appartenance totale à Zuïa, ils prennent la lettre « Z » comme initiale, ce qui leur confère aussi une autorité absolue sur les communs du peuple zü.

ODREL

Divinité dont le culte est répandu essentiellement dans les Hauts-Royaumes. D'après la légende, Odrel serait le second fils d'Echora et d'Olibar.
Après une vie entière de travail, un prêtre d'Odrel a rassemblé plus de cinq cent cinquante histoires ayant comme principal sujet le dieu triste, comme on l'appelle parfois. Aucune ne finit bien. La plus célèbre est certainement l'épisode des amours compliquées entre Odrel et une bergère, qui se ter-

mine par la mort dramatique de l'humaine et de leurs trois enfants, et la prise de conscience déchirante du dieu qui voudrait les rejoindre dans la mort, seule chose au monde hors de son pouvoir.
Ce prêtre archiviste conclut son travail de cette façon : « Personne n'a eu autant de malheurs qu'Odrel. C'est sûrement pour cela que tous les malchanceux, les infortunés, les démunis ; ceux qui portent le deuil, le poids des regrets, le fardeau du souvenir ; ceux qui ont connu l'injustice, la détresse, la disgrâce, la misère, toutes les épreuves de la vie ; tous ceux-là sont venus, viennent et viendront un jour chercher le réconfort auprès d'Odrel. C'est le seul dieu à même de les comprendre, car le seul à inspirer lui-même de la pitié. »

PAÏOK
Arque. Père. Peut aussi désigner un « protecteur » ou un « guide » : un grand frère, un ami plus expérimenté, un aïeul...

PETITS ROYAUMES
Autre nom donné aux Baronnies.

PHRIAS
C'est le dieu persécuteur. Celui qui est appelé par les mauvaises pensées et les sombres prières des humains envers leurs semblables. Celui qui fait qu'une corde lâche, qu'un chien devient dangereux, que le feu s'échappe de l'être, que le sol est glissant. C'est le démon qui se nourrit des haines et qui exauce les plus noires des volontés.

POUSSE
C'est un jeu très physique, populaire au Vieux Pays et dans les Baronnies septentrionales. Il consiste en la lutte de deux individus, debout sur une seule jambe, et appuyés paumes sur les paumes de l'adversaire, doigts recourbés. Le premier qui

oblige son adversaire à poser son autre jambe à terre a gagné, sachant que les mains doivent toujours rester les unes contre les autres. La seule manière de vaincre est donc... de pousser de toutes ses forces.

PRESDANIE

L'une des cinq provinces du royaume de Romine, ayant pour capitale Mestèbe, et comme symbole le dauphin gyole.

RAMGRITH

Natif du royaume de Gritch. Langue principale de ce royaume.

REINE-LUNE

Petit coquillage lisse, de forme presque parfaitement ronde, précieux par sa rareté. Il en existe trois sortes connues : le blanc, le plus rencontré, le bleu, moins courant, et enfin le bariolé, rarissime. Les deux derniers ont été pendant un temps utilisés comme monnaie dans certains endroits isolés du Matriarcat de Kaul, et les anciens accepteraient encore quelques-unes de ces coques au cours d'une transaction. Le coquillage est d'ailleurs représenté sur chacune des pièces frappées par le Trésor du Matriarcat, et a donné son nom à la monnaie officielle : la reine, qui existe en pièces de une, trois, dix, trente, et enfin cent. Les pièces de cent, aussi grandes que la main, ne sont pas en circulation normale et ne sont utilisées que comme garantie dans les transactions du Matriarcat avec les autres contrées.

RIDEAU

Le Rideau est la chaîne de montagnes séparant le Grand Empire de Goran et le royaume ithare des contrées de l'Est.

ROCHANE
Fleuve prenant sa source dans les monts Brumeux et se jetant dans la mer de Romine. Il traverse l'Hélanie et la Presdanie, et compte sur ses rives deux des plus grandes villes du Vieux Pays : Mestèbe et Trois-Rives.

ROMERIJ
Ville légendaire sur les ruines de laquelle aurait été construite Romine.

SAGE
La Sage : nom quelquefois utilisé pour désigner la déesse Eurydis.

SAGRE
Le sagre vorace, ou requin alpiniste, est un poisson de la mer de Feu que l'on confond facilement avec la murène à tassettes. La taille moyenne d'un adulte se situe entre cinq et sept pas, mais certains témoignages rapportent l'existence d'individus d'une longueur supérieure à dix pas et plus encore, si l'on est prêt à croire les récits des vétérans marins ramythres.
Mais il est de bien plus imposantes créatures et celle-ci n'est pas crainte pour sa taille. Le sagre doit sa notoriété à sa faim insatiable et, surtout, aux multiples crochets rétractiles qu'il possède entre ses écailles inférieures. Ces derniers renferment un venin aux pouvoirs paralysants qui facilitent la constriction de ses proies.
En outre, les crochets du sagre lui permettent, à la manière des chenilles, de se hisser sans bruit à bord des embarcations... ce qui en a fait le prédateur le plus redouté des marins au long cours, et a donné naissance à de nombreuses coutumes. Par exemple, l'usage de la « couronne à clochettes », étroit filet chargé de ferraille que l'on installe autour de la coque. Ou encore, la superstition qui veut que l'on ne prononce plus le

nom d'un homme victime d'un sagre avant d'avoir regagné la terre ferme.

SAINTE-CITÉ

Autre nom donné à la ville d'Ith, capitale du royaume ithare. Ce terme sert plus souvent à désigner le quartier religieux, enclave possédant ses propres murailles, lois, et citoyens, et formant une véritable cité dans la cité.

SEMILIA

Principauté indépendante, bien que sous protection lorelienne.

TERCE

Le terce est la monnaie officielle du royaume de Lorelia. On distingue le terce d'argent – d'utilisation la plus courante – du terce d'or, frappé de l'effigie du roi en place.
Les terces d'or loreliens sont réputés pour avoir un degré de pureté inégalé par de semblables monnaies.
L'autre monnaie officielle est le tic, un terce d'argent valant douze tics.
La conversion d'un terce d'or en terces d'argent varie selon le changeur ; toutefois on ne peut estimer le terce d'or à moins de vingt-cinq terces d'argent.

THÉORICIEN

Caste de prêtres dévolus à tous les dieux en général ; plus rarement, à quelques-uns ou à un seul. Les théoriciens s'appliquent à rechercher dans les signes divins l'expression de la volonté des Éternels. Plutôt mal perçus par les grands temples, ils sont très prisés par les cours royales et seigneuriales, où ils font aussi souvent office d'astrologue et de conseiller.
Le plus célèbre fut sans conteste Jéron le Tendre, qui sauva

les habitants de Romine de la noyade, malgré l'incrédulité de leur roi.

UBESE

Fleuve prenant sa source dans la chaîne de montagnes dite des Hauts-de-Jezeba. L'Ubese partage les Petits Royaumes, et a longtemps été la plus grande source de conflit à l'intérieur des Baronnies, jusqu'à la ratification du premier des Traités.
C'est un fleuve au cours paisible, assez paresseux pour former un lac sur le plateau de Junine. Un pont fortifié enjambant l'entrée sud du lac protège la capitale de toute agression des Bas-Royaumes par cette voie.

URÆ

Fleuve prenant sa source dans la chaîne des Brantaques et se jetant dans la mer de Romine. Il donne son nom à la province de l'Uranie, et compte sur ses rives Romine, la capitale du Vieux Pays.
L'Uræ a la triste réputation d'être le fleuve le plus sale du monde connu. On dit aussi que la fange de son fond recèle plus de richesses que n'en possède l'empereur de Goran. Bien sûr, ce n'est sûrement qu'une image, visant à exagérer l'impureté des eaux. Mais la légende s'entretient d'elle-même, lorsque des riverains apparaissent nantis d'une soudaine fortune dont ils refusent de donner l'origine.

URANIE

L'une des cinq provinces du royaume de Romine, ayant pour capitale Romine, et comme symbole l'aigle couronné des monts Brumeux.

VAL GUERRIER

C'est le nom donné à la bande de terre située entre les dernières hauteurs du Rideau et l'océan des Miroirs. Le Grand

Empire goranais, à l'ouest, et le territoire thalitte, à l'est, en revendiquent la propriété. Le val Guerrier est témoin de leurs affrontements depuis des siècles.

VÉLANÈSE
Fleuve lorelien. La ville du Pont est bâtie sur sa source.

VIEUX PAYS
Autre nom du royaume de Romine.

YÉRIM
L'archipel désigné comme les îles de Yérim n'en comprend plus que deux : Yérim elle-même et l'île basse de Nérim. Deux autres terres, plus petites, ont été englouties pendant l'éruption du Yalma – le volcan principal de l'archipel – alors qu'une cinquième se soulevait pour fusionner avec Yérim et donner sa forme actuelle à l'île principale.
Ces bouleversements remontent à l'année 552. Le Grand Empire s'était implanté sur l'archipel deux siècles plus tôt, sans difficultés puisqu'aucun royaume ne revendiquait ces terres désertes et désolées. Initiateur du projet, l'empereur Uborre envisageait de se lancer à l'assaut des Bas-Royaumes, mais l'idée fut abandonnée devant les difficultés d'entretien du port et du fort construits à la hâte à Yérim.
Goran s'était alors contenté d'y maintenir une petite garnison, ainsi qu'une escadre d'une dizaine de galiotes. L'habitude fut prise de confier cette charge aux soldats les moins méritants, placés sous la responsabilité de baronnets indésirables. On en vint bientôt à aménager le fort en prison, et un nombre croissant de condamnés fut exilé à Yérim sans aucun espoir de retour. La légende veut que ces exclus de la société goranaise – matons comme prisonniers – soient à l'origine de l'héraldique du bandeau noir, symbole des conjurés et des ennemis de l'empereur.

En 552 donc, tirant parti de l'éruption du volcan, les quelque trois mille prisonniers du bagne se révoltèrent, aussitôt rejoints par la moitié du corps militaire en poste. Les combats cessèrent rapidement, mais d'autres éclatèrent bientôt entre les bandes des différents meneurs. C'est dans ce chaos qu'ils découvrirent le gisement de cuivre révélé par l'éruption. Plutôt que d'abandonner l'île, les Goranais décidèrent alors d'utiliser les galiotes qu'ils avaient épargnées pour commercialiser le minerai et s'approprier définitivement l'archipel, leur seule crainte venant d'une contre-attaque de Goran... Mais il fut bientôt évident que le Grand Empire se souciait peu de cette perte et n'entendait pas risquer d'autres bâtiments dans l'affaire.
Une fois les mines de cuivre épuisées, les marins yérims se tournèrent vers la piraterie, le mercenariat et toutes les sortes de commerce maritime. Trois siècles plus tard, l'île, que l'on désigne encore comme « le bagne de Goran », garde sa réputation d'endroit dangereux.

Achevé d'imprimer par GGP Media GmbH, Pößneck
en avril 2006
pour le compte de France Loisirs,
Paris

N° d'éditeur: 45298
Dépôt légal: mai 2006
Imprimé en Allemagne